UNE AUTRE HISTOIRE
DE LONDRES

BORIS JOHNSON

UNE AUTRE HISTOIRE DE LONDRES

Quand l'iconoclaste maire de Londres
raconte ceux qui ont fait sa ville,
de l'empereur Hadrien
à Keith Richards

Traduit de l'anglais
par Michel Faure

ROBERT LAFFONT

Titre original : JOHNSON'S LIFE OF LONDON
© Boris Johnson, 2011
Traduction française : Éditions Robert Laffont, S.A., Paris, 2013
ISBN : 978-2-221-13126-8

(édition originale : ISBN 978-0-00-741893-0, Harperpress, an imprint of HarperCollins, Londres)

Pour Marina

LONDON BRIDGE

Ils arrivent, encore et toujours, et montent à l'assaut du pont.

Ils avancent sous le soleil, la pluie, le vent, la neige, la boue. Presque chaque matin, je les dépasse à vélo tandis qu'ils sortent, vague après vague, de la gare de London Bridge et abordent d'un pas décidé les deux cent trente-neuf mètres de trottoir qui les conduiront de l'autre côté de la rivière, vers leur lieu de travail.

J'ai l'impression de passer en revue un honorable régiment de banlieusards progressant à marche forcée, et tandis que je pédale sur le macadam défoncé par les autobus, je fais parfois l'objet de coups d'œil ou de sourires, et il arrive même que l'on m'adresse une aimable insulte d'un ton joyeux.

Certains sont au téléphone, consultent leurs messages, d'autres parlent à leurs voisins. Peu d'entre eux regardent le paysage qui, pourtant, mérite le détour : sur leur gauche, les gratte-ciel étincelants de la City, sur leur droite, la Tour de Londres, les canons du croiseur *HMS Belfast* et les extravagants crénelages du Tower Bridge sous lequel tourbillonnent les eaux du fleuve, vertes ou brunes selon l'heure. Tous ces marcheurs, cependant, ont l'air d'avoir la tête ailleurs. Ils sortent d'un bus, d'un métro ou d'un train de banlieue et se préparent à la journée de travail qui les attend.

Souvenez-vous, c'était ce même spectacle qui épouvanta T.S. Eliot, un banquier devenu poète et dramaturge, cette foule qui envahissait le London Bridge, si dense et anonyme qu'elle semblait, à ses yeux, une armée de fantômes. Je ne pensais pas que la mort avait supprimé tant de gens, gémit notre impressionnable auteur. Et pourtant, quatre-vingt-dix ans après qu'il a été horrifié par cette vision, la vague humaine est plus forte que jamais sur le pont.

Elle a changé depuis qu'Eliot a vu en elle une image d'apocalypse. Aujourd'hui, des milliers de femmes la composent, chaussures de jogging aux pieds et souliers à talons dans un sac. À la place des attachés-cases, les hommes portent désormais des sacs à dos. Personne n'est plus coiffé d'un chapeau melon et presque personne ne fume de cigarette, encore moins la pipe. Mais les banlieusards londoniens sont toujours là, et leur nombre n'a jamais été aussi élevé.

Les bus de Londres transportent de plus en plus de voyageurs. Le métro couvre des distances jamais égalées et un nombre croissant de personnes prennent le train. Ce serait sympa de découvrir que les gens délaissent enfin la voiture au profit des transports publics, mais le paradoxe, c'est que le nombre de véhicules privés augmente aussi, de même que le nombre de cyclistes qui affiche une croissance de 15 % par an.

Si l'on observe la révolution technologique des vingt dernières années, on constate qu'une prévision ne s'est pas concrétisée. Nous étions censés être dans nos cuisines du Dorking ou du Dorset à surfer sur «l'autoroute de l'information». Les contacts par vidéo, nous avait-on dit, rendraient les réunions superflues. Baliverne!

Quoi qu'on en pense, les gens veulent toujours se voir et se parler. Je laisse aux anthropologues le soin de nous expliquer pourquoi, mais essayez de «travailler à la maison» pendant une semaine et vous verrez que ce n'est pas aussi réjouissant qu'on le dit. On déprime vite à se faire du café, à vadrouiller sur Internet avant de se couper un morceau du fromage qui traîne dans le frigo. Il existe d'autres raisons, aussi, à ce désir obstiné des hommes de retrouver leurs semblables autour de la photocopieuse. Comme l'a démontré l'économiste d'Harvard, Edward Glaeser, la ruée vers la ville est aussi rationnelle à l'ère de la révolution de l'information qu'elle l'était lors de la révolution industrielle.

Quand je prends mon vélo pour rentrer chez moi le soir, la plus grande partie de la foule matinale a repris le pont en sens inverse. Tel un gigantesque cœlentéré sous-marin, Londres a accompli sa formidable respiration quotidienne – aspirant des millions de banlieusards entre sept et neuf heures du matin, les expirant entre cinq heures et sept heures du soir pour les renvoyer chez eux. Mais la transhumance vespérale s'avère zigzagante. Sur le chemin du retour, on trouve des pubs, des clubs, des bars, et quand je regarde la multitude des buveurs sur les trottoirs – des groupes qui se font et se refont dans une valse lente – je réalise pourquoi la ville l'emporte haut la main sur la campagne.

Vous pouvez échanger des regards dans l'escalier mécanique du métro du style Dante/Béatrice, renverser la tasse de café au lait d'une personne et lui en offrir une autre, accepter des excuses quand on vous marche sur les pieds, emmêler la laisse de votre chien dans celle d'un autre. Vous pouvez aussi lire les annonces de rencontres dans le journal du soir et proposer à quelqu'un de boire un verre avec vous. Telles sont les parades amoureuses propres à notre espèce, et elles ont statistiquement plus de chances de succès dans une ville qu'en pleine campagne, le choix des partenaires possibles y étant plus grand – et les conséquences d'un échec moins dures.

La métropole est comme un vaste accélérateur de particules multinational où M. Quark et Mlle Neutron se déplacent à grande vitesse et se rentrent dedans, leur collision aboutissant à des résultats des plus spectaculaires. Ce n'est pas seulement une question de relations amoureuses et de reproduction, nous sommes dans le domaine des idées, et dans ce domaine, la pollinisation croisée a plus de chances de se produire au sein d'un énorme essaim d'abeilles qu'entre quelques ruches isolées.

De nombreuses grandes villes dans le monde sont en mesure de revendiquer toutes sortes de primautés, mais oserais-je avancer l'idée, alors que le pessimisme à l'égard de la civilisation occidentale est maintenant très tendance, que Londres est devenue, depuis les cinq cents dernières années, la cité dont l'influence est la plus grande au monde, en matière culturelle, technologique, politique et linguistique? En fait, je pense que même les maires de Paris, New York, Moscou, Berlin, Madrid, Tokyo, Pékin ou Amsterdam seraient d'accord avec moi quand j'affirme que Londres est – après Athènes et Rome – la troisième ville la plus marquante de l'histoire.

On trouve partout dans le monde des foules de banlieusards arpentant le pavé avec autant d'opiniâtreté que les Londoniens face à la compétition économique. Ils sont tous vêtus, cependant, d'une invention londonienne : le costume sombre avec veste, pantalon et cravate, mis au goût du jour par les dandies du XVIIIᵉ siècle et peaufiné par les victoriens. Leurs moyens de locomotion ont soit été inventés, soit mis au point à Londres : les trains souterrains (de Paddington à Farrington, en 1855), ou les bus, ou encore les bicyclettes, adoptées en masse, sinon inventées à Londres.

Si ces personnes descendent d'un avion, ce dernier aura été guidé dans le ciel par des contrôleurs qui parlent une langue conçue sous sa forme actuelle dans le Londres de Geoffrey Chaucer, écrivain du XIVe siècle considéré comme le père de la littérature anglaise.

Elles utilisent des distributeurs automatiques de billets (Enfield, 1967) avant d'entrer dans un grand magasin (apparu sur Oxford Street en 1909). Une fois rentrées chez elles, il y a de grandes chances pour qu'elles s'écroulent devant la télévision (dont le premier modèle a été mis en service dans une pièce au-dessus de ce qui est aujourd'hui le Bar Italia, sur Frith Street, à Soho, en 1925) et regardent du football (dont les règles ont été codifiées dans un pub sur Great Queen Street, en 1863).

Je pourrais continuer longtemps cette liste des innovations londoniennes, de la mitraillette aux ventes à terme du château-haut-brion, mais la ville a également eu des contributions d'un autre ordre, notamment dans le domaine spirituel et idéologique. Quand les missionnaires anglicans se sont déployés à travers l'Afrique, ils avaient emporté avec eux la bible du roi Jacques, *The King James Bible*, un chef-d'œuvre traduit en anglais à Londres et publié en 1661. Quand les Américains ont fondé leur république, ils ont été en partie inspirés par les slogans antimonarchistes des radicaux londoniens. Et de nombreux gouvernements à travers le monde souscrivent, au moins en parole, aux concepts de démocratie parlementaire et d'*habeas corpus* dont Londres, plus que toute autre cité, fit la promotion.

Le darwinisme a ses origines dans la capitale anglaise. Tout comme le marxisme. Et le thatcherisme, sans parler de l'anarcho-communisme de Peter Kropotkin, un habitant du district londonien de Bromley.

Ce sont les vastes étendues de couleur rose identifiant l'Empire sur les cartes qui ont le plus incité les Londoniens à parcourir le monde. L'Empire ne fut pas un accident de l'Histoire, ce n'était pas un coup de chance qui a fait de Londres en 1800 la ville la plus grande et la plus puissante du monde. Cette époque impériale fut elle-même le produit de siècles d'évolution, et les victoriens ont hérité d'avantages considérables – une langue superbement adaptable, des compétences bancaires, une expertise navale, un système politique stable – que les Londoniens qui les avaient précédés avaient développés.

Une grande cité donne à chacun l'occasion de trouver un partenaire, de l'argent, de la nourriture. Autre chose pousse les gens intelligents à venir à Londres : la renommée. C'est l'éternelle compétition pour la réputation et le prestige qui a encouragé les Londoniens à financer de nouveaux hôpitaux, à écrire de grandes pièces de théâtre, ou encore à résoudre le problème de la longitude pour la marine. Quelle que soit la qualité de son environnement, il est impossible de devenir célèbre en restant dans son village, et c'est toujours vrai aujourd'hui. Vous voulez que les gens reconnaissent ce que vous avez fait ? Il vous faut un public pour vous applaudir. Et surtout, il vous faut être au courant de ce que trament les autres.

C'est la ville qui donne aux ambitieux la possibilité d'espionner, d'emprunter ou simplement de pressentir les idées des autres pour ensuite les intégrer aux leurs et en faire quelque chose de nouveau. Pour les moins ambitieux, elle représente une chance d'avoir l'air occupé et de se mettre dans les bonnes grâces de son patron dans l'espoir de conserver son job – et j'ai bien peur que ceux qui «travaillent à la maison» soient plus faciles à virer.

Ce sont quelques-unes des raisons pour lesquelles les gens choisissent de ne pas rester chez eux avec le chat et que cette migration quotidienne sur le London Bridge s'accomplit. Pendant des siècles, on est venu ici non pour y chercher du pétrole, de l'or ou d'autres richesses naturelles – car Londres ne renferme rien d'autre qu'argile et boue qui datent du pléistocène – mais pour la compagnie et l'approbation des autres. C'est cela qui a si souvent produit ces éclairs de génie qui ont fait avancer la capitale – et parfois l'humanité tout entière.

Si vous étiez arrivés à Londres voici dix mille ans, vous n'y auriez rien trouvé, sinon un marais près d'un estuaire. Vous auriez pu croiser un vieux mammouth perdu et en voie d'extinction, mais aucun établissement humain. Et ce fut plus ou moins la même chose pour les dix mille ans suivants.

Les civilisations de Babylone et de Mohenjo-daro connurent leur apogée et leur déclin. Les pharaons édifièrent des pyramides. Homère chanta. Les Zapotèques mexicains commencèrent à écrire. Périclès embellit l'Acropole. L'empereur chinois donna vie à ses armées de glaise, la république romaine connut une guerre civile sanglante avant de devenir un empire et, pendant ce temps, le silence régnait à Londres, à peine rompu par des cerfs passant comme des ombres entre les arbres.

Le fleuve était presque quatre fois plus large qu'aujourd'hui et coulait beaucoup plus lentement – mais à peine pouvait-on voir un coracle (barque primitive) sur la Tamise. Quand le Christ prêchait ses apôtres en Galilée, quelques «proto-Britanniques», ignorants et nus, existaient

15

sans doute, mais pas les Londoniens. On ne trouvait aucun habitat important ou pérenne sur le site de la ville d'aujourd'hui car on ne pouvait pas y survivre sans l'infrastructure des transports que j'utilise chaque jour.

Selon mes calculs, le London Bridge actuel doit être le douzième ou treizième modèle d'une construction qui a été de multiples fois maltraitée, cassée, brûlée ou bombardée. On l'a utilisé pour jeter des sorcières dans la Tamise, il a été détruit par les Vikings et incendié au moins deux fois par des hordes de paysans en colère.

Au cours de son histoire, ce pont a abrité des églises, des maisons, des palaces élisabéthains, un ensemble commercial d'environ deux cents échoppes et ateliers, et y furent exposées les têtes coupées, noircies et embrochées des ennemis de l'État.

La dernière version détériorée du pont a été vendue en 1967 – un magnifique exemple du talent de Londres pour l'exportation – à un homme d'affaires américain, Robert McCulloch, magnat de la tronçonneuse dans le Missouri. Il a payé deux millions quatre cent soixante mille dollars pour la structure et tout le monde s'est moqué de lui, pensant qu'il avait confondu le London Bridge avec le Tower Bridge, bien plus pittoresque. Mais il n'était pas aussi bête qu'on le pensait.

Le pont a été réassemblé pierre par pierre à Lake Havasu, en Arizona, où il est la deuxième attraction touristique la plus visitée après le Grand Canyon. Un succès justifié, à mes yeux, compte tenu de la place majeure qu'occupe le London Bridge dans la création de Londres. C'est lui qui a permis la naissance du port. C'est le péage du côté nord qui a rendu les gardes nécessaires, et ce sont les gardes qui ont rendu les premières habitations indispensables. Ce sont les Romains, vers l'an 43, qui ont construit le premier pont flottant sur la Tamise.

Ces immigrants italiens arrivistes ont fondé Londres, et dix-sept ans plus tard, des têtes de mule, d'anciens Bretons, ont célébré ce cadeau fait à la civilisation en réduisant la ville en cendres, démolissant le pont et massacrant tous ceux qui se trouvaient sur leur chemin.

BOADICÉE

*Elle poussa les Romains
à reconstruire Londres*

Ça s'est passé par ici, je pense. En cette belle journée d'automne, j'ai trouvé ce qui fut sans doute le cœur du plus ancien village romain de Londres. Tout près du London Bridge, au croisement de Gracechurch Street et de Lombard Street, avec au coin un magasin Marks & Spencer et un Itsu, le restaurant d'une chaîne japonaise. D'après tous mes bouquins, le lieu qui m'intéresse se trouve en plein milieu du carrefour.

Je m'y engage, à vélo, au prix de quelques coups de klaxon des automobilistes, et roule à l'endroit précis de ma quête. Soudain, je ne vois plus les imposantes façades des banques de la City autour de moi, mais j'imagine des maisons de bois, la fumée d'un millier de cheminées recouvrant le paysage, une route de terre, une forêt à l'horizon. Je me mets un instant dans la peau du gouverneur de cette nouvelle province, ce pauvre Suetonius Paulinus, fourbu, les pieds meurtris dans ses sandales cloutées.

Il vient juste de marcher aussi vite que possible à la tête de ses troupes, descendant depuis le nord du pays de Galles un chemin qui est maintenant l'autoroute A5. Il passe par Edgware Road, puis Cheapside et le voilà, sur un tas de graviers où se tient la place du marché du tout premier Londres. Devant lui, des négociants terrorisés.

Ils savent ce qui est arrivé aux gens de Colchester, dans ce qui est aujourd'hui le comté de l'Essex – des milliers d'entre eux découpés en rondelles par les fines lames celtes, embrochés sur des piques ou brûlés vifs dans leurs maisons de terre. Jusqu'au temple de Claude lui-même, empereur déifié, saccagé et réduit en cendres, ses occupants carbonisés. Ils ont entendu parler de la férocité des Icènes et de leur reine, Boadicée, une femme imposante et furieuse, de ses cheveux rouges et de sa détermination à venger ses filles violées par des soldats romains.

Viens à notre secours, Suetonius, supplient les marchands. Le général regarde cette ville de Londinium et apprécie l'ambition de ceux qui ont décidé de s'y établir. Colchester (Camulodunum) est peut-être la capitale de cette province romaine, Britannia, mais Londres en est déjà le lieu le plus peuplé, une ville d'entrepôts que Tacite a décrite grouillante de négociants et de voyageurs en tous genres.

Quand Suetonius porte son regard vers la droite, en direction du pont, il peut contempler, attachés aux quais, des navires chargés de marbre de Turquie destiné à embellir les nouvelles demeures qui poussent ici comme des champignons. D'autres bateaux apportent de l'huile d'olive de Provence ou de la sauce de poisson d'Espagne. Il peut voir aussi, embarquées sur d'autres bateaux, les toutes premières exportations de ce pays – des chiens de chasse, de l'étain, de l'or et des esclaves venus des forêts humides de l'Essex, leurs tristes visages tachés de bleu par la guède, le pastel des teinturiers. Tout autour de lui, les signes de l'argent et de la spéculation, avec un centre commercial doté – croyons-nous aujourd'hui – d'un portique long de cinquante-huit mètres. Le général romain peut y observer des femmes voilées qui marchandent devant des balances et des cochons reniflant les ordures. Des piles de bois sont alignées afin d'édifier des maisons carrées à la romaine qui remplacent vite les huttes primitives, de forme arrondie, des temps plus anciens. On trouve des planches neuves de noisetiers pour le clayonnage, de l'argile frais pour les enduits. Les routes qui traversent Londres répondent déjà aux normes romaines : du gravier damé sur neuf mètres de large, bombé sur les côtés pour que l'eau de pluie s'écoule dans les fossés.

Trente mille de ces Londoniens occupent alors un espace équivalent à celui de Hyde Park, et quand je dis Londoniens, il s'agit en fait de Romains, des commerçants en toge ou en tunique qui s'expriment en latin. Ils viennent de ce qui est maintenant la France, l'Espagne, l'Allemagne, la Turquie, les Balkans, bref, des quatre coins de l'Empire. Ils ont des goûts de luxe, apprécient le vin et les céramiques sigillées aux motifs en relief. Même dans ce climat froid et humide, ils aiment s'allonger sur leurs couches et boire à la santé de leurs amis dans de splendides gobelets de verre taillés en Syrie.

Tout cela coûte cher et ces marchands sont lourdement endettés. Ce sera la cause du désastre qui va bientôt les balayer.

Désolé, mais nous ne pouvons pas rester, répond Suetonius aux marchands affolés. Impossible, trop risqué. Nous ne sommes pas assez nombreux. Les troupes du général romain sont au bout du rouleau. Leur marche depuis le pays de Galles les a étrillées. Au mieux, Suetonius peut espérer mobiliser dix mille hommes répartis sur l'ensemble de l'île. Boadicée et les Icènes rassemblent déjà cent vingt mille combattants sous l'étendard de la révolte, et d'autres les rejoignent.

Les légionnaires romains sont pourtant des durs à cuire. Allemands, Serbes, Bataves, des types capables d'avancer des jours durant avec une ration de biscuits secs arrosés d'un peu d'eau, et après ça, ils vous montent sans broncher une passerelle au-dessus d'une rivière. Mais ils savent comment les soldats de Boadicée ont anéanti Petilius Cerealis et la 9ᵉ légion. Ils ne sont pas candidats pour subir le même sort et Suetonius fait alors ce que tout général romain déteste faire : il donne l'ordre de battre en retraite. Il remonte ce qui est aujourd'hui Edgware Road ; l'accompagnent ceux qui le veulent et peuvent marcher. Restent les vieux, les infirmes, les femmes effrayées à l'idée de traverser la forêt et les marchands ne voulant pas abandonner leurs stocks.

Pendant quelques heures, Londres ressemble alors à une ville du Far West qui attendrait le retour du vengeur masqué. Des bâches claquent au vent, des gens épient les rues désertes à travers leurs volets. Nous avons retrouvé quelques traces archéologiques de cette attente anxieuse. À Eastcheap, quelqu'un semble avoir saisi une poterie de Lyon pour la remplir de bagues et de pierres précieuses avant d'enterrer le tout dans le sol. Dans une maison qui serait aujourd'hui sur King William Street, quelqu'un a caché dans le coin d'une pièce un petit bol de verre rouge dans lequel il avait placé dix-sept pièces de monnaie, toutes à l'effigie de Claudius. Sans doute beaucoup d'autres ont prié et sacrifié des animaux (nous avons les os d'une chèvre) et caressé les petites figurines de terre cuite de leurs divinités domestiques.

Enfin, monte un grondement sourd du côté de ce qui est aujourd'hui Bishopgate. Juchés sur leurs chariots en osier tirés par des chevaux, les soldats icènes dévalent la piste jonchée de branches, leur reine Boadicée à leur tête.

C'est une femme impressionnante, selon Dio Cassius : très grande, une voix rauque, toujours vêtue d'une tunique multicolore et portant à son cou un énorme collier, un bon kilo de fils d'or tressés. Sa poitrine est si vaste qu'elle y cache son lièvre magique, un animal qu'elle sort de son corsage, à la fin d'un discours belliqueux, pour qu'il prédise, selon qu'il file à droite ou à gauche, l'issue de la bataille. Dans cette immense poitrine bat un cœur plein de haine.

Profondément enfouies sous les trottoirs de Londres se cachent les traces de l'holocauste mené par Boadicée – une couche de débris rouges, épaisse de quelque quarante-cinq centimètres. Le premier incendie démarre aux alentours de Gracechurch Street, là où Suetonius a rencontré les Londoniens. Quand les citoyens sans défense fuient leurs maisons en feu, les Celtes les décapitent ou les jettent dans le Walbrook, un ruisseau puant entre deux collines – maintenant Cornhill et Ludgate – qui enserrent le Londres des premiers âges.

Ils pendent, brûlent, crucifient avec une constante furie, nous raconte Tacite. Et selon Dio Cassius, ils se saisissent des femmes les plus nobles et les plus belles, les mettent nues, coupent leurs seins qu'ils cousent ensuite sur leurs bouches afin qu'elles semblent manger leur propre poitrine. Ils profanent les sépultures et des excavations dans la City semblent indiquer que le corps d'un vieil homme fut déterré et la tête d'une jeune femme placée entre ses jambes.

Les Icènes passent le pont et brûlent encore les maisons de ce qui est aujourd'hui le quartier de Southwark tandis que les bâtiments du centre de la ville s'effondrent en un immense brasier qui génère une colonne de fumée grise s'élevant jusqu'aux cieux. Londres est anéantie à peine dix-sept ans après qu'elle a été fondée.

Après avoir massacré également les habitants de St Albans, le nombre de victimes de Boadicée s'élève à soixante-dix mille personnes, affirme Tacite. Peut-être l'auteur romain exagère-t-il, mais la reine des Icènes fut proportionnellement plus meurtrière pour les Londoniens que ne le fut la peste noire, le «Grand Incendie» qui consuma la ville en 1666, ou encore Hermann Goering. Son nihilisme était tel qu'elle détruisit l'ensemble des infrastructures de la Britannia dont dépendait aussi son peuple.

Les Icènes avaient bien accueilli les envahisseurs romains, leur avaient vendu des chevaux. Il est quasi certain que le mari de Boadicée, Prasutagus, était citoyen romain, et elle-même, en conséquence, également. Pourquoi, donc, tant de fureur? Pourquoi a-t-elle agi de façon aussi autodestructrice? La réponse se trouve dans la stupidité diabolique des Romains à son égard.

Avant sa mort, Prasutagus avait souhaité que son royaume, situé dans l'actuel Norfolk, reste aux mains de sa famille et pour s'en assurer, il avait légué une moitié de celui-ci à ses deux filles et l'autre moitié à l'empereur Néron. Sans que l'on sache s'il exécuta les ordres de l'empereur matricide ou s'il agit de sa propre initiative, l'administrateur romain de la province décida, à la mort du roi, d'exproprier les Icènes. Le grand collecteur d'impôts, un certain Catus Decianus – un imbécile arrogant – envoya ses centurions à Thetford, où Prasutagus et Boadicée avaient vécu dans leur kraal entouré de fossés concentriques et protégé de remparts. Ils s'emparèrent de la reine pour fouetter sa peau blanche comme le lait et violer ses deux filles. Puis, de façon plus stupide encore, ils humilièrent l'élite icène en se saisissant de leurs biens et en réduisant à l'esclavage la famille du roi décédé. C'est cela qui avait déclenché la révolte. Mais pourquoi tant d'avidité et de brutalité de la part des Romains ? La réponse est dans Tacite : c'est la faute à la crise économique.

Quand Claudius, un pédant qui bégaie, envahit les îles britanniques en l'an 43, il est en quête de gloire militaire et va à l'encontre des experts romains qui considèrent que ce lieu est un trou perdu et terrifiant. Un siècle plus tôt, Jules César y avait conduit une expédition et trouvé l'endroit si pauvre et désolé qu'il n'avait rien trouvé à emporter. Inutile d'aller au-delà des frontières nord de l'Empire, dira un peu plus tard Auguste. C'est comme pêcher avec un hameçon en or : le jeu n'en vaut pas la chandelle.

On racontait alors que les habitants de l'île se baignaient dans la boue et portaient sur le corps d'étranges tatouages en formes d'animaux qu'ils aimaient exhiber, à moitié nus – un peu comme nos hooligans d'aujourd'hui. Ovide dit que les Britanniques sont verts. Martial raconte qu'ils sont bleus. D'autres affirment qu'ils sont moitié hommes, moitié bêtes. Aller là-bas, c'est aller sur la lune. Pour la gloire, non pour le butin.

Dès lors, quand Claudius débarque avec ses éléphants et que les rois britanniques lui prêtent allégeance sans quasiment de pertes dans les rangs des Romains, c'est un grand moment de fierté, sans doute. Puis le général de Claudius, Aulus Plautius, change l'histoire et construit un pont sur la Tamise.

Ce pont ouvre le reste du pays aux peuples de la côte sud, et bientôt Londres est en pleine expansion. La population augmente, les prix aussi. Les habitants ont besoin de financer les maisons qu'ils veulent construire et les échoppes qu'ils espèrent ouvrir. Et les banquiers sont là.

Sénèque, le tuteur de Néron, prête quarante millions de sesterces pour le développement commercial de la province, un montant extraordinaire quand on sait qu'un légionnaire gagne alors neuf cents sesterces par an. Le problème, c'est que les investissements en Britannia ne rapportent pas grand-chose, et pas assez vite aux yeux des banquiers. Voilà pourquoi le collecteur d'impôts Catus Decianus commence à se conduire comme un vrai scélérat, augmentant les taxes imposées aux locaux, chassant les autochtones de leurs maisons, puis tentant de s'emparer des biens et des terres des Icènes.

La situation des Britanniques, alors, est assez bien résumée par un bas-relief romain d'Aphrodisias, en Turquie, où une femme aux seins nus se tient aux pieds de Claudius coiffé de son casque. Elle a l'air de loucher, et comme l'a remarqué le professeur Miranda Aldhouse de l'université de Cardiff, « on a la désagréable impression que Claudius est sur le point de sodomiser Britannia ».

Le Londonien moyen a payé le prix d'investissements immobiliers déraisonnables, pour reprendre une terminologie moderne, et les emprunteurs comme les banquiers en partagent la responsabilité. Ce n'était pas la première fois que cela arrivait dans l'Empire romain, ni la dernière dans la ville de Londres.

À sa façon, Boadicée fut la première à pourfendre les banquiers de la City. Elle est aussi la première d'une longue lignée de femmes de pouvoir, une vieille tradition londonienne. On sait aujourd'hui que les premiers Britanniques avaient l'habitude des fortes femmes : Cartimandua, par exemple, reine des Brigantes, au nord de l'Angleterre, et alliée des Romains, vers la même époque. Avec elle, les hommes n'étaient pas à la fête.

Et regardez la reine Élisabeth Ire, celle de l'Invincible Armada, dont on disait qu'elle avait le corps d'une faible femme mais le cœur et l'estomac d'un homme. De la Boadicée pur jus! Ou bien Victoria, avec sa cape écossaise et sa broche. Un clin d'œil à la reine des Icènes. Et regardez enfin, j'ose le dire, Margaret Thatcher, sa coiffure blonde et ses yeux brillants, sa voix rauque et ses opinions tranchées.

Si vous allez sur le pont de Westminster, vous pouvez contempler la célèbre sculpture de Boadicée, réalisée en 1884. La reine se tient debout, lance au poing, sur son char de guerre tiré par deux chevaux cabrés, ses deux filles nues à ses côtés. Sur le socle, on peut lire quelques lignes de «Boudica an Ode», de William Cowper, un poète populaire du XVIIIe siècle :

> *Regions Caesar never knew*
> *Thy posterity shall sway,*
> *Where his eagles never flew,*
> *None invicinble as they*[1].

L'idée de Cowper est que Boadicée eut le dernier mot contre Rome. Sa postérité – ses descendants britanniques – a fondé un empire plus vaste que celui de César. Tout cela est fort patriotique et réconfortant, mais totalement faux.

Après le sac de St Albans, Boadicée partit vers les Midlands où elle fut battue par Suetonius Paulinus dont les troupes, disciplinées et rafraîchies, l'emportèrent à un contre vingt.

Soit Boadicée mourut de dysenterie, soit elle s'empoisonna. Non, elle n'est pas enterrée sous un quai de la gare

---

1. Aucune traduction française de ce poème ne semblant exister, voici une version littérale de ces quatre vers :
Régions que César jamais ne connut
Ta descendance gouvernera,
Là où son aigle jamais ne vola,
Plus invincibles, aucune ne fut.
(Toutes les notes sont du traducteur.)

de King's Cross, et contrairement à ce que Cowper affirme, sa déroute fut telle que la langue des Icènes disparut presque totalement et que sa descendance celte fut repoussée en très grande partie vers les marches de la Grande-Bretagne, tandis que l'Empire finit par être gouverné dans une langue qui devait plus à celle de Suetonius Paulinus qu'à celle de Boadicée.

La meilleure chose qu'elle fit pour Londres fut d'exaspérer les Romains au point que la reconquête de la province devint pour eux une question d'honneur. Ils donnèrent à Londinium un lustre inégalé.

Grâce à elle, grâce à son agressivité, ils reconstruisirent la ville sur une étendue dont les archéologues ne commencent qu'à prendre la mesure. Londres fut l'une des villes les plus grandes et les plus peuplées du nord de l'Empire et, à l'annonce de l'arrivée de l'empereur Hadrien dans ses murs, elle connut un boom immobilier rarement égalé dans son histoire.

HADRIEN

Il fit de Londres
la capitale de la Britannia

Bing! Des ouvriers qui reconstruisent le London Bridge, en 1834, heurtent quelque chose dans le lit de la rivière. Un objet vert et gluant. Une fois nettoyée de la boue qui l'enveloppe, apparaît une élégante tête romaine de quarante-trois centimètres de haut, morceau d'une statue d'un format un peu supérieur à l'échelle humaine.

Il s'agit d'un empereur, avec un long nez droit, aux sourcils légèrement froncés, une barbe et une moustache bien taillées. Il n'est pas aussi dodu que Néron, et sa barbe, délicate, est moins fournie que celle de Marc-Aurèle. C'est la barbe d'un esthète, d'un intellectuel hellénophile qui fut l'un des plus grands administrateurs que la terre ait jamais porté, Publius Aelius Trajanus Hadrianus Augustus, autrement dit : Hadrien.

Né en l'an 76, de descendance italo-espagnole, Hadrien passe sa vie à parcourir l'Empire, nous laissant quelques-unes des plus vastes ruines de l'ancien monde – depuis le Panthéon reconstruit à Rome jusqu'au temple de Zeus à Athènes en passant par le mur britannique qui porte encore aujourd'hui son nom. Quelqu'un avait réalisé ce beau visage de bronze en son honneur puis avait exposé la statue sur la place du marché. Quelqu'un d'autre

28

lui a tranché le cou et a jeté la tête dans la rivière. Ceux qui ont approuvé ce geste n'ont pas fondu la sculpture pour en faire des poêles à frire. Ils ont préféré exprimer leur mépris, humilier l'empereur, se venger de lui, de sa froideur et de ses sarcasmes.

Mesdames et messieurs les jurés, voici certainement mille sept cents ans que ce crime a été commis, mais je vais vous présenter tout de même les individus qui ont eu l'envie et l'occasion de perpétrer cette macabre offense...

Pour comprendre le mystère de la décapitation d'Hadrien, il faut savoir que cet objet de bronze relevait du divin. Il s'agissait de la tête d'un dieu. Auguste, le premier empereur de Rome, avait instauré l'astucieux système du culte impérial selon lequel l'empereur personnifiait la majesté et la divinité de Rome. Si vous étiez ambitieux et désireux d'agir au sein de l'Empire romain, vous deveniez prêtre du culte impérial. C'est ainsi que le premier temple important de la Grande-Bretagne romaine fut celui de Claudius, et c'est pourquoi Boadicée prit tant de plaisir à le brûler. C'était le symbole du pouvoir.

Donc quand, en l'an 12, on annonça la venue de l'empereur – le dieu vivant – en Grande-Bretagne, la nouvelle se répandit dans Londres comme un coup de tonnerre.

Les Romains avaient frôlé la panique quand Boadicée avait mis le feu aux premières habitations de Londres et Néron avait été sur le point de complètement laisser tomber la province. Mais quand la reine des Icènes fut vaincue, ils décidèrent qu'un tel désastre ne se reproduirait plus. Dès lors, ils avaient investi des sommes d'argent considérables dans la ville et, de l'an 78 à l'an 84, le gouverneur Agricola subventionna la construction de places, de temples et de maisons cossues. Il y eut encore des soulèvements et des tensions dans les marches celtes de temps en temps, mais d'une certaine façon, la menace de la rébellion s'avéra être une bonne chose pour Londres. Grâce au pont, la ville se trouvait au centre des opérations militaires, ce qui impliquait la présence de soldats avec de l'argent plein les poches.

Les Londoniens construisirent des bains à Cheapside puis à Huggin Hill où ils choquèrent les puritains en s'y ébattant avec des femmes. Dans l'amphithéâtre sous le Guildhall, on peut – et cela donne la chair de poule – accéder au lieu exact où hommes et bêtes étaient massacrés pour le plaisir du peuple et y observer encore les os d'une femme gladiateur. En soixante ans, entre la révolte de Boadicée et l'arrivée d'Hadrien, les Londoniens s'étaient romanisés à grande vitesse.

Tous avaient troqué leurs pantalons pour des toges et ils étaient même devenus assez bons en latin – Tacite nous dit qu'ils le parlaient mieux que les Gaulois. Ils s'invitaient à tour de rôle dans leurs salles à manger, peintes d'un rouge sang très mode, pour déguster du turbot dans de l'argenterie luxueuse venant des bords de la Méditerranée, en buvant du vin de Bordeaux ou de Moselle. «Les Britanniques appellent cela la civilisation, ricane Tacite, alors qu'en fait il s'agit de leur asservissement.»

Londres était déjà un avant-poste en croissance rapide, mais quand la rumeur de l'arrivée prochaine de l'empereur se propagea, les citoyens passèrent à la vitesse supérieure. C'était un peu comme se voir accorder l'organisation des Jeux olympiques : l'endroit devait être impeccable, donc il fallait investir dans les infrastructures. Hadrien était connu pour aimer dormir dans les casernes avec ses troupes, dès lors les autorités londoniennes semblent en avoir construit une nouvelle pour sa visite

– un grand fort carré à Cripplegate – avec des chambrées dont on sait qu'il affectionnait l'inspection.

Ce qui ressemblait à un palais de gouverneur fut également bâti, un endroit splendide avec cours et jardins, à l'endroit même où se trouve aujourd'hui la station de métro Canon Street. Un nouveau forum fut aussi érigé, bien plus majestueux que l'espace rempli de gravier sur lequel Suetonius Paulinus s'était adressé aux premiers Londoniens, dans une zone aujourd'hui en partie occupée par le marché de Leadenhall. À l'extrémité nord de ce vaste espace fut édifiée une basilique, mélange de centre commercial et de tribunaux de justice.

Si vous descendez les escaliers pour aller chez le coiffeur qui se trouve au numéro 90 de Gracechurch Street, vous pouvez voir qu'il ne s'agit pas de n'importe quelle basilique. Regardez cet énorme morceau de briques et de ciment qui forme l'un des piliers de la structure et vous aurez une idée de son échelle. C'était le plus grand forum et la plus grande basilique au nord des Alpes. Le bâtiment faisait cent cinquante mètres de long et si vous observez sa maquette au musée de Londres vous révisez vos idées sur la place de la cité dans le monde romain.

Quand Hadrien y arriva en l'an 122, il découvrit une ville vaste et animée, peuplée sans doute de cent mille habitants, dominée par une élite d'une obséquiosité extatique. L'empereur et sa suite furent installés dans la nouvelle caserne et le palais du gouverneur. On lui montra les bains tout neufs et le forum rénové, puis la superbe basilique. Dans un endroit proche de ce qui est maintenant Leadenhall Market (on a trouvé un gros bras en bronze dans le quartier), les Londoniens lui donnèrent la preuve de leur estime à son endroit – sa statue entourée de fleurs. L'empereur fut aux anges.

Il semble que les Londoniens aient assisté ensuite à un genre de service religieux. Encapuchonnés, des prêtres du culte d'Hadrien rendirent grâce à sa présence divine. Ils abattirent probablement une vache ou un taureau – là, juste devant lui – pour lui montrer combien ils le révéraient. À moins que le taureau ne fut tué à l'attention de Jupiter. Aucune importance, tous les deux étaient des dieux.

L'un des traits les plus séduisants de la Londres romaine (et du monde romain dans son ensemble) c'est qu'elle fut pendant des centaines d'années un lieu de tolérance religieuse et raciale. Quelque part près du Blackfriars Bridge les Londoniens ont bâti un temple à Isis, la déesse égyptienne de la maternité, dont Osiris, le mari, personnifie la crue annuelle du Nil. Nous avons aussi des preuves qu'ils adoraient Cybèle, ou la Grande Déesse, Magna Mater, la mère des dieux. Cybèle est supposée avoir ressenti une passion pour un jeune homme nommé Attis, et comme ce dernier ne répondait pas à ses avances, elle est devenue jalouse. Quand elle a surpris Attis avec une autre femme, elle l'a rendu tellement fou qu'il s'est castré. J'ai bien peur que de jeunes Londoniens aient manifesté leur dévotion à la Magna Mater en se faisant la même chose – on a trouvé dans la rivière près du London Bridge une effrayante paire de tenailles crantées ornée de têtes de divinités orientales. Les experts n'ont aucun doute sur son utilisation.

Il existe même une théorie selon laquelle le culte de Cybèle se retrouverait aujourd'hui dans le nom de l'église de Magnus Martyr dont T. S. Eliot mentionne «l'inexplicable splendeur des blancs et ors ioniens». Évidemment, il peut paraître odieux aux chrétiens modernes que le nom de cette belle église soit entaché par la mémoire de ce sauvage culte oriental de l'automutilation. Et pourtant la vénération de Magna Mater avait plus de points communs avec la chrétienté qu'on ne peut le penser.

Ce que les premiers Londoniens aimaient dans cette histoire d'Attis c'est qu'il était peut-être mort des suites des terribles blessures qu'il s'était infligées – mais il se releva joyeusement parmi les morts. Dans la religion gréco-romaine traditionnelle, la vie après la mort n'existe pas et l'après-monde est un lieu froid et désolé peuplé d'ombres. Dans une société romaine où la vie de nombreux citoyens était dure et injuste, il n'est pas surprenant que ces histoires orientales de renaissance aient chaque jour gagné en popularité. En fait, peu après qu'il eut quitté la Grande-Bretagne, Hadrien lança un culte étrange pour l'un de ses amis, appelé Antinoüs, qui s'était mystérieusement noyé dans le Nil. Des temples furent construits, des oracles rendus à sa mémoire et des pièces frappées à l'effigie de ce beau jeune homme au visage boudeur.

Son culte était devenu si populaire que des Londoniens figuraient certainement parmi ses fidèles car il s'agissait d'une nouvelle histoire de rédemption, comme Attis et Osiris. Parmi tous les cultes orientaux à Londres, le mithraïsme s'avéra le plus apprécié – surtout dans les rangs des légionnaires. Il s'agissait de célébrer Mithra, fils d'une pierre donnant la vie, qui avait tué un taureau et versé son sang pour – vous l'avez deviné – sauver l'humanité.

Le point important, c'est que toutes ces religions coexistaient harmonieusement. De même que l'hindouiste moderne peut aller du temple de Ganesh à celui de Hanuman, les Londoniens romains ne voyaient rien à redire à l'idée d'avoir le temple d'Isis à Blackfriars, celui de Magna Mater au London Bridge et celui de Mithra à Mansion House.

Puis une autre religion orientale arriva : le christianisme. Elle sembla à première vue avoir beaucoup en commun avec ces autres cultes. Il y était question d'un jeune homme d'une moralité supérieure qui mourait et ressuscitait en Dieu. Il promettait la vie éternelle. Mais le christianisme était comme le judaïsme dont il était issu (et comme l'islam qui émergea de ces deux religions) en ce qu'il ne tolérait pas l'idée de coexister avec Jupiter, Isis, Hadrien, Cybèle, ou tant d'autres.

« Je suis le chemin, la vérité et la vie, disait Jésus. Personne n'atteindra le père sauf à travers moi. » Il fallut beaucoup de temps aux Londoniens pour qu'ils manifestent un intérêt quelconque pour cette assertion monothéiste audacieuse, mais en 312, l'empereur Constantin changea le cours de l'histoire en faisant du christianisme la religion d'État de l'Empire romain. Les païens commencèrent à sentir monter la pression.

Le 18 septembre 1954 est une date mémorable dans le monde de l'archéologie. On apprit ce jour-là – et la nouvelle s'est partout répandue – que le professeur W. F. Grimes avait découvert le temple de Mithra, depuis longtemps recherché, près de Mansion House. À la surprise générale, il était bien conservé. On peut voir l'endroit où les taureaux ont été tués et leur sang bouillonnant répandu sur le sol et deviner où se tenaient les porteurs de torches – le jeune Cautes, sa torche pointée vers le haut, son compagnon Cautopates, la sienne pointée vers le bas. On peut imaginer aussi la congrégation chantant dans le Mithraeum, antre sombre et enfumée, où chacun rend grâce pour le sacrifice de l'animal.

Alors que le professeur Grimes étudiait le temple, il découvrit quelque chose de bizarre. Des objets importants semblaient avoir été enterrés dans d'étroits trous sous la nef et les ailes. On y trouva une tête de Mithra

34

avec son bonnet phrygien, une statue du dieu Sarapis et une main portant un poignard. Il fallut peu de temps aux archéologues pour élaborer une théorie.

Au début du ive siècle, les Londoniens adeptes de Mithra commencent à faire l'objet de persécutions et ne supportent plus insultes et brimades. Craignant des dangers à venir, ils prennent les objets les plus sacrés de leur temple pour les enterrer. Peu de temps après, leurs ennemis religieux envahissent le temple et cassent toutes les statues restantes, mettent l'autel en pièces et détruisent le temple de Mithra, tout comme ils avaient détruit le Serapeum d'Alexandrie et d'autres lieux saints importants. Le pluralisme religieux des premiers temps de Londres cède la place au monothéisme de Yahvé.

Mesdames et messieurs les jurés, j'affirme que les gens qui ont fait cela sont les mêmes que ceux qui ont jeté à terre la statue idolâtre du païen Hadrien, l'homme fait dieu, et l'ont lancée dans la rivière. Mon intuition, c'est qu'ils étaient des chrétiens et qu'ils avaient même sans doute une aversion particulière à l'encontre d'Hadrien. Il suffit de lire les premiers Pères de l'Église comme Tertullien ou Origen pour découvrir le venin homophobe que leur inspirait la mémoire d'Hadrien et le culte d'Antinoüs.

Le christianisme triompha dans le monde romain et le culte de l'empereur prit fin. Pas la peine d'aller aussi loin que l'historien Edward Gibbon qui attribue au christianisme la chute de Rome (il prétend que sa doctrine de l'humilité est l'antithèse de l'amour ancestral des Romains pour la splendeur martiale) pour voir que quelque chose était perdu.

Cette tête d'Hadrien en bronze incarnait l'autorité de Rome sous une forme divine, mais il est devenu évident à un moment qu'un empereur n'était pas un dieu – après tout, tout le monde peut essayer de devenir empereur.

Vers le milieu du IIIe siècle, la garnison de Londres s'est trouvée dépeuplée car ses troupes se sont déployées vers d'autres frontières. À l'époque, des unités sont constamment envoyées pour venir en aide à la myriade de prétendants au trône impérial et la province fait l'objet de raids terrifiants venant de ce que sont aujourd'hui les Pays-Bas et l'Allemagne. À Londres, le niveau de vie se dégrade. On garde vaches et cochons sur des sols de mosaïques. À partir de l'an 402, aucune nouvelle monnaie impériale n'entre dans la cité et en 410 la province est officiellement abandonnée. L'agonie de la Grande-Bretagne romaine est longue, et cette époque ne s'est jamais totalement effacée de la mémoire des Londoniens.

Les réalisations d'Hadrien dans la ville furent limitées mais marquantes. Il initia la construction d'immeubles qui donnèrent forme à la ville pour des centaines d'années. Il transforma définitivement Londres en capitale de la province, reléguant Colchester au second rang. Il établit la distinction qui perdure aujourd'hui entre Angleterre et Écosse. Son règne ouvrit une époque de tolérance religieuse que la ville ne connut plus avant le XXe siècle.

Parfois je pose mon vélo près des ruines du temple de Mithra, qui ont quitté leur site original pour être aujourd'hui exposées dans la Queen Victoria Street. Allez voir ces ensembles étranges de pierres et de briques, jadis enfouis dans une cave, maintenant exposés au vent et à la pluie. Imaginez les pauvres mithraïstes terrorisés, fuyant devant les chrétiens. Pensez à leurs larmes quand ils virent leurs statues sacrées réduites en morceaux. De nos jours, ça ne se produirait plus, et ça ne se serait pas produit non plus du temps d'Hadrien.

Ce qui s'est passé ensuite constitue une terrible mise en garde pour tous les optimistes qui croient que le progrès ne cesse jamais d'avancer. Des vagues et des vagues d'envahisseurs ont tellement mis à mal la civilisation romaine que celle-ci a presque totalement disparu. Les Londoniens ont perdu leur latin. Ils ont oublié leur habilité à lire, leur savoir-faire en matière de réparation de ponts. Entre 400 et 850 nous n'avons aucune trace de présence humaine à Southwark, sur la rive sud de la Tamise. On peut en déduire que le ponton flottant d'Aulus Plautius, réparé et renforcé par des générations de Londoniens, pourrit et finalement bascule dans la rivière. Un lien vital, alors, n'existe plus. On trouve bien encore quelques Londoniens chevelus vivant autour de ce que l'on appelle aujourd'hui Covent Garden – des paysans et des éleveurs de porcs – mais la population a dramatiquement décliné.

En l'an 800, Bagdad compte un million d'habitants, parmi lesquels des érudits et poètes renommés, et une bibliothèque de milliers de livres sur tous les sujets, de l'algèbre à la médecine en passant par la fabrication des montres. À cette époque-là Londres est redevenue une contrée barbare. On n'y trouve ni Romain ni chrétien jusqu'à ce qu'au début du VIIe siècle un homme soit envoyé de Rome pour tenter de redresser la situation. Il s'appelle Mellitus, ce qui signifie «mielleux», et si vous voulez trouver des Londoniens qui ont entendu parler de lui, vous allez avoir du mal.

MELLITUS

Il réintroduisit le christianisme
à Londres et en repartit
à coups de pied dans le derrière

«Mellitus?» répète la guide avec un petit sourire en coin, comme si j'avais demandé un truc bizarre, genre baril d'hydromel, dans une épicerie fine. Mais Vivien Kermath sait très bien de qui je parle. Elle est l'une des guides accréditée auprès de la cathédrale St Paul.

«Bien sûr. Mellitus, poursuit-elle. An 604 après Jésus-Christ. Il a construit la première de toutes les églises qui se sont succédé sur ce site. Suivez-moi.

— Vous voulez dire que l'on trouve encore des traces de cette première église?

— Non. Mais nous avons son icône.»

Nous marchons à pas lents dans l'immense cathédrale qu'a construite Christopher Wren, passons devant les monuments commémoratifs de Nelson et Wellington, longeons le lieu exact où se tenait lady Diana quand elle a épousé, pour le pire plus que pour le meilleur, le prince de Galles. Nous découvrons la liste des doyens de la cathédrale, parmi lesquels le poète John Donne et son illustre prédécesseur, Alexander Nowell (1560), le premier Londonien à avoir maîtrisé l'art de mettre la bière en bouteille – «sa plus grande contribution au service de l'humanité», selon Vivien.

Dans le coin le plus à l'est de la cathédrale, nous arrivons à la chapelle américaine et, perché au-dessus d'un grand livre enluminé avec le nom des vingt-huit mille Américains morts durant la Seconde Guerre mondiale, voici Mellitus.

Pour être plus précis, voici son portrait, assez récent, peint de couleurs vives, et dont on ne sait s'il est vraiment fidèle. Un portrait offert à la cathédrale par l'Église grecque orthodoxe. J'observe le long nez fin du vieil évêque romain, ses yeux bruns enfoncés dans leurs orbites et j'essaye de me mettre dans la peau de ce courageux chrétien, envoyé à Londres par le pape pour une mission à hauts risques voici quelque mille quatre cents ans. En arrière-plan de l'icône, on découvre le paysage d'un Londres imaginé, que domine un bulbe anachronique de la cathédrale St Paul. Ramenant ma science, je déchiffre la citation lisible sur la bible ouverte dans les mains de Mellitus : «Et celui qui était assis sur le trône dit : Voici, je fais toutes choses nouvelles.»

Faire toutes choses nouvelles, c'était donc sa mission... Bonne chance!

J'ai salué poliment l'icône et suis sorti sur le perron de la cathédrale, essayant d'imaginer la scène désolante que voyait, à l'époque, Mellitus. Le Londres romain a connu des hauts et des bas depuis le départ d'Hadrien. De nombreux bâtiments sont abandonnés, mais d'autres structures restent debout, notamment le mur, long de plus de trois kilomètres, qu'on apercevait à l'époque, semblant ceinturer la ville. On estime qu'il fut construit aux alentours de l'an 200.

Et c'est avec ce IIIe siècle que le Londres romain inaugure une ère de chaos. La ville commence à souffrir, les voies de ravitaillement s'avèrent trop longues, les fonctionnaires ne sont plus payés, le moral est au plus bas. À partir de l'an 410, les raids des Saxons sont devenus si terrifiants que les citoyens envoient une supplique désespérée à leur empereur, Honorius. «Désolé, leur répondil, je ne peux rien faire pour vous.» En 446, les Londoniens essayent à nouveau, et interpellent le grand général Aetius : «Les Saxons nous jettent à la mer, et quand la mer nous renvoie sur les côtes, ils nous massacrent.»

Peine perdue. Londres est désormais délaissée, la ville ne fait plus partie de l'Empire. Rome reprend à son compte l'ancien verdict d'Auguste : l'Angleterre ne vaut pas la peine d'y risquer la peau d'un seul légionnaire.

Rien, alors, n'arrête plus les assauts des tribus germaniques qui débarquent toutes, notamment les deux frères du Jutland, les fameux Hengist et Horsa. Les pauvres Romano-Londoniens sont décimés ou repoussés vers les confins celtes du pays. Quand Mellitus arrive là où je me trouve, sur le seuil de St Paul, au sommet de Ludgate Hill, il se trouve devant un paysage d'après apocalypse qui désespère le fier Romain qu'il est.

Dans mon imagination, j'efface les autobus, les touristes, les banques, les cafés, et vois alors le Londres de l'an 604. Thermes et amphithéâtres sont effondrés, on élève des porcs dans les patios des anciennes villas. Les secrets de l'hypocauste – le système de chauffage par le sol des thermes romains – sont à jamais perdus pour le pays, et il nous faudra pas mal de siècles pour réinventer le chauffage central.

Le palais du gouverneur est une ruine et de nombreux quartiers de la ville, où jadis des dizaines de milliers de Londoniens romains vivaient et rêvaient de l'avenir, sont recouverts d'une terre noire. Est-ce le résultat d'une catastrophe naturelle ou la terre a-t-elle été simplement bêchée pour l'agriculture ? Les archéologues en débattent encore.

Les gens qui vivent ici portent des noms comme Cathwulf ou Ceawlin, quasiment tous sont des Germains. Finies les toges romaines, l'heure est aux pantalons, et près de trois siècles après la conversion de Constantin au christianisme, ces barbares vénèrent encore le touffu panthéon germanique, croient que leurs chefs descendent du dieu Odin, en l'honneur duquel, chaque mois de novembre, surnommé *bloodmonath*, le mois du sang, on sacrifie moult vaches et cochons.

Selon Rowan Williams, l'actuel archevêque de Canterbury et chef de l'église anglicane, «il ne restait presqu'aucune trace du christianisme à Londres» quand Mellitus y est arrivé.

L'évêque a un plan. Il regarde autour de lui, perché au sommet de sa colline, et aperçoit les restes d'un temple romain. «Cela fera l'affaire», pense-t-il. Sa mission a été conçue en 591, alors que le pape Grégoire flânait aux abords d'un marché d'esclaves sur une place de Rome. Il y vit un groupe d'hommes à la peau très blanche et aux cheveux dorés. «D'où viennent ces types ?» demanda-t-il au marchand d'esclaves. «Ils sont anglais», répondit celui-ci. *Angli sunt.* Grégoire fut enchanté, et fit un jeu de mots :

«*Haud Angli, sed angeli* (ce ne sont pas des Anglais, ce sont des anges) ! Et dites-moi, sont-ils chrétiens ?

— Hélas non.

— Bon, répondit Grégoire. Eh bien, on va arranger ça.»

Et le pape Grégoire envoya d'abord Augustin dans notre île, en 596. Celui-ci réussit un coup formidable : il remarqua que si le roi Aethelberht était païen, sa femme

Berta, en revanche, était assez bien disposée à l'égard du christianisme. Très vite, Aethelberht ne jura plus que par le Christ et Augustin demanda des renforts. Le business va bien, dit-il à Rome, mais il nous faudrait plus de chasubles, de surplis, de vêtements sacerdotaux, des décorations pour les autels, des textes religieux, ce genre de choses. Envoyez-moi ça très vite, réclame-t-il au pape.

Le pape mandate alors Mellitus et quelques autres, porteurs d'une lettre restée célèbre, dans laquelle Grégoire explique comment convertir ces païens bretons. *Quoi que vous fassiez, écrit-il, ne brusquez rien. Ne cherchez pas à les détourner de leurs fêtes et sacrifices barbares. Qu'ils en profitent, que graisses et sauces dégoulinent sur leurs mentons, l'important, c'est que vous les persuadiez que tout cela est à la gloire de Dieu. Et ne détruisez pas leurs temples. Construisez plutôt de nouvelles huttes sur leurs flancs.*

C'est ainsi que, sur cette colline où se trouve aujourd'hui la cathédrale St Paul, Mellitus demande à Saeberht, neveu d'Aethelberht, l'autorisation de construire une église. Il monte sur les ruines du temple de Diane une simple charpente de bois sur laquelle il pose un toit et dédie cette nouvelle église à saint Paul. C'est le retour du christianisme à Londres, et il est précaire.

Autour de 616 ou 618, Aethelberht et Saeberht meurent tous deux. Avec eux, les chrétiens perdent leurs plus importants soutiens saxons. Selon Bède le Vénérable, moine du VIIe siècle qui écrivit l'*Histoire ecclésiastique du peuple anglais*, le cas du fils d'Aethelberht, Eadwald, est particulièrement scabreux. Il retourne au paganisme et annonce qu'il a mis dans son lit l'épouse de son père. Une histoire qu'il n'est pas facile de raconter au pape Grégoire.

Quant aux fils de Saeberht, ils se moquent de ce pauvre Mellitus alors qu'il donne la communion à quelques paroissiens dans sa petite église en bois.

«Donne-nous un peu de ce pain, ô Mellitus!

— Volontiers, répond l'évêque aux jeunes païens, mais à la condition que vous croyiez au Christ et que vous vous baigniez dans de l'eau bénite.

— Nous baigner? s'exclament les garçons. Pas question! Donne-nous juste un peu de ce pain.

— Désolé, rétorque Mellitus. Pour avoir du pain, vous devez croire au Christ.»

Les jeunes garçons rossent alors le prêtre et le chassent de Londres, où il n'est jamais revenu.

Son héritage, finalement, s'avérera extraordinaire. Le bâtiment fondé par Mellitus est devenu, avec les siècles, l'un des symboles de Londres et celui du stoïcisme de la nation quand la ville se trouva sous les bombes du Blitz allemand, durant la Seconde Guerre mondiale. Encore aujourd'hui, voir le dôme de St Paul est essentiel pour les Londoniens et rien ne peut être construit qui en masquerait la vue depuis Richmond Hill, Primrose Hill, ou les autres collines autour de la City.

J'ai pensé à Mellitus un soir de 2010, quand j'ai eu l'honneur d'accueillir le pape à Londres. Je l'attendais à sa descente d'avion à l'aéroport d'Heathrow, pour lui souhaiter la bienvenue au nom des habitants d'une métropole où vivent des gens venus de loin, aux croyances diverses, et je me disais que je devrais trouver une excuse pour expliquer au Saint-Père l'hédonisme et le matérialisme des Londoniens.

J'avais l'impression d'être un sauvageon saxon aux cheveux beurre frais et costume pastel, forcé d'expliquer sa ville et lui-même à cet être rayonnant tout droit venu de Rome. Quand le pape est finalement descendu de l'avion d'Alitalia, il semblait fatigué, mais tout de même resplendissant – comme une dragée – dans son bel habit blanc, chaussé de pantoufles écarlates.

« Tout ça remonte à l'an 410, lui dis-je, alors que nous nous étions assis dans le salon royal de l'aéroport. – Il m'a regardé en plissant les yeux, comme s'il recherchait dans sa mémoire ce qui avait bien pu se passer à l'heure du thé. – Je veux parler de la décision d'Honorius, qui a abandonné l'Angleterre, une décision aux conséquences considérables pour nous », marmonnais-je.

Le pays, depuis lors, n'avait plus suivi le même chemin que les autres colonies de l'Empire romain. Nous étions repartis en arrière. Notre ville, qui avait été romaine et chrétienne, avait renoué avec le paganisme.

Et si j'avais eu le temps, j'aurais continué à expliquer au pape qu'il restera toujours, à Londres, un vieux fond sauvage, que notre séparation de Rome, qui nous a trahis et abandonnés au Vᵉ siècle, a laissé à jamais les Londoniens méfiants à l'égard des grands desseins continentaux, qu'ils soient religieux ou politiques.

J'allais raconter au pape ma théorie sur le fait que la coupure du cordon ombilical par Honorius expliquait à peu près tout, depuis Henri VIII jusqu'au refus de rejoindre l'euro, mais heureusement pour le Saint-Père, un essaim de cardinaux est arrivé et l'a emporté vers son hôtel.

« Très intéressant », m'a-t-il dit en guise d'au revoir.

Il est facile de se moquer de ce pauvre Mellitus, chassé de Londres par des païens ingrats, mais pour avoir restauré le christianisme à Londres et dans le reste du pays, il fut un personnage décisif dans notre histoire.

Imaginez un instant qu'il n'ait pas fondé cette minable église en bois sur le site de St Paul, qu'il n'ait pas planté la graine fragile de la foi dans la terre noire du Londres post-romain, imaginez que les élites locales aient continué, jusqu'à ce jour, à voir des dieux dans les ruisseaux, les clairières, les rochers. Franchement, l'empire britannique eût été différent. Et l'histoire des États-Unis d'Amérique n'aurait pas été la même non plus. Une nation, *sous Odin*, indivisible, avec liberté et justice pour tous? On critiquerait aujourd'hui la commercialisation excessive, non pas de Noël ou de Thanksgiving, mais de *bloodmonath*, le mois sanglant de novembre.

Pour ceux qui croient en un plan divin, ce que je dis doit sembler une élucubration, mais il n'empêche que les païens ont régné sur l'Angleterre pendant encore trois siècles après le départ de Mellitus, et leurs méthodes de gouvernement étaient assez vicieuses.

Il ne reste rien de l'église de Mellitus aujourd'hui, rien non plus des premières habitations saxonnes du vieux Londres romain. Les Saxons sont partis s'installer du côté d'Aldwych et de Covent Garden, tandis que les ennemis remontaient la Tamise.

Un homme, Alfred, peut se vanter de les avoir délogés, d'avoir réoccupé et reconstruit la ville ancienne. Après des siècles de délabrement, il était encore assez lettré pour raviver la mémoire de Rome.

ALFRED LE GRAND

Le sauveur de Londres

Depuis un siècle, la Grande-Bretagne était la première puissance au monde. Les cuirassés de la Royal Navy parcouraient les mers et des statues étaient érigées en l'honneur de son fondateur, Alfred le Grand, un va-t-en-guerre coiffé d'un chapeau semblable à celui du père Noël, portant une longue barbe ondulant au vent, les bas tenus par des rubans.

En Angleterre, chaque enfant connaissait son nom et lors d'un festival organisé en son honneur, lord Rosebery présenta Alfred comme − entre autres éloges enflammés − « l'Anglais idéal, le souverain parfait, le pionnier de la grandeur anglaise ». E.A. Freeman, whig[1] et historien, l'a plus tard nommé « le personnage historique parfait ».

Alfred pourrait non seulement revendiquer la paternité de la Navy, donc de l'Empire, et de sa suprématie sur le monde anglo-saxon − toujours réelle en ce début du XXIe siècle − mais aussi d'autres titres de gloire, comme d'avoir ravivé le goût d'apprendre dans un pays plongé

---

1. Le Parti whig apparut en Angleterre à la fin du XVIIe siècle et se transforma, à la fin du XIXe siècle, en un parti libéral qui n'existe plus aujourd'hui.

dans l'ignorance, d'avoir triomphé d'un ennemi barbare et sadique, d'avoir réuni les différentes régions de son pays. Et il restera dans l'histoire comme l'homme qui sauva Londres de l'oubli.

Bizarrement, Alfred est aujourd'hui passé de mode. Les images le représentant ont été soit perdues, soit recouvertes, sa statue à Wantage, dans la région d'Oxford, est régulièrement vandalisée. Rien n'est enseigné aux enfants à son sujet. Nous agissons avec lui comme si nous voulions le renvoyer dans les temps anciens desquels il nous a sortis.

Ce qui reste du Londres saxon d'avant Alfred est assez déprimant : des peignes aux dents cassées sculptés dans l'os d'une épaule de mouton, des boules en étain comme il s'en vend au marché de Camden Lock, mais en moins bon état, des poteries mal vernies dignes de travaux pratiques d'une école primaire et quand, dans le musée de Londres, on s'assoit dans l'une de ces habitations en bois supposées être celles de cette époque, on a l'impression d'être dans la cabane de quelque hippy crasseux. On ne trouve ni briques, ni pierres, ni fresques, ni mosaïques, et certainement pas de sanitaires publics comme au temps des Romains.

Peut-être un historien anglo-saxon prétendra-t-il qu'il s'agissait d'un âge d'or, mais quiconque passe quelques instants dans cette hutte reconstituée s'imagine aussitôt que ses cheveux puent la fumée et ses vêtements l'odeur du cochon. Très vite, il sent l'humidité d'un temps obscur monter le long des chevilles, puis viendront les engelures, les pustules et une espérance de vie de trente-deux ans.

La population avait beaucoup baissé depuis l'époque d'Hadrien – pour atteindre peut-être quelques milliers de personnes. En dépit de son déclin, Londres, en ce début du IXe siècle, était certainement encore le lieu le plus riche

et le plus important du pays – et, en vérité, la concurrence n'était pas très rude. Mais la situation allait bientôt
grandement empirer.

Les Anglo-Saxons, avouons-le, l'avaient bien cherché.
Après tout, ils étaient eux-mêmes des prédateurs, des
durs à cuire allemands, des brutes blondes venues de la
plaine entre l'Elbe et la Weser, et ils s'étaient comportés
de façon si agressive envers la population existante – tuant
ou expulsant de leurs terres autant de gens qu'il était possible – que l'historien byzantin Procopius pensa que la
Grande-Bretagne était en fait deux pays : l'un appelé
Brettania, face à l'Espagne, l'autre nommé Brettia, une
île germanique face à l'embouchure du Rhin.

Même pendant le règne d'Alfred, les Saxons continuèrent à persécuter les Celto-Romains, les repoussant
vers le pays de Galles et les Cornouailles. Son grand-père
maternel, un serviteur royal nommé Oslac, aimait se vanter du fait que lui et sa famille avaient tué tous les Anglais
qu'ils avaient pu trouver sur l'île de Wight.

Les Saxons furent les champions du génocide, et
quelques années avant la naissance d'Alfred, les Danois
leur rendirent la monnaie de leur pièce. On dit que ces
derniers déboulèrent en Angleterre à cause d'un baby-
boom lié à la pratique de la polygamie qui avait produit
un grand nombre de fils cadets, enfants des deuxièmes
épouses, et ces jeunes garçons sans héritage regardèrent
avec envie les bergeries anglaises. Toujours est-il que les
Vikings arrivèrent bien en Grande-Bretagne, remontant
les rivières et les fleuves à bord de drakkars à fond plat, et
débarquèrent en poussant d'abominables hululements.

Les rois saxons qu'ils capturaient étaient soumis au
supplice de l'«aigle sanglant» : il s'agissait d'écarter les
côtes des suppliciés – à ce stade encore vivants – afin
d'aller chercher les poumons dans leur poitrine et de les

étaler sur leurs épaules, évoquant les ailes déployées d'un rapace.

L'horreur commença en 851 quand une flotte de trois cent cinquante drakkars, commandée par Rorik, remonta la Tamise. Les Danois pillèrent d'abord Canterbury, puis ils reprirent leur avancée pour aborder la rive nord de Ludenwic, la Londres d'alors, qui fut mise à sac. Les femmes furent violées, les hommes tués, des rigoles de sang s'écoulèrent vers le fleuve.

Alfred, qui vengera un jour les victimes de ce désastre, n'avait alors que trois ou quatre ans. Un enfant qui grandissait au milieu de chasseurs, de pêcheurs et de dévots sur les terres royales du Wessex. Il était le fils d'Aethelwulf, fils d'Egbert, fils d'Eahlmund, fils d'Eafa, fils d'Eoppa, fils d'Ingild – bref, le vrai gratin saxon.

Le problème, c'est que ses parents avaient déjà eu quatre fils – Aethelstan, Aethelbald, Aethelbehrt, Aethelred – et une fille nommée, vous l'avez deviné, Aethelswith. Mais Alfred jouissait d'un avantage : son nom était plus facile à retenir.

Son biographe, Asser – un moine flagorneur – raconte que le jeune enfant avait battu ses aînés lors d'un concours de récitation de poésies. On imagine tous ces jeunes Aethelmachin, agacés par ce petit lord Fauntleroy blondinet qui la ramenait devant sa mère tout émue par ses talents. Plus important pour son évolution future, Alfred fut plus tard choisi par son père, Aethelwulf, pour faire un voyage avec lui. Le père était en théorie un descendant d'Odin, le seigneur de tous les dieux barbares, mais il était un chrétien très pieux et il décida, peu de temps après la bataille d'Ockley (ou Aclea), en 852, de partir, en compagnie de son fils de cinq ans, en pèlerinage à Rome, alors que les Vikings cernaient toujours l'Angleterre et restaient menaçants.

Le pape Léon IV reçut le barbu saxon dans la basilique Saint-Pierre, et tandis que ses laquais soulageaient discrètement le roi du Wessex de son tribut à Rome – une couronne d'or pesant deux kilos, un sabre de cérémonie et une tunique mauve brodée de clés en fil d'or – le pape le remercia en le nommant consul, le grade le plus élevé des fonctionnaires de la république romaine. Et dire que ce pauvre Cicéron en avait bavé pour atteindre pareil honneur, alors que cet obscur chef de bande germain en était gratifié sans effort! En prime, le petit Alfred devint le filleul du Saint-Père.

Aethelwulf fut si bien traité que la tête lui tourna. Il resta avec son fils une année entière à Rome, habitant la Schola Saxonum – un ensemble de huttes de style saxon destinées aux touristes religieux venus d'Angleterre – et dépensa l'argent de son royaume pour édifier quelques églises romaines. Deux ans plus tard, le père et le fils de sept ans firent un second pèlerinage à Rome.

Il faut imaginer l'impact de monuments comme le Colisée, par exemple, ainsi que des dimensions de l'architecture romaine, sur l'esprit de l'enfant. Tout Southampton, alors le plus grand centre commercial saxon hors de Londres, aurait très bien pu se sentir à ses aises dans les bains de Caracalla. Bien sûr, la majeure partie de Rome était en ruines, tout comme la Londres romaine, mais le pape Léon était déterminé à recouvrir les vestiges du paganisme de structures chrétiennes. Il construisit une muraille autour du Vatican et de ce qui était auparavant le mausolée d'Hadrien, aujourd'hui le Castel' Sant'Angelo. Alfred le Grand, à l'âge où l'on est facilement impressionné, a vu la reconstruction d'une ville, et il a compris une chose oubliée en Angleterre : l'idée même de la cité.

Il s'agissait d'une notion totalement étrangère aux Vikings qui, lorsqu'ils en voyaient une, la brûlaient.

Alfred, après le sac de Winchester, capitale du Wessex, en 860, s'engagea, à l'aube de l'âge adulte, dans une lutte continuelle contre les Vikings. Son père était mort en 858, puis ses frères, aucun n'atteignant l'âge de trente ans. Alfred reprit la couronne du Wessex en 871. Il avait vingt-trois ans et du pain sur la planche : les Vikings étaient incontrôlables et une partie de leur vaste armée décida, en 872, de réoccuper Londres ou ce qu'il en restait, violant et pillant quiconque traînait encore dans les parages. Il semble qu'à Londres, le chef viking Halfdene fît couler une pièce de monnaie à son effigie, histoire de montrer qui était le patron.

Alfred était doté d'un esprit de recteur de collège victorien et d'un christianisme musclé à un point qui est presque gênant pour nos critères actuels : il avait une vraie foi en Dieu mais aussi en la capacité de l'âme à surmonter les infirmités du corps. En prenant de l'âge, ses pulsions sexuelles le perturbèrent et il alla jusqu'à prier Dieu qu'une maladie vienne l'en détourner. Le ciel lui accorda des hémorroïdes si généreuses qu'après une chasse en Cornouailles particulièrement éprouvante, Alfred s'arrêta dans un monastère pour prier et obtenir d'autres maux. Son vœu fut exaucé puisqu'il se mit alors à souffrir d'un mystérieux mal abdominal qui l'affligea ensuite jusqu'à la fin de sa vie et qui fut identifié comme étant la maladie de Crohn.

Plus tard, au moment où Alfred se considérait un peu comme un chef d'État du G20, il écrivit une lettre au patriarche Elias de Jérusalem pour inviter ce grand esprit à le conseiller sur ses malheurs intestinaux. Elias lui proposa une longue liste de remèdes répugnants, des scammonées pour la constipation, de l'huile de nard pour la diarrhée, de la gomme adragante contre les glaires, et du pétrole, à boire pour ramollir les viscères.

On ne sait si Alfred a soigné ses maux de ventre, mais les médecins s'accordent à dire que si le roi du Wessex a survécu à l'ordonnance d'Elias, il pouvait sans doute survivre à n'importe quoi. Dominant ses humeurs intestines, pétaradant peut-être des effluves de super, Alfred, rugissant, a surgi des marécages pour organiser les Saxons en une armée opérationnelle, un système de rotation des troupes permettant aux hommes de s'occuper de temps à autre de leurs champs. Il fortifia les défenses d'une trentaine de villages et, en 878, conduisit ses soldats à l'assaut des Danois, à Edington. Vaincu, Gudrum le Viking accepta, à contrecœur, d'être baptisé, avec Alfred pour parrain.

La bataille d'Edington fut un moment décisif, mais les Vikings étaient encore nombreux et certains reprirent Londres, si tant est qu'il en restait encore quelque chose, en 882. Sans doute le lieu était-il désolé et sans loi, mais il s'agissait toujours du carrefour des routes romaines. Si Alfred voulait arrêter le va-et-vient des Vikings en Angleterre, le mieux était d'en reprendre le contrôle. En 886, il fit le siège de Londres. Un lot de pièces trouvé à Croydon semble indiquer que ce fut au tour des Vikings d'enterrer leurs trésors avant de s'enfuir. Une fois en possession de l'ancienne capitale romaine, Alfred put y faire ce qu'avait fait son parrain Léon à Rome. Selon les mots du moine Asser, il « restaura la ville avec splendeur et la rendit à nouveau habitable ».

Depuis le quartier de Cheapside jusqu'à la Tamise, il organisa un rectangle de trois cents mètres de large sur un kilomètre de profondeur, y traça un plan de rues se croisant à angles droits dont on reconnaît les traces aujourd'hui à Garlick Hill, Bread Street ou Bow Lane.

La vieille ville devint une cité nouvelle qui est aujourd'hui notre ville ancienne, comme nous le rappelle, par exemple, le nom d'Aldwych, l'avenue qui longe le quartier des théâtres au nord du Strand et qui signifie *old market*, le vieux marché. Ce nouveau Londres avait deux ports, à Billingsgate et à Queenhithe, et le commerce redevint florissant le long des quais reconstruits. Nous avons retrouvé des rasoirs de pierre de Norvège et des moulins à bras de Niedermending, en Allemagne. Des pièces de monnaies de Belgique, de Normandie, d'Écosse démontrent que la ville avait recouvré son côté Babel abritant de nombreuses nations.

Alfred établit les bases d'une prospérité qui dura cent cinquante ans. Non seulement il reconstruisit Londres, mais plus important encore, il créa un événement politique sans précédent : il donna la charge d'administrer la ville à un habitant du royaume de Mercie, ennemi traditionnel du Wessex. Londres devint alors le symbole d'une paix nouvelle et Alfred, qui épousa une princesse mercienne, Eahlswith, ne fut plus simplement roi du Wessex. Il eut un nouveau titre au nouveau nom : *rex Anglosaxonum* – roi des Anglo-Saxons. Quand il mourut, en 899, on le décrivit comme « le roi de tous les Anglais ».

Alfred laissa à ses héritiers deux mille livres d'argent, une somme extravagante à l'époque, sans doute le signe que les Anglo-Saxons avaient su profiter de la défaite des Vikings pour exploiter les voies maritimes libérées de leur menace. Il fut aussi l'un des plus grands pédagogues que ce pays a connu, faisant de l'éducation et du christianisme les armes décisives contre les analphabètes danois. Alfred, un lettré, avait traduit Augustin, Boèce et les psaumes dans sa propre langue[1]. Il était un législateur et un théori-

---

1. L'*Englisc* qui deviendra l'anglais.

cien de l'art de gouverner. Son énergie «churchillienne» et sa confiance en lui l'amenèrent à redessiner les bateaux utilisés par ses sujets. Ces navires étaient peut-être lourds et lents, mais il n'empêche qu'Alfred fut l'initiateur de la suprématie maritime anglo-saxonne, laquelle est encore aujourd'hui réelle et s'étend – même si Pékin en est agacé – jusqu'aux limites de l'océan Pacifique.

Il inventa sa propre horloge – comme cela il pouvait se retirer pendant la moitié de la journée pour faire ses dévotions à son dieu et consacrer l'autre moitié à ses responsabilités terriennes. Il fit réaliser des bougies dont la dimension était calculée pour brûler pendant exactement quatre heures. Allumées les unes après les autres, elles permettaient de mesurer en continu, nuit et jour, le passage du temps... Mais c'était compter sans les courants d'air des tentes et des églises ventées où il séjournait. Alfred caressa sa longue barbe et eut une idée géniale : il demanda à des menuisiers de construire une boîte dont les panneaux latéraux seraient faits de corne si fine qu'ils seraient translucides. Et voilà : Alfred avait inventé la lanterne !

Voici un homme qui a battu les Vikings, unifié le pays, dessiné des bateaux, mesuré le temps et inventé l'éclairage en plein air. Que nous est-il arrivé pour l'avoir à ce point oublié ? Il y a bien une statue de lui sur le Strand, près de la cour royale de justice, qui commémore à juste titre ses contributions au Droit, mais rien n'existe qui rappelle aux Londoniens ce qu'Alfred a fait pour Londres.

Pourquoi pareille amnésie collective ? L'une des raisons possibles est qu'il ne subsiste aucun vestige dans la ville qui rappelle son époque. Des églises et des palais saxons, il ne reste rien, pas même une brique ou une pièce de charpente. Il faut accepter aussi la triste réalité : Alfred était un type totalement guindé. Sa vertu chrétienne, son énergie débordante, son abnégation, tout cela plaisait sans doute davantage aux victoriens qu'aux Britanniques d'aujourd'hui.

Nous sommes des hédonistes modernes et ne comprenons rien à un homme qui priait Dieu pour que des hémorroïdes viennent calmer ses appétits sexuels. « De même que l'abeille doit mourir quand la colère la pousse à piquer, de même on doit périr pour avoir cultivé des désirs prohibés », écrivait le lugubre Alfred. Enfin, il fut une figure un peu trop teutonique pour prétendre compter, à notre époque, parmi les héros de la nation. Du temps de la reine Victoria, qui épousa son cousin, un Saxon, Albert de Saxe Cobourg-Gotha, il était acceptable de souligner la force des liens unissant Anglais et Allemands. Deux guerres mondiales plus tard, c'est moins populaire.

Cependant, rappelons-nous que sans Alfred, la nation anglaise n'existerait pas et ce livre aurait été, sans doute, écrit en danois.

Guillaume
le Conquérant

Le bâtisseur de la Tour de Londres

La matinée était froide et humide. Un vent cinglant soufflait sur la Tamise. Un énorme corbeau au plumage luisant poussa un cri métallique. La tour blanche semblait de plus en plus grande et sinistre au fur et à mesure que nous arrivions sous ses corniches.

En approchant du monument de Guillaume le Conquérant, je levai les yeux pour regarder ses pierres crayeuses à travers la brume. Je ne pensais pas aux fantômes des hommes et femmes dont les cadavres étaient enfouis dans le sol – juste là où le gardien à la veste jaune balayait le sol. Je ne pensais pas non plus aux corps des enfants trouvés dans les murs, ou aux milliers de squelettes sans tête découverts sous l'église.

Depuis sa construction, la Tour de Londres a été la Lubianka[1] de Guillaume le Conquérant, le symbole de son pouvoir, un immeuble énorme et laid.

«À l'époque, il s'agissait d'un gratte-ciel», raconte Victor Lucas, le yeoman, c'est-à-dire le gardien de la Tour de Londres. «Le Londres anglo-saxon n'avait aucun monument de cette taille.» Bien sûr, c'était un bon

---

1. Nom du siège de l'ancien KGB à Moscou.

moyen de contrôler la Tamise et, de fait, la Tour mit le holà aux invasions maritimes sans fin qui avaient déstabilisé Londres à travers les siècles. Mais le premier but de sa construction était sûrement symbolique. Elle rappelait aux Anglais qu'ils avaient reçu une raclée, avaient été conquis par une race de gens capables d'ériger de magnifiques tours et des donjons, d'une dimension jusqu'alors inconnue sur l'île.

Les Normands ne construisirent même pas la tour avec des pierres locales. Ils dédaignèrent les cailloux du Kent et firent venir des roches calcaires de Caen. Non seulement le style, mais aussi la substance même du bâtiment fut importée, énorme et étrange cube posé parmi les ruines romaines et les huttes anglo-saxonnes serrées les unes contre les autres.

Toute cette histoire fut un affront et une usurpation des plus audacieuses. Ce Guillaume – duquel les aristocrates d'aujourd'hui aiment revendiquer la descendance – n'était même pas anglais.

Né à Falaise, fils de Robert Iᵉʳ de Normandie, vers 1028, c'était un bâtard, enfant illégitime de l'union de Robert avec la fille d'un tanneur. Il eut déjà du mal à revendiquer la Normandie, et ne parlons pas du trône anglais. En 1066, Harold Godwinson avait été, avec raison, proclamé roi, héritier d'Édouard le Confesseur. Qu'avait donc à voir Guillaume avec l'Angleterre ?

C'était un Normand, le descendant de Vikings francisés établis dans cette région française depuis que Rollo, parfois connu sous le nom de Robert Iᵉʳ, s'y était installé en 911. Guillaume ne parlait pas anglo-saxon. Son seul lien avec Londres était une grand-tante, Emma, femme d'Ethelred le Malavisé, l'un des rois les plus inutiles de l'histoire anglaise. Une relation ténue, donc, et pourtant Guillaume était convaincu qu'il était né pour diriger l'Angleterre. Afin d'y parvenir, il agit de façon terriblement efficace.

Après avoir fait courir la légende qu'il avait été l'objet d'une tentative d'assassinat dans son enfance (avec le bébé des voisins poignardé dans son berceau), Guillaume était devenu un grand jeune homme – d'environ un mètre quatre-vingts, une taille alors inhabituelle pour un Normand – aux cheveux roux et aux bras puissants. Il aimait décocher des flèches en montant un cheval au galop. Gros mangeur, il avait un ventre si proéminent, l'âge mûr venu, que ses ennemis disaient qu'il portait un enfant. Il étudiait assidûment les arts de la chasse et de la guerre et à la mort d'Édouard le Confesseur (fils du Malavisé), il se montra prêt à se lancer dans une expédition aussi audacieuse que celle de César, une invasion maritime qui allait à jamais changer la face de l'Angleterre et du monde.

Répéter les grands moments de la campagne est inutile : comment le roi Harold dut affronter les menaces simultanées des Danois et des Normands, comment il quitta rapidement la bataille de Stamford Bridge pour se diriger vers le sud et reçut une flèche dans l'œil à Hastings. Tout ceci est bien connu (ou du moins devrait l'être) des écoliers. Ce qui l'est moins, c'est comment Guillaume emporta l'affaire.

Une chose était de se proclamer le conquérant d'une petite colline sur la côte du Sussex, une autre de contrôler Londres qui, depuis qu'Alfred le Grand avait restauré ses fortifications, détenait la clef du royaume. La ville était comme une grosse araignée au centre d'une toile de routes romaines et il fallut un temps particulièrement long à Guillaume pour en devenir le maître. En fait, plus on étudie l'histoire de l'époque, plus on s'interroge sur le caractère prétendument décisif de la bataille d'Hastings.

Peut-être les Londoniens auraient-ils pu tenir bon. Peut-être auraient-ils été capables de changer le cours de l'histoire s'ils ne s'étaient pas comportés aussi mal, ou si leurs chefs n'avaient pas été aussi nuls. «Londres est une ville fantastique», raconte le *Chant de la bataille d'Hastings* du XIIe siècle, «pleine d'habitants besogneux et plus riche que le reste du pays. Protégée sur sa gauche par ses murs et sur sa droite par la rivière, elle ne craint ni les ennemis, ni les tempêtes.» Ce sont les divisions et le cynisme des Londoniens qui permirent à Guillaume de prendre finalement la ville − et avec elle le pays.

Pendant près d'un mois après Hastings, Guillaume attendit, espérant que Londres lui tombe tout simplement dans les bras. Derrière les murs, une faction pro-normande s'était constituée et il est vrai que la cour d'Édouard le Confesseur trouvait très tendance tout ce qui était normand. Mais à cette époque, ces pro-Normands étaient moins nombreux que les pro-Saxons, menés par un certain Edgar Atheling, dernier descendant mâle de la maison royale du Wessex.

Il faut bien comprendre qu'à ce moment-là, Londres était un maelström multiculturel. Au cours des dernières soixante-dix années, ses dirigeants avaient si souvent changé, entre Anglais et Scandinaves, qu'au moment où Guillaume arrivait à Hastings, la ville grouillait d'Anglo-Saxons, d'Anglo-Danois, d'Anglo-Celtes ou d'Anglo-Normands, sans parler des autres marchands étrangers.

Si vous vouliez aller acheter dans une boutique une livre d'abats, vous n'étiez pas sûr de savoir en quelle langue vous exprimer. Tandis que les Londoniens se chamaillaient dans leurs différents patois, les troupes de Guillaume attrapèrent la dysenterie. Le chef normand tenta malgré tout de mener à bien son affaire en attaquant la ville par le sud, brûlant la plus grande partie de

Southwark, mais il fut repoussé – ce qui montre peut-être que les Londoniens auraient pu l'emporter s'ils avaient été plus disciplinés.

Guillaume battit en retraite en direction du sud et de l'ouest, et traversa finalement la Tamise à Wallingford, dans l'Oxfordshire, avant d'opérer un virage pour se retrouver à Berkhamsted, dans l'Hertfordshire. De là, il invita les Londoniens à se rendre – et de nouveau ceux-ci tardèrent à réagir. Nous étions à la fin de l'automne de 1066 et les maladies et batailles avaient fortement affaibli l'armée normande.

Derrière les murs de la ville, la défense était organisée par un type nommé Ansgar l'Écuyer, présenté dans certains récits comme le «maire» de Londres. Blessé à Hastings, il ne put combattre pendant des semaines, voire des mois. Une fois guéri, il aurait remporté la victoire s'il n'avait pas été abandonné par ses alliés. Edgar Atheling – l'alternative anglo-saxonne – avait perdu ses soutiens. Il semble qu'Edwin, comte de Northumberland, et son frère Morcar, disparurent vers le nord, emportant leurs troupes avec eux. Un autre supporter d'Edgar, l'archevêque Stigand, changea de bord pour rejoindre le Conquérant et en décembre 1066 L'Écuyer n'était plus en mesure de faire grand-chose.

Comme avant lui Suetonius Paulinus, Guillaume descendit ce qui est maintenant Edgware Road, mais cette fois-ci, il tourna à droite vers l'actuel St Giles's Circus pour établir son QG à Westminster. Là, il construisit engins de siège et béliers afin de défoncer les portes de la cité, réduire les bastions en poussières, et démolir «la fière tour» dont parle Guy d'Amiens qui se réfère sans doute aux fortifications romaines encore présentes. Ansgar et ses quelques soldats résistèrent, semble-t-il, vigoureusement, mais les chevaliers de Guillaume, plus forts, «infligèrent à Londres une grande douleur avec la mort de nombre de ses fils et citoyens».

Guillaume fut couronné roi d'Angleterre à l'abbaye de Westminster le jour de Noël 1066. La cérémonie se termina de façon désastreuse, ce qui donne une idée de la tension extrême qui régnait dans la ville. Ayant retourné sa veste, l'archevêque Stigand eut l'honneur de poser la couronne sur des tempes normandes (même si, la même année, il avait déjà couronné Harold), et demanda, en anglais, au contingent anglais si Guillaume pouvait être leur roi. Ils hurlèrent leur assentiment – ils le firent d'autant plus qu'ils étaient entourés de chevaliers normands.

L'évêque Geoffrey de Coutances posa alors la même question, en français, à l'attention de ceux qui ne parlaient pas anglais. Les chevaliers normands crièrent «Oui!» si fort que, dehors, les gardes pensèrent qu'une révolte avait éclaté. Ils brûlèrent les immeubles avoisinants et l'assemblée sortit de l'abbaye – certaines personnes pour lutter contre les flammes, d'autres pour piller les maisons. Quelques moines et membres du clergé restèrent pour mener à terme la consécration du roi qui tremblait de la tête aux pieds. Quant à Ansgar L'Écuyer, il vit ses terres d'Enfield confisquées et entama une paisible carrière de pasteur à Westminster.

Certains éléments laissent penser que l'ordre normand qui régnait à Londres fut la continuation de ce qui s'y passait auparavant. Le nouveau roi rédigea une charte pour les Londoniens dans laquelle il saluait tous les bourgeois, français et anglais, avec amitié, les assurant que toutes les lois d'Édouard continueraient à s'appliquer. «Je veux que chaque enfant hérite de son père le moment venu, et je n'accepterai pas que l'on vous fasse du mal. Que Dieu vous protège», déclara le bienveillant souverain. Le système politique fut maintenu tel quel et les

Londoniens continuèrent de jouir des même libertés que celles qu'ils avaient acquises pendant le règne du Confesseur. Selon Guillaume de Poitiers, un chroniqueur normand lèche-bottes, les Anglais étaient ravis d'avoir été conquis.

« Nombreux sont les Anglais qui s'enrichirent davantage grâce aux libéralités du roi que grâce à ce qu'ils reçurent de leurs pères ou de leurs anciens seigneurs. Il leur donna de prospères fiefs, en remerciement de quoi ils supportèrent épreuves et dangers sans broncher. Mais on ne prit rien aux Anglais pour le donner injustement aux Français. »

Il n'est pas sûr que les Anglais virent les choses ainsi. Guillaume dévasta le nord de l'Angleterre et, en toute objectivité, la conquête normande fut une catastrophe culturelle et politique pour les Anglo-Saxons. Terres et titres furent pillés et remis aux nobles normands. De nombreux aristocrates anglais durent quitter le pays, certains pour la Flandre, d'autres pour l'Écosse. D'autres encore devinrent soldats dans la garde varègue[1] de l'Empire byzantin, d'autres furent vendus comme esclaves.

Quand arriva 1086, le Normand avait poussé hors du nid presque tous les oisillons saxons et l'aristocratie anglaise ne possédait plus que 8 % de ses terres d'origine. Un quart du pays appartenait désormais à onze hommes, et la moitié à cent quatre-vingt-dix. Tous étaient des Normands. Le savoir-faire anglo-saxon en matière de broderie et de travail du métal étaient perdus. Le pays se voyait imposer une langue étrangère. L'usage du français, au cours des trois siècles suivants, devint obligatoire pour les classes dirigeantes.

---

1. Les Varègues étaient un peuple venu de Scandinavie qui voyagea vers l'est jusqu'à la mer Caspienne et Constantinople.

Comme le fit remarquer Walter Scott, cette soumission linguistique des Saxons se retrouve dans le langage d'aujourd'hui quand on utilise un mot anglais pour un animal de la ferme et un mot français pour la viande de cet animal une fois cuite. Les serviteurs saxons prenaient une vache et servaient du bœuf aux Normands, ou ils prenaient un cochon et leur donnaient du porc, ou encore un mouton et leur offraient de l'agneau.

J'ai toujours été fasciné par cette conquête qui fut une humiliation. *Et fuga verterunt Angli*, est-il écrit sur la tapisserie de Bayeux – «et les Anglais s'enfuirent». Le message est clair : nous, les Anglais, avons perdu. Et les Normands nous ont conquis. C'est cela? J'ai posé la question au yeoman. Il a réfléchi et m'a répondu avec justesse : «Je crois qu'en fait, monsieur, nous les avons conquis. Pendant cent ans ils se sont eux-mêmes appelés rois d'Angleterre.» C'est vrai, mais tout de même, pendant trois cents ans, la langue de l'élite en Angleterre fut le français et les Anglo-Saxons furent sans ménagement renvoyés au bas de l'échelle sociale.

Quand Guillaume mourut, il ne fut pas enterré à Londres, mais dans sa ville normande de Caen. Il était devenu si gros que le mettre dans un cercueil releva de l'impossible. Quand l'évêque officiant essaya de fermer le couvercle, son corps explosa et des vapeurs épouvantables sortirent de son ventre, provoquant des évanouissements parmi l'assemblée.

Il semble peu probable que les quatre mille seigneurs anglo-saxons ayant perdu leurs terres aient porté le deuil de Guillaume car la conquête fut pour eux, en fait, un cauchemar. Mais elle fut cependant positive pour Londres.

Supposons que Guillaume et non Harold ait été blessé à Hastings. Ou supposons qu'Ansgar l'Écuyer ait gagné la bataille de Londres. Sans la conquête des Normands, la ville n'aurait jamais connu l'harmonie et la paix qui vont de pair avec un gouvernement stable. Selon les chroniqueurs, une jeune fille, à l'époque du Conquérant, pouvait parcourir toute l'Angleterre sans être attaquée ou volée : et le facteur décisif pour les échanges commerciaux, c'est la sécurité. Les marchands de Caen ou de Rouen venaient à Londres pour vendre et acheter, d'où l'expansion de la ville à cette époque. Qu'elle ne fût pas obligée de se soumettre au fameux Domesday Book[1] est une indication du statut privilégié de la ville sous les Normands.

Le Londres normand allait devenir la capitale officielle de l'Angleterre – pour la première fois depuis les Romains. Et Guillaume renforça une réforme cruciale d'Édouard le Confesseur pour le développement de la ville. Ce dernier avait déménagé la Cour au-delà des frontières du Londres d'Alfred et des Romains car il voulait suivre de près la reconstruction du monastère de West Minster qu'il transforma en abbaye. Non seulement Guillaume décida de s'y faire couronner, mais il y établit la Cour normande, c'est-à-dire le centre administratif et judiciaire du royaume. D'où l'identité bicéphale de Londres, avec un centre du pouvoir politique détaché du centre des affaires et du négoce. Pendant mille ans, ces deux centres ont communiqué entre eux mais sont restés géographiquement séparés. Cette indépendance a certainement contribué au dynamisme commercial de la cité[2].

---

1. Le Domesday Book fut un inventaire des biens de tous les Anglais ordonné par Guillaume, à des fins d'imposition fiscale.

2. C'est cette cité commerçante, distante du siège du pouvoir à Westminster, qui deviendra plus tard ce que l'on nomme aujourd'hui

On doit remercier les Normands pour cela, tout comme on doit les remercier aussi pour l'établissement d'un État de droit, pour une série de splendides châteaux et, par-dessus tout, pour avoir si vigoureusement transformé la langue anglaise avec le français. Si Harold avait gagné à Hastings, ou si Ansgar l'Écuyer avait tenu Londres, nous n'aurions jamais bénéficié de cet idiome hybride qui a conquis le monde.

Le succès de cette langue nouvelle a été attribué au grand Londonien Geoffrey Chaucer[1], dont nous allons parler. C'était un génie, le premier d'une longue série à être né dans la ville.

Avant d'en arriver à Chaucer, arrêtons-nous un instant sur un détail important concernant les pèlerins qui se rendaient à Canterbury. Imaginez-les : le moine fornicateur, le vieux veuf excité, le cuisinier à la gigantesque pustule, le meunier ivre, la mère supérieure prétentieuse. S'ils venaient de Londres ou de n'importe où au nord de la rivière, ils ne pouvaient prendre qu'un seul chemin – qui fut aussi mon itinéraire quotidien de banlieusard. Ce chemin passait par le London Bridge, le seul point de communication vers le sud. Et à l'époque des rois normands, franchir la Tamise était une affaire compliquée.

On se souvient qu'en 1014, le Norvégien Olaf a facilement renversé ce pont avec l'aide de ses rameurs, et dix fois entre cette date et 1136, il s'est effondré ou a connu d'énormes problèmes. Entre l'an 100 et 1200, la popula-

la City, où sont concentrées les banques et les institutions financières. Nous utiliserons cette dénomination tout au long du livre pour désigner le pôle commercial de la ville.

1. Geoffrey Chaucer est notamment l'auteur des *Contes de Canterbury*, l'une des premières grandes œuvres de la littérature anglaise.

tion de la ville avait doublé pour atteindre plus de vingt mille habitants. Sur ce passage bancal circulaient des gens et des marchandises en nombre toujours plus grand : de la laine du Dorset, du vin de Deauville. Il est peu probable qu'à son point le plus large, le pont ait mesuré plus de six ou dix mètres, à peine assez pour permettre la circulation de deux chariots de front. Puis, en 1170, cette architecture décrépite dut affronter de nouveaux fardeaux : un afflux de pèlerins avec leurs chevaux déféquant et leurs sabots bruyants.

Henry II eut un différend avec Thomas Becket, futur saint Thomas de Canterbury, au sujet des relations de pouvoir entre l'Église et l'État. Cette dispute se termina avec la cervelle de Becket éparpillée sur l'autel de la cathédrale de Canterbury dont il était l'archevêque. Mais ce grand Londonien fut plus puissant mort que vivant. Henry, après le meurtre de Thomas, fit son pèlerinage pénitentiel ce qui, pour les esprits médiévaux, démontra le triomphe de Dieu sur les rois terrestres.

Pour le peuple qui croyait aux flammes de l'enfer, un pèlerinage représentait une chance de gagner des points auprès du Tout-Puissant. De plus en plus de monde prit la direction de Canterbury. Un prêtre nommé Peter de Colechurch, le chapelain de l'église où Becket avait été baptisé, proposa à Henry une solution à long terme. Ce qu'il fallait construire, lui dit-il, c'était un pont de pierre. Les pèlerins et le bienheureux saint martyr ne méritaient pas moins. Fatigué de payer pour les réparations de la structure en bois, Henry accepta. L'architecture semblait très onéreuse, il annonça donc une taxe sur la laine et mit en place une corporation, appelée «Les Frères du pont de Londres», chargée de lever des fonds en vendant des indulgences.

Le projet s'avéra trop ambitieux pour l'Angleterre du XIIᵉ siècle. Le cours d'eau était large de près de trois cents mètres, ses courants puissants, et elle faisait l'objet de marées. L'ouvrage nécessitait vingt digues de pierre posées sur de grands môles en forme de bateau qui s'élançaient du lit de la rivière et projetaient leur proue à la surface des eaux en mouvement. De nos jours, on aurait construit un coffrage étanche pour permettre aux hommes de travailler sur le lit de la rivière, une technique bien trop sophistiquée pour cette époque-là. Henry se retrouva à court d'argent et mourut. Peter de Colechurch fut enterré dans les fondations inachevées. Richard Cœur de Lion était trop occupé avec les croisades. Trente ans et la perte de cent cinquante hommes plus tard, le projet fut achevé par le roi Jean, dit Jean sans Terre.

Ce dernier conclut un accord astucieux avec les marchands de Londres. En échange de prêts pour terminer l'ouvrage, ces derniers pourraient percevoir les péages et tous les droits de franchir les ponts à venir sur la Tamise. Achevé en 1209, le London Bridge fut tout de suite un énorme succès populaire. Des maisons et magasins furent construits sur chacun de ses côtés, leurs avant-toits se touchant presque et couvrant la foule des passants. Les embouteillages étaient tels qu'il fallait parfois une heure aux pèlerins pour traverser le fleuve.

Au cours des cent cinquante années suivantes, ces pèlerins affrontèrent toutes les catastrophes du Moyen Âge – des périodes de grand froid, la peste noire, le début de la guerre de Cent Ans avec la France. Ils visitaient la tombe du martyr Thomas – pensant qu'il les soulagerait des tous leurs maux et misères – mais leur sentiment d'oppression était si grand que la religion ne suffisait pas, seule, à les consoler.

GEOFFREY CHAUCER

*Il est le père de la langue anglaise
− officieusement celle de l'humanité
aujourd'hui*

C'était le mercredi 12 juin − l'époque de l'année où l'Angleterre est la plus agréable − de l'an 1381. Les châtaigniers étaient encore en fleurs et les soirées de plus en plus longues.

Un écrivain, obèse et légèrement déprimé, âgé d'une quarantaine d'années, était assis à la fenêtre de son logement, l'air soucieux. Loin de là, sa femme se trouvait, comme d'habitude, à la cour de Jean de Gand, premier duc de Lancaster, et selon toute vraisemblance ses relations avec ce grand homme n'étaient pas au-dessus de tout soupçon. Quant à notre héros, il avait été impliqué dans un scandale, celui du rapt d'une jeune femme, Cecily Champain.

Quelles qu'aient été les charges retenues contre lui − dont il réussit à se blanchir en payant une amende − elles n'avaient en rien amélioré sa réputation, ou sa moralité. Contrôleur des douanes pour la laine et les taxes d'importation, il jouissait d'un emploi rémunérateur et d'une réputation de poète. Le peintre Rousseau n'avait pas été le premier douanier artiste. En plus de sa rente de dix livres octroyée par l'oncle du roi − Jean de Gand − ses talents poétiques lui avaient donné le droit – allez savoir pourquoi – à un pichet de vin d'un gallon (environ quatre litres) par jour au cours des sept dernières années. Même s'il ne buvait pas tout lui-même, il savait, en tant que fils de négociant en vins, comment transformer le vin en or.

Au cœur de l'Angleterre du xive siècle, Geoffrey Chaucer avait été marchand et courtisan depuis l'âge de quatorze ans, un ambassadeur éprouvé aussi, connaissant les hommes politiques aussi bien que les hommes d'affaires, un personnage d'une telle envergure qu'il assurait un lien entre les deux villes les plus importantes de l'époque : Londres et Westminster. Cependant, alors qu'il regardait le soir tomber par la fenêtre de son appartement, Chaucer devinait les menaces pesant sur le monde qui était le sien.

Il vivait à Aldgate, dans une sorte de château construit au-dessus de la vieille porte romaine, au nord-est de l'ancienne ville. D'un côté, Chaucer dominait Londres, qui s'était étendue sous le règne des monarques normands ayant succédé à Guillaume. Mais à bien des égards, plus aucun progrès n'avait été accompli depuis l'époque du Conquérant.

Même si leurs fenêtres étaient munies de carreaux, les gens se déplaçaient encore avec des chariots tirés par des chevaux et utilisaient arcs et flèches. Et même s'ils mangeaient avec des couteaux et des cuillers, ils n'en étaient pas encore aux fourchettes. On ne trouvait ni plomberie, ni eau chaude et, dans cet univers, maux de dents et constipation faisaient partie du quotidien. La pauvreté était abjecte, la mortalité infantile épouvantable et la peur que la peste tombe du ciel comme punition des péchés commis, constante. Et pourtant la population augmentait, atteignant le chiffre conséquent – mais néanmoins encore inférieur à celui de l'époque romaine – de cinquante mille habitants.

Qui plus est, l'argent circulait à Londres dans des quantités jusqu'alors inconnues. Pendant des siècles, les Anglais avaient commercé avec la France et les Pays-Bas, et l'argent provenant de la laine avait permis aux marchands de se faire construire de magnifiques maisons dans le village à la mode de Charing, entre le Strand et Westminster. L'argent tissait de fils d'or les tapisseries des négociants, habillait leurs femmes de soieries et cette classe commerçante pouvait s'offrir tous les raffinements de l'époque : des sculptures en tête de lit, des poésies sur l'amour, des vitraux reproduisant leurs corps pâles aux pieds chaussés de larges mules.

Certains devinrent si riches que les nobles en arrivèrent à les jalouser. En 1337, les premières «lois somptuaires» furent promulguées qui interdisaient le port de fourrures à certaines catégories sociales. L'argent encouragea les vols, la prostitution et des loisirs étranges comme les spectacles de péteurs professionnels dont le savoir-faire plaisait tant à Chaucer, et comme les tournois pour lesquels lui et d'autres de sa classe sociale revêtaient leurs armures et jouaient à la quintaine. Ils visaient des cibles montées sur des poutres en rotation qui pouvaient, en accomplissant leur mouvement, frapper les joueurs les plus maladroits sur l'arrière du crâne. D'ailleurs, c'était l'ensemble de la classe dominante de l'époque qui était sur le point de recevoir un magistral coup sur la tête, faute de n'avoir rien fait pour combler le gouffre séparant de plus en plus riches et pauvres.

De son autre fenêtre, Chaucer voyait l'Essex, la campagne où vivait encore la majeure partie de la population et où la vie n'était pas vraiment drôle. Un poète du XIVᵉ siècle décrit un homme accroché à sa charrue, bonnet déchiré, chaussures béantes, mitaines en lambeaux, manteau fait de tissu grossier. Ses quatre génisses efflanquées peinent à avancer. Sa femme marche à ses côtés, les pieds nus tailladés par le froid, un bébé gémissant l'attendant au bout du sillon. En 1381, la décennie qui s'achève n'a connu que des récoltes pourries et les épidémies successives ont dévasté les villages.

Plusieurs fois au cours de la vie de Chaucer, les gens furent frappés par des horreurs bibliques – éruption de bubons sous l'aisselle ou à l'aine – et les enfants enterraient leurs parents à une fréquence égalée seulement par les victimes sub-sahariennes du sida. Entre 1340 et 1400, à peu près la durée de vie de Chaucer, la peste noire réduisit la population anglaise de moitié. Et pour faire bonne mesure, ces paysans maltraités par Dieu furent informés qu'ils paieraient un nouvel impôt à l'État afin de financer une nouvelle tentative du roi de redorer son blason sur les champs de bataille de France. Il s'agissait d'une *poll tax*, une taxe universelle, demandée à chaque habitant du pays.

Cet impôt était injuste. Le malheureux paysan qui touchait, disons, douze shillings par an, devait verser la même somme que Chaucer qui en gagnait cent fois plus. Un jour de mai de cette année 1381, dans le village de Fobbing, en Essex, la population refusa de payer l'inspecteur des impôts.

La révolte des Paysans fut la première et, en un sens, la plus importante insurrection de l'histoire anglaise. Il s'agissait du premier mouvement populaire au programme radical, avant tous ceux qui jalonneront l'histoire de Londres. Alors que Chaucer regardait par sa fenêtre les champs de Mile End, il pouvait entendre un bruit qui dominait le murmure printanier des abeilles et le roucoulement des colombes : les voix de milliers de paysans se préparant à camper aux alentours de la ville.

La nuit tomba, les insurgés se mirent en route. William Walworth, le maire de Londres, donna des instructions pour que soient fermées les portes de la ville, tout particulièrement Aldgate. Au milieu de la nuit, un conseiller municipal, William Tonge, désobéit vraisemblablement et laissa entrer les révoltés. Si Chaucer était resté dans son château, il les aurait vus passer sous l'ancienne porte. Il aurait entendu les jurons de ceux qui voulaient détruire le monde – un monde qui avait nourri son génie. Chaucer n'avait rien à gagner avec cette révolution, et pourtant, il était lui-même radical, sinon révolutionnaire. Sur un point fondamental, il se trouvait du côté des rebelles car, après trois cents ans de domination française, il glorifiait la langue parlée par le peuple d'Angleterre.

Selon les mots de William Caxton, considéré comme le premier imprimeur londonien, qui lança sa carrière en publiant les *Contes de Canterbury*, Chaucer était «l'admirable père, premier fondateur et réformateur de notre anglais». C'est à cette époque-là, la fin du XIVᵉ siècle, que le bourgeon avait fini par éclore en une fleur gigantesque et complexe, la langue anglaise.

Geoffrey Chaucer naquit à Thames Street, sous ce qui est aujourd'hui la gare de Cannon Street. Les lecteurs attentifs noteront que cet endroit fut le théâtre de nombreux grands événements à Londres : Hadrien s'y est certainement arrêté pour loger dans la maison du gouverneur lors de son voyage de 122, et il est plus que sûr – même si la zone a été reconstruite des dizaines de fois – que le lieu où Chaucer est né montre des traces de maçonnerie romaine.

Il fut éduqué à l'ombre de St Paul, fondée par Mellitus en 604 (et quelle ombre à l'époque! Il s'agissait d'une cathédrale médiévale colossale avec une flèche encore plus haute que le monument ne l'est aujourd'hui). À l'âge de quatorze ans, il rejoignit la cour de la duchesse d'Ulster. On peut le voir dans un livre, portant son uniforme : veste courte, bas rouge et noir. Il n'avait que dix-neuf ou vingt ans quand il partit en France se joindre aux troupes en campagne, fut capturé et Édouard III paya pour le libérer une rançon de seize livres – à la mesure de l'importance qu'il avait déjà.

S'ensuivit une longue carrière de diplomate, de parlementaire, d'espion, d'employé du roi, mais il fut surtout courtisan, et à la Cour, c'était la règle, on ne parlait pas anglais mais français. Son nom, d'ailleurs, Chaucer, vient probablement du mot français chausseur. Que dit Édouard II en ramassant la jarretière perdue par une élégante de sa Cour et en la nouant galamment autour de son propre mollet? Il ne s'exclama pas *never mind, darling*[1] mais «Honni soit qui mal y pense». Quand Jean de Gand voulait expliquer pourquoi il versait une rente à un couple, les archives montrent qu'il disait «c'est pour mieux leur état maintenir». Et pourtant, le français n'était clairement pas la langue des révoltés qui passaient sous les fenêtres de Chaucer.

L'histoire du xive siècle est en fait dans une certaine mesure celle d'une révolte contre ces deux langues sacrées et élitistes, qu'étaient le français et le latin. En 1362, le Parlement décrète que toutes les plaintes légales seront dorénavant déposées en anglais. À cette date, la campagne fourmillait de Lollards, ces personnages inspirés par John Wycliffe et sa Bible anglaise. Les Lollards n'aimaient ni les prières, ni les sermons qu'ils ne comprenaient pas. En fait, la médiation du clergé entre l'homme et Dieu ne les intéressait pas.

---

1. «Ne t'en fais pas, chérie.»

Et Chaucer – un homme ayant de nombreuses relations, marié à la fille d'un riche Flamand et qui pourtant glorifiait le langage du peuple – était-il un Lollard? Certains historiens se sont posé la question. D'autres disent que rien ne prouve qu'il n'était pas bon catholique. Ce qui est sûr, c'est que Chaucer n'était pas de ceux qui voulaient s'allier avec les paysans révoltés.

Le jeudi 14 juin, les Londoniens se réveillèrent pour la fête de Corpus Christi. Mais ce jour-là, aucune cérémonie n'eut lieu, la peur régnait dans les rues. Aux alentours de la ville, des maisons brûlaient déjà. Une bande conduite par un certain Wat Tyler s'était déployée vers Southwark pour prendre d'assaut la prison de Marshalsea. À Lambeth, les archives – des jugements en latin – se consumaient. Tyler conduisit ensuite ses hommes au London Bridge où ils attaquèrent un bordel occupé par des Flamandes, non parce qu'ils condamnaient la prostitution, mais parce qu'ils détestaient les Flamands. La violence continua et les gardiens du London Bridge, désobéissant au maire Walworth, ouvrirent la chaîne et abaissèrent le pont-levis. La bande poursuivit ses méfaits, assaillant la prison de Fleet et le Temple afin de détruire plus d'archives encore, puis elle se dirigea vers le Strand où se trouvait la résidence la plus riche et la plus belle d'Angleterre, le Savoy Palace de Jean de Gand. Avec beaucoup de soin, la foule brûla linge de maison, vêtements, nourriture, puis mit le feu à trois barils de poudre pour faire bonne mesure. Le lendemain, les assassinats xénophobes commencèrent.

Dans le quartier Vitry – où Chaucer avait grandi – trente-cinq pauvres Flamands furent tirés hors d'une église, traînés à terre et décapités par une bande sous les ordre d'un certain Jack Straw. Un autre groupe entra dans la Tour de Londres – grâce, là aussi, à une trahison

74

interne – pour tuer l'archevêque Simon Sadbury et d'autres notables, dont quelques inspecteurs des impôts. Puis ils annoncèrent que tous les Flamands devraient subir le même sort et, pour s'amuser encore un peu, ils allèrent tabasser les banquiers italiens de Lombard Street. Le lendemain, samedi, incendies et massacres continuèrent jusque tard quand soudain le jeune roi Richard II annonça que tous les révoltés devaient se rendre à Smithfield pour mener des pourparlers avec lui.

La situation aurait pu empirer. Imaginez le jeune roi dans son élégante armure face à Wat Tyler et ses pustules sur le nez, entourés des paysans du Kent en colère. On raconte que Tyler traita le roi d'Angleterre avec une insolente familiarité. Il voulait l'abolition du statut de vilain (une forme de servage obligeant à travailler la terre du maître), et de la procédure par laquelle on pouvait être mis hors la loi pour un crime. Il voulait aussi mettre un terme aux nouveaux impôts et aux salaires de misère. Il reprenait également les demandes de John Ball, le prêcheur proto-communiste selon lequel il ne devrait plus y avoir de seigneurie, sauf celle du roi, ni de possessions de l'Église, et juste un seul évêque.

Le roi, semble-t-il, réagit avec calme et accepta ces requêtes outrancières. Mais une rixe éclata entre Tyler et Walworth, le maire de Londres, ce dernier faisant tomber le rebelle de son cheval et le transperçant de son épée. Plusieurs membres de la suite du roi décidèrent de participer au pugilat et s'en prirent aussi au blessé. La foule hurla de rage et aurait pu tuer le roi si celui-ci, jeune garçon de quatorze ans, n'avait éperonné son cheval pour aller au devant des révoltés en criant «Messieurs, allez-vous tuer votre roi ? Je suis votre capitaine ! Suivez-moi ! »

Manifestement envoûtés par le charisme royal, les paysans suivirent Richard à Clerkenwell, à quelques centaines de mètres plus au nord. Blessé, Tyler fut conduit aux urgences de l'hôpital St Barts, mais Walworth n'en avait pas fini avec lui. Il le sortit de son lit et lui coupa la tête qu'il planta sur le London Bridge, à la place de celle de l'archevêque Sudbury, puis dit aux paysans de rentrer chez eux, ce que, bizarrement, ils firent. À Londres, la révolte des Paysans était terminée et le roi, aussitôt, fit Walworth chevalier.

Il est très improbable que Chaucer ait pu apporter son soutien à la révolte paysanne. Même s'il n'appréciait pas les relations que Jean de Gand était supposé avoir entretenues avec sa femme, il avait tout de même un jour écrit un poème à la gloire du grand homme et à la mémoire de Blanche, son épouse décédée. Il fut certainement très choqué de voir sa maison brûler. Homme bien élevé et cultivé, Chaucer a dû ressentir de l'horreur à la vue du massacre d'innocents Flamands et du tabassage d'Italiens.

Comment aurait-il pu sympathiser avec les rebelles contre le roi et la Cour dont il dépendait ? Ce ne fut pas le cas. Et pourtant, sa seule référence à la révolte – ce désastre national – est teintée d'une certaine gaieté. Dans «The nun's priest tale», l'un des *Contes de Canterbury*, il essaie de décrire des gens poursuivant un renard.

> *So hydous was the noise, a benedicitee*
> *Certes he Jakke Straw and his Meynee*
> *Ne made nevere shoutes half so shrill*
> *Whan that they wolden any Fleming kille*
> *As thilke day was maad upun the fox.*

Ce qui veut à peu près dire ceci : «Si horrible était le bruit, Dieu aie pitié de nous, Jack Straw et sa bande n'ont jamais hurlé de façon aussi perçante quand ils voulurent tuer le premier Flamand rencontré, comme s'ils hurlaient ce jour-là en poursuivant un renard.»

Comparer les pogroms de Jack Straw avec une chasse au renard peut paraître léger, mais c'est le style de Chaucer, celui, détaché, du satiriste.

Chaucer voulait nous faire rire, c'est pourquoi il écrivit en anglais – et non parce que c'était la langue de la révolte ou des dissidents religieux. Il ne fit pas la promotion de cet idiome pour des raisons politiques, mais parce que, comme tous les auteurs, il cherchait à atteindre le plus vaste lectorat possible.

L'anglais était une langue paillarde car elle était par définition vulgaire. C'était la langue du peuple qu'il voulait amuser et il était amusant d'écrire dans cette langue. Tout le long de la rivière, depuis le Tower Bridge jusqu'à Fleet, se trouvaient des quais où les Londoniens chargeaient et déchargeaient les produits qui les enrichissaient. Il y avait le quai aux galères où arrivaient les galères italiennes, juste avant Custom House où Chaucer travaillait, puis le marché aux poissons de Billingsgate, et encore le Steelyard, terrain fermé des marchands de la Ligue hanséatique qui dominaient le commerce avec la Scandinavie et l'Europe de l'est.

Ces Allemands parlaient aux dockers en anglais, et cette langue prit de l'importance avec la montée en puissance des marchands. À la fin du XIVe siècle, le roi ne pouvait pas se passer d'eux pour financer ses entreprises militaires – surtout que la *poll tax* avait été un lamentable échec.

Si les nobles voulaient la guerre, les marchands voulaient la paix, et ils menaient le jeu. Quand sir Nicholas Brembre, épicier et futur maire de Londres, et ses amis décidèrent d'arrêter de prêter de l'argent au roi, comme ils le firent en 1382, ce dernier n'eut d'autre choix que d'annuler sa campagne militaire. Ainsi, le pouvoir politique était-il transféré à la classe montante, celle des marchands.

La révolte des Paysans fut un échec, comme de nombreuses autres insurrections prolétaires, mais une révolution linguistique eut néanmoins lieu et elle fut conduite, comme toutes les révolutions qui réussissent, par la bourgeoisie.

Le choix de l'anglais par Chaucer participa à ce basculement du pouvoir du roi et de la Cour vers les puissances de l'argent. Un «gentleman» ne pouvait pas devenir conseiller municipal. Conseillers municipaux et shérifs de Londres étaient des commerçants et voulaient être reconnus. Et comme toujours, les filles et fils de nobles voulaient faire un mariage qui redore leur blason.

Alors que les guildes et confréries londoniennes acquéraient plus de pouvoir, elles se disputaient celui-ci avec une acrimonie croissante. Les créateurs de richesse ne constituaient pas un groupe homogène. Ils étaient divisés, des rivalités se faisant jour entre épiciers et drapiers, mercières et poissonniers. Les fournisseurs de denrées alimentaires menaient des luttes incessantes et sanglantes avec les marchands d'étoffes et, dans cette bataille pour le pouvoir, des commerçants se coalisaient derrière certains nobles, voire certaines maisons royales.

En 1387, Richard II, le dernier mécène de Chaucer, faillit être détrôné par un groupe de nobles (appuyés par les drapiers) et quelques-uns des amis de Chaucer, comme le poète Thomas Usk, furent exécutés, tout comme l'épicier et bailleur de fonds sir Nicholas Brembre. Chaucer semble avoir alors été relégué à Greenwich où il fut parlementaire, représentant le Kent. Il devint aussi, à un moment donné, forestier adjoint dans le Somerset, un poste qui lui permit de se concentrer sur sa poésie. Avec le retour de Richard et de Jean de

Gand, il fut remis en selle et assuma les fonctions d'employé des Œuvres du roi, chargé d'inspecter les travaux dans les palais royaux. Mais 1399 mit un terme à tout ceci.

Cette année-là, Richard II fut renversé par son cousin, Henry Bolingbroke (qui devait devenir Henry IV), soutenu par les marchands. Comme tant d'autres rois et gouvernements à travers les âges, Richard avait décidé de s'en prendre aux financiers. Il punit la City pour son rôle dans la récente révolte en remettant en cause son ancienne charte accordée par Guillaume le Conquérant. Il tenta aussi de limiter à une année le terme du mandat de maire. La City ne voulait pas en entendre parler. Quand Richard demanda à Henry venu l'arrêter qui était avec lui, l'usurpateur répondit (selon Froissart) : «Tous les Londoniens, sans exception.» Les marchands changèrent ainsi de camp pour protéger leurs prérogatives.

Jean de Gand était mort. Le pauvre roi Richard II mourut de faim à trente-trois ans en captivité, et certains pensent que Chaucer fut aussi tué. Afin de plaire au nouveau régime et au nouvel archevêque Arundel, qui jugeait «antireligieux» le ton des *Contes de Canterbury*, Chaucer a peut-être été «discrètement massacré», selon les termes de son ami et contemporain Hoccleve.

C'est une théorie intéressante, mais sa véracité n'a jamais été prouvée. Le nouveau roi venait de confirmer la rente de Chaucer. Tout au long de sa vie, ce dernier avait montré une habilité certaine à louvoyer entre les clans de la Cour et des confréries – et à soutirer de l'argent à la fois aux princes et aux marchands – sans s'attirer les foudres des uns ou des autres. Il fut enterré à l'abbaye de Westminster pour services rendus (mais pas pour sa poésie) et pourtant, c'est son héritage littéraire qui perdure.

Il prit les deux grands courants linguistiques de l'époque, le germanique et le romain, et les réunit.

Accident, agree, bagpipe, blunder, box, chant, desk, digestion, dishonest, examination, feminity, finally, funeral, horizon, increase, infect, obscure, observe, princess, scissors, superstitious, universe, village : ce sont juste quelques-uns des mots quotidiens que Chaucer a introduit dans la langue anglaise grâce à sa poésie. Laissez-moi vous donner une dernière raison pour laquelle l'anglais était le véhicule naturel pour un poète intéressé par les couplets pentamètres : deux apports parallèles de vocabulaire permettaient une rime particulièrement riche, et le plaisir consistait souvent à prendre un mot «normand-français-latin» et à lui trouver une rime anglaise ou, plus satisfaisant encore, à choisir un mot latin recherché et à en faire un calembour anglais torride.

Ce qui a fonctionné pour la poésie a fonctionné aussi pour la vie quotidienne. Avec sa nature hybride, l'anglais a offert à ceux qui l'utilisaient une flexibilité sans égale. Ils pouvaient être pompeux ou directs, délicats ou brutaux. Depuis Chaucer, l'anglais est une omelette qui ne se solidifie jamais et dans laquelle des ingrédients nouveaux peuvent toujours être ajoutés. Le dictionnaire Oxford compte maintenant 600 000 mots et selon le Global Language Monitor on trouve un million de lexèmes (également appelés unités lexicales) anglais.

Par comparaison, les dialectes chinois en rassemblent un demi-million, l'espagnol 225 000, le russe 195 000, l'allemand 185 000, le français 100 000 et l'arabe 45 000. L'anglais est la langue internationale pour le trafic aérien, les affaires, l'ONU, et aucune autre langue n'est capable de transmettre le *offside trap*[1] avec autant de concision.

---

1. Tactique de football consistant à attirer l'adversaire dans une zone de hors-jeu.

Bien sûr, nous sommes très fiers que notre grammaire – affûtée et simplifiée par ces paysans médiévaux anglais tant méprisés – soit devenue celle du monde moderne. Il nous est agréable de penser que nous l'avons inventée, que nous en détenons les droits d'auteur, et nous en sommes les plus fervents avocats. On rit en lisant un menu au Vietnam proposant *pork with fresh garbage*[1]. Des larmes de joie coulent sur nos joues quand un menu japonais offre un *strawberry crap*[2], et pourtant nous devrions garder à l'esprit qu'un enfant de onze ans sur quatre est encore illettré à Londres, et que sur un milliard quatre cent mille personnes parlant anglais dans le monde, nombreuses sont celles qui le pratiquent bien mieux qu'un Anglais moyen.

L'anglais a dépassé les frontières de l'Angleterre pour devenir une langue globalisée. Cet *english* mondial, surnommé «Globish», est devenu l'unificateur syncrétique de l'humanité. Cette aventure a commencé au XIVe siècle, quand l'adoption de l'anglais comme langue littéraire respectable a été imposée par Chaucer – et ça n'aurait pas pu se produire ailleurs qu'à Londres.

Nous devons être reconnaissants à Chaucer pour une dernière raison sans rapport avec le fait qu'il ait promu notre langue mais avec ce qu'il a écrit. Sa paillardise, sa raillerie, son autodérision, l'hypocrisie qu'il dénonce et ses calembours font de lui le père respecté et fondateur non seulement de notre anglais, mais aussi de traits de caractère que nous aimons définir comme étant les nôtres.

---

1. «Porc avec des détritus frais». Confusion entre le mot *garbage* (détritus, poubelle) et *cabbage* (chou).
2. «Une merde à la fraise» et non une *strawberry crepe*, une crêpe à la fraise.

Nous aimons Chaucer et le vénérons pour la bonne raison qu'il nous aime. Il posa un regard affectueux sur le kaléidoscope des classes sociales et des personnages que l'on rencontrait à Londres (les *Contes de Canterbury* sont essentiellement un poème londonien). Il les décrit avec tant de talent qu'il nous est possible de toucher leurs vêtements, d'écouter leurs voix, d'entendre leurs estomacs gargouiller.

L'expansion de l'anglais à l'époque de Chaucer se fit grâce à l'économie et à la politique. Le triomphe de cette langue jusqu'alors secondaire traduit la confiance et l'influence des marchands londoniens qui le parlaient. Un homme, plus que les autres, représente cette nouvelle classe, un homme que Chaucer a certainement très bien connu, Richard Whittington. L'histoire de son ascension a traversé les siècles et a été embellie de génération en génération. Elle est devenue emblématique de Londres, ville de toutes les opportunités.

RICHARD
WHITTINGTON

Non seulement le premier grand banquier,
mais aussi l'homme qui fixa les règles
de la philanthropie

Quand j'étais gamin, on n'apprenait pas notre histoire militaire dans *Medieval : Total War* (La Guerre médiévale totale). On ne restait pas assis comme des lézards sans paupières devant des jeux vidéo de guerre. On l'apprenait en lisant un superbe magazine illustré destiné aux pré-pubères vaguement bûcheurs qui s'appelait *Look and Learn* (Regarde et apprends). J'en étais un fervent abonné. À la fin des années 1960, ce magazine publia une illustration montrant un grand moment de la vie de sir Richard Whittington.

Il s'agissait d'un banquet qu'il donna en tant que maire de Londres en l'honneur du roi d'Angleterre – et quelle fête ce dût être ! Au cours de ces dernières années, aucun banquet à l'hôtel de ville n'a été une telle pétulante expression de la jubilation nationale. J'ai loué une queue-de-pie pour assister à un discours de Gordon Brown. Lors d'une autre triste occasion, nous avons tous dû aller lécher les bottes du président Poutine dans l'espoir qu'il permettrait à BP de signer avec la Russie quelques contrats pétroliers. Nous avons aussi reçu la conférence des inspecteurs des écoles, la cérémonie des prix des meilleures assurances-vie et une présentation des plus beaux hôtels du monde.

En 1415, l'hôtel de ville était encore en construction. Avec son imposante façade et ses voûtes de calcaire élancées, il avait un air de maison flamande, ce qui n'est guère surprenant car il fut bâti grâce aux revenus du commerce de tissu avec les Flandres. L'immeuble reflétait la prospérité et l'ambition grandissante des Londoniens et, ce soir-là, ils avaient raison d'être euphoriques. Ils fêtaient Azincourt, la plus fantastique victoire sur les Français de toute l'histoire anglaise. Face à des troupes quatre fois plus nombreuses, le jeune roi Henry V conduisit ses archers anglais qui massacrèrent l'élite ennemie. La fine fleur de la chevalerie française se retrouva épinglée sur la glaise de la Picardie. Elle avait perdu trois ducs, huit comtes, un vicomte et un archevêque. La voie était libre pour que l'Angleterre revendique à nouveau le trône français – et le moment était venu pour le maire Whittington d'ouvrir les réjouissances au nom de la City.

Pour ce marchand brillant et rusé, il était temps aussi de rappeler le rôle central qu'il avait joué dans ce triomphe. Whittington organisa une incroyable beuverie. Sur les balcons, les troubadours jouaient d'instruments à cordes. Dans la grande tradition du Londres médiéval, jongleurs, personnages de foire et nains mimaient la défaite des Français. Les plats étaient recherchés et chers ; le vin, qui sortait de canalisations, coulait à flots ; du bois de santal alimentait le feu. Le roi, âgé de vingt-huit ans, était ébloui.

« Même les brasiers débordent de parfums, s'écria-t-il.

— Si votre majesté ne me l'interdit pas, je rendrai les flammes encore plus odorantes », lui aurait répondu sir Richard Whittington

Alors que le roi acquiesçait, le maire sortit de son habit une poignée de titres – des morceaux de papier attestant des dettes du roi – et les lança dans les flammes. « Ainsi, votre majesté, je vous libère d'une dette de soixante mille livres. »

Il est difficile de calculer précisément ce que vaudrait une telle somme aujourd'hui, mais il s'agit sans doute de dizaines de millions de livres. Effacer des dettes royales d'une telle ampleur n'était pas seulement un acte d'une incroyable générosité, c'était aussi une affaire d'État. Imaginez les gnomes de Zurich dire à Harold Wilson[1] que les dettes de son pays sont annulées. Imaginez que des financiers organisent un somptueux dîner pour George Osborne[2] et que l'un d'eux se lève, ivre, à la fin du repas pour annoncer que le déficit ne serait plus financé par les contribuables, mais par les banquiers eux-mêmes. Vous penseriez que le monde est devenu fou.

Il n'existe aucune preuve de la véracité de cette scène, surtout de la façon dont elle est dépeinte dans les pages de *Look and Learn*. Cette nuit-là, il semblerait que le roi ait plutôt été en France qu'à Londres. Mais sur le fond, l'histoire est indiscutable : Dick Whittington aida à financer la machine militaire anglaise au moment critique de la guerre de Cent Ans. Il prêta des sommes substantielles à trois monarques successifs, et il effaça les dettes d'Henry V comme celles de beaucoup d'autres.

Whittington ne fut jamais pauvre. Maire de Londres quatre fois, il ne prêta pas d'argent à la Cour seulement pendant deux ans, entre 1400 et 1423. D'où son rôle important dans l'histoire économique de l'époque. Soixante ans plus tard, on verra le Monte di Pieta, à

---

1. Le travailliste Harold Wilson fut deux fois premier ministre, de 1964 à 1970, puis de 1974 à 1976, dans un contexte social et économique difficile.

2. George Osborne est depuis le 12 mai 2010 le chancelier de l'Échiquier (ministre des Finances) du gouvernement dirigé par le conservateur David Cameron.

Pérouse, faire ses premiers prêts aux pauvres en échange de couteaux, de casquettes, ou d'autres biens laissés en gage. Avant les Fugger d'Augsbourg, les Médicis de Florence, il y eut Dick Whittington, marchand et banquier officieux. Comme Chaucer qu'il connaissait certainement, Whittington eut l'habileté politique d'être présent à la fois dans la City et à la cour de Westminster, les deux pôles de la ville. Il s'y enrichit au point que ses donations viennent encore aujourd'hui en aide aux plus nécessiteux.

Whittington est né entre 1354 et 1358 dans le Gloucestershire de parents qui n'étaient pas des paysans mais le seigneur de Pauntley et sa dame, dotés de leurs propres armoiries. Son père, sir William Whittington, avait été mis « hors la loi » pour avoir épousé la fille de sir Thomas Berkeley sans le consentement royal (nécessaire en cas de mariage avec la fille d'un courtisan, suivant la théorie selon laquelle le roi devrait avoir l'apanage de choisir en premier). Mais les Whittington ne furent pas dépouillés de leur château. En fait, ils continuèrent à le transmettre de père en fils au cours des deux siècles suivants et leurs descendants sont encore à ce jour dans le village de Hamswill.

Richard Whittington avait un seul problème : il était le plus jeune de trois frères, donc pour lui, pas d'héritage. Ses options se résumaient à (1) rester dans le Gloucestershire en espérant y trouver une jeune fille riche, (2) étudier le droit, (3) entrer dans les ordres, (4) rejoindre l'armée ou (5) devenir un apprenti et acquérir un métier. On ne sait pas exactement pourquoi il choisit la dernière possibilité, mais il parcourut les quatre ou cinq jours de marche qui le séparaient de Londres, arrivant à Newgate vers 1371. Londres, une ville, alors, d'argent et de débauche.

La dernière grande peur de la lèpre remontait à 1369 et le sentiment général était de jouir des plaisirs de la vie. L'archevêque de Canterbury, dans une lettre de l'époque, se plaint que les Londoniens ne respectent plus le repos du dimanche. Alors que Whittington se cherchait un logement, il vit sans doute des ours poursuivis par des meutes de chiens, des voleurs cloués au pilori, des mendiants exposant leurs maladies de peau et leurs membres mutilés avec enthousiasme. Peut-être fut-il pris dans le tourbillon d'une des nombreuses parades organisées alors pour les saints. On y buvait, on s'y goinfrait, on vomissait. Les yeux grands ouverts, le jeune Richard passait son chemin. Sa mère connaissait un mercier du nom de sir Hugh ou sir John, ou encore sir Ivo FitzWarren, dont la famille était arrivée avec le Conquérant. Richard se dirigea droit vers sa maison pour lui demander un travail.

Être apprenti était une affaire sérieuse. Il fallait aller à la messe et écouter le sermon, il fallait aussi suivre des cours de tir à l'arc à Smithfield. Pour ceux qui étaient bien nés, cette vie s'avérait spartiate. Un nouvel apprenti pouvait dormir dans l'atelier, un apprenti plus ancien devait se contenter d'une balle de foin dans la maison. Il fallait porter une casquette plate et ronde sur des cheveux très courts, se vêtir d'un long manteau de tissu grossier, et marcher dans la nuit devant le maître ou la maîtresse, une lanterne à la main et un long gourdin accroché autour du cou.

Un mercier fait commerce de tissus et costumes en tous genres. C'était une époque où les gens non seulement devenaient plus riches mais voulaient se distinguer par le luxe de leurs vêtements. Le commerce du tissu attirait donc l'argent. Richard apprit comment peigner la laine, nouer des ballots, reconnaître les signes des corporations, plier les soies délicates, les frotter entre pouce et index, les déclarer les plus belles qui soient, justifiant ainsi leur prix élevé.

Le roi et sa Cour passaient de plus en plus de temps à Westminster et les commerçants gagnaient de l'argent grâce aux goûts pompeux des bureaucrates. Les marchands de peau fournissaient des cols en lapin, les drapiers les riches étoffes, les merciers comme Whittington tout le reste : draps, velours, taffetas, soies, rubans. Des tissus de soie? À votre service, monsieur! L'agence qui s'occupait des achats royaux s'appelait la Grande Garde-Robe et si cette dernière faisait appel à une échoppe, elle était comblée, la Cour tout entière en devenait cliente.

Whittington travaillait dans le quartier des merciers, du côté de Bow Church, à Cheapside, et il bossait dur, depuis tôt le matin jusque huit heures du soir, quand la cloche de l'église sonnait la fin de la journée de labeur. On trouve son nom dans les registres de 1379, alors qu'il venait certainement de terminer sa période d'apprentissage de sept ans, puis, neuf ans plus tard, quand il se fut hissé sur l'échelle sociale – pourtant glissante – pour devenir l'un des huit représentants de la circonscription de Coleman Street. En 1390, il donnait dix livres – une grosse somme qu'un personnage comme le maire aurait pu débourser – pour la défense de la ville. En 1393, il avait entre trente-cinq et quarante ans et atteignait le rang de conseiller municipal. En 1394, il devint shérif.

Son ascension n'est pas particulièrement remarquable – ni rapide, ni lente – mais il possédait alors suffisamment d'argent pour figurer parmi les grands argentiers de l'époque, les Brembre ou William Walworth. Le moment décisif se profila en 1397, alors que le règne de Richard II arrivait à son terme. Ce dernier n'avait pas de bonnes dispositions envers la cité à cause de son soutien aux lords appelants[1]. Il avait aussi attaqué les institutions démocratiques de la ville et à la mort du maire, Adam Bamme, il nomma arbitrairement son successeur en la personne de Richard Whittington. Selon le roi, c'était un homme « fidèle et circonspect » qui avait toute sa confiance. Mais Whittington savait qu'il ne devait pas apparaître comme la marionnette du roi. Il avait besoin du soutien de ses pairs. Une élection était nécessaire. Pour la somme de dix mille livres payables à Sa Majesté, il s'arrangea donc pour que la cité rachète son ancienne charte lui offrant la liberté de s'autogouverner : celle-ci lui avait été conférée par le Conquérant. Le 13 octobre 1397, Whittington fut dûment élu maire, avec l'approbation du roi, mais aussi celle des marchands de la City.

Deux ans plus tard, avec le coup d'État d'Henry Bolingbroke, une nouvelle dynastie était née. Et pourtant, Whittington continua son petit bonhomme de chemin. Le nouveau roi, qui prit le nom d'Henry IV, reconnut que le paiement d'une dette de mille livres contractée par Richard II était dû à Whittington. Ce dernier eut le talent de convaincre un roi de rembourser la dette d'un autre.

Quand Blanche et Philippa, les filles d'Henry IV, cherchèrent des soies en vue de leur mariage, Whittington était là, un mètre à la main. On pourrait penser que son calme et son savoir-faire lui donnaient un ascendant sur les femmes de la Cour, mais le premier des merciers londoniens avait un moyen encore plus sûr de fidéliser ses clients royaux. Entre 1392 et 1394, il vendit pour trois mille cinq cents livres de tissus à la cour de Richard II et

---

1. Les lords appelants furent un groupe de nobles anglais qui se réclamèrent de la justice – d'où leur nom – pour restreindre, à la fin de la décennie de 1380, les pouvoirs du roi Richard II d'Angleterre.

il était bien trop intelligent pour mettre tout cet argent dans sa poche. Il le prêtait aux monarques anglais nécessiteux. À partir de 1388, il ne fit pas moins de six prêts à la Couronne, les plus gros étant pour Henry IV puis Henry V – et ceci en dépit de l'illégalité de l'usure.

À cette époque, l'Angleterre était une terre catholique, fidèle aux enseignements de la Bible. «L'usure liée à un prêt est sale», selon le Deutéronome, le cinquième livre de l'Ancien Testament, et Ambrose de Milan, au vᵉ siècle, s'était élevé contre le concept de prêt d'argent avec intérêt. En 1139, le second concile de Latran conclut qu'usure égalait vol et elle fut bannie pour tous, sauf pour les Juifs qui ne pouvaient pas prêter avec intérêt à «leurs frères» – ce qui fut interprété comme une autorisation à le faire avec les non-Juifs. Les Juifs souffrirent beaucoup de la pratique de cette fonction aujourd'hui reconnue partout (sauf peut-être à Téhéran) comme vitale pour la croissance d'une économie capitaliste. L'histoire de leur persécution dans l'Angleterre du Moyen Âge est tellement horrible qu'on est parfois tenté de l'escamoter : massacres de Londres et de York en 1189-1190, expulsion des Juifs de Leicester par Simon de Montfort. On peut trouver des centaines d'autres épisodes hideux. En 1290, Édouard Iᵉʳ expulsa les Juifs du royaume et les principaux pourvoyeurs de capitaux à l'économie anglaise ne revinrent pas avant l'époque d'Oliver Cromwell.

Un vide existait sur le marché que Whittington combla grâce à son audace. Il ne prêta pas avec intérêt, oh non, il ne fit rien d'aussi disgracieux. Il s'assura simplement qu'il serait exonéré de différents impôts qui seraient autrement tombés dans les caisses du roi. Comme le commerce de la laine était majeur dans l'économie, les taxes sur ce produit constituaient le revenu le plus lucratif de la Couronne. En échange de ses prêts, Whittington obtint des lettres du roi l'exemptant de la taxe sur la laine, ce qui lui permettait d'exporter à des prix inférieurs à ses concurrents, d'où des revenus encore plus élevés, des prêts encore plus nombreux au roi, et une part du marché toujours croissante.

En 1404, Whittington exportait de la laine à partir de Londres et de Chichester. En 1407, il avait le monopole des exportations de laine depuis Chichester (il envoyait six bateaux de laine à Calais, soit un total de deux cent cinquante ballots). En jouant habilement de sa position de banquier de la Couronne, il parvint à pousser un peu plus loin encore ses intérêts commerciaux. Il devint même le « collecteur des taxes et impôts sur la laine à Londres », suivant en cela les traces de Chaucer – un conflit d'intérêts évident : il pouvait s'attribuer lui-même la licence d'exportation et ne payer aucun droit de douane.

Le monde des finances royales était un terrain miné. L'art de négocier demandait du génie et Whittington n'en manqua pas. Tout au long de sa vie il inspira confiance. Déjà, en 1382, on lui confiait perles, bijoux et autres biens pouvant atteindre six cents livres sans qu'apparemment une garantie lui soit demandée en retour.

Son prestige était tel qu'il fut élu maire de nouveau en 1406, puis une fois encore en 1419. Il mourut en 1423, avec le titre de chevalier et la réputation la plus glorieuse qu'on puisse imaginer. Sa vie est toujours dépeinte comme celle d'un homme qui passa de la misère à la gloire, surmontant tous les obstacles sur son chemin. Cette image est due à la générosité de Whittington. Il donna de l'argent dans des proportions impensables dans l'Angleterre d'aujourd'hui.

Quand il mourut, presque tous les aspects de la vie londonienne avaient été l'objet de sa bienfaisance.

Il embellit et améliora l'hôtel de ville, supervisa les dépenses pour achever l'abbaye de Westminster. Écœuré par les conditions de vie dans la prison de Newgate où les détenus attrapaient toutes sortes de fièvres, il ouvrit une autre prison à Ludgate pour ceux qui avaient des dettes. Il créa un pavillon pour femmes célibataires à l'hôpital St Thomas, des systèmes d'évacuation des eaux à Billingsgate et Cripplegate. Il reconstruisit l'église de sa paroisse et logea ses apprentis dans sa propre maison. En tant que maire, il fit voter une loi interdisant de laver les peaux de bête dans les eaux de la Tamise quand il faisait frais et humide, sauvant ainsi la vie de nombreux apprentis qui, forcés de travailler par tous les temps, mouraient souvent de froid. Il fit construire l'une des premières fontaines à Londres et créa des toilettes publiques, un concept inédit depuis l'époque romaine. Ce ne fut pas une histoire sanitaire compliquée : ces toilettes étaient lavées par la Tamise à marée haute, et un pas fut ainsi franchi vers une meilleure hygiène. Sa mort ne mit pas un terme à ses bienfaisances, les retombées de celles-ci pouvant être observées encore aujourd'hui. Il laissa à sa femme Alice, avec laquelle il ne semble pas qu'il ait eu d'enfants, la somme de sept mille livres, un capital utilisé de génération en génération pour financer des projets relevant souvent de la puissance publique. Ainsi, l'argent de Whittington permit de réparer l'hôpital St Bartholomew. Un fonds fut créé, géré encore aujourd'hui par la société des merciers, qui distribue des subsides à trois cents pauvres chaque année, et à ce jour – six cents ans plus tard – Whittington continue d'offrir un toit à ceux qui sont tombés dans la misère.

Dans le village de Felbridge, près d'East Grinstead, cinquante-six appartements sont mis à la disposition de femmes seules ou de couples mariés ayant de bas revenus.

On peut voir sur Internet que ce sont des endroits agréables entourés de jardins fleuris de rosiers. Les animaux y sont interdits, et pourtant une gravure représente Whittington caressant un chat. Ainsi apparaît-il comme un homme doux, gentil, une image en accord avec celle que les gens ont de lui. Le mythe devient donc une vérité poétique. Whittington fut un acteur essentiel de l'économie et de la politique de son époque. Mais c'est la philanthropie qui fit sa bonne réputation.

Il la mérite. Plus on cherche la vérité derrière la légende, plus il devient respectable. C'est grâce à l'un de ses dons qu'en 1423 fut ouverte la première bibliothèque publique à Londres. Située près de l'hôtel de ville, elle devait donner aux citoyens la possibilité d'obtenir des livres, objets jusqu'alors exclusivement réservés au clergé et à l'aristocratie. En 1476, cette bibliothèque était remplie de livres qui avaient été imprimés par William Caxton et sa merveilleuse nouvelle machine, puis par celle de Wynkyn de Worde.

Quand Wynkyn mourut, en 1535, il avait publié huit cents livres, une explosion dans l'offre de matériel imprimé qui eut des conséquences incalculables sur la vie intellectuelle et religieuse à Londres. Ce fut le début d'un vaste marché pour toutes sortes de littératures.

L'année suivante, le roi Henry VIII dissolvait les monastères, l'une des décisions les plus propices aux affaires qu'un gouvernement puisse prendre. Soudain, les terres et propriétés du clergé devinrent disponibles pour les marchands désireux d'escalader l'échelle sociale. Des biens immobiliers de qualité arrivaient sur le marché pour un bon prix. Les corporations en profitèrent, des vendeurs de cuir emménageant dans un couvent, des bouchers dans un presbytère. Bientôt, les grandes entreprises de l'ère élisabéthaine[1] seraient fondées, en commençant par la compagnie Muscovy en 1555, spécialisée dans le commerce avec la Russie. Il s'agissait d'entreprises commerciales, financées conjointement par des banquiers londoniens.

En dépit des assauts répétés de la lèpre, la population montait en flèche, dépassant la taille de Venise et, en 1580, elle n'était pas loin de celle de Paris. La ville déborda ses propres limites et répandit hors de ses murs des constructions de style Tudor. À l'est, on trouvait un mélange d'habitations et de petites usines produisant des cloches, du verre, travaillant l'ivoire et la corne, tissant la soie, fabriquant du papier. À l'ouest, les riches commençaient à édifier des maisons cossues. Avec les milliers d'immigrants arrivant de régions pauvres du pays, Londres représentait une part de plus en plus grande de la population et du commerce anglais.

La bourgeoisie devenant plus lettrée et prospère, un marché nouveau s'ouvrait aux divertissements, pour ceux qui pouvaient non seulement raconter de bonnes histoires mais aussi glorifier, subtilement ou non, la culture et les réalisations de l'Angleterre élisabéthaine. Whittington paya pour Azincourt, mais il subventionna aussi la culture littéraire londonienne qui allait permettre la commémoration artistique de cette bataille.

---

1. Période associée au règne d'Élisabeth Iʳᵉ (1558-1603), considérée comme la renaissance anglaise et l'âge d'or de ses arts et de sa culture.

LA CHASSE D'EAU

Si vous visitez le musée Gladstone Pottery, à Stoke-on-Trent, vous verrez la réplique d'un objet curieux et avant-gardiste qui fut inventé pour accueillir la paire de fesses de la « reine vierge » (Élisabeth Iʳᵉ).

Cet objet fascinant – fabriqué en seulement deux exemplaires – fut installé vers 1596 dans le palais de la reine, aujourd'hui démoli, à Richmond, et conçu par son filleul et plus farouche courtisan, sir John Harington.

« Gros Jack » Harington était un personnage louche et prétentieux qui eut quelques ennuis après avoir traduit de l'italien des vers obscènes qu'il faisait circuler parmi les dames de la Cour, dont il fut plusieurs fois banni. Un jour, alors qu'il s'ennuyait dans le Wiltshire en compagnie du comte de Southampton, leur conversation vira au scatologique. S'ensuivit la rédaction d'un traité sur les toilettes appelé « La Métamorphose d'Ajax » (Ajax étant un jeu de mots avec l'expression populaire *a jakes* désignant en vieil anglais un lieu d'aisances ou des cabinets au fond d'un jardin) qu'il envoya à la reine.

Dans ce document, il décrit son projet comme social et politique, et remporte la partie : la reine se dit ravie de ses efforts, et l'engin voit le jour. Il s'agit d'un banc rectangulaire en bois dans lequel est creusé un trou circulaire – un concept connu depuis l'époque romaine. La révolution réside dans la grande citerne carrée à l'arrière du banc et dans la casserole ovale en plomb gainée de poix et remplie d'eau située sous le banc. Cette casserole est reliée à une longue corde munie d'une poignée. Pour vider la casserole, il suffit de tirer la poignée et le contenu s'écoule dans le conduit prévu à cet effet. Reste à remplir de nouveau la casserole à partir de la citerne en actionnant une autre corde.

Brillante idée !

Hélas, cet engin, qui préfigurait les toilettes modernes, ne connut pas un grand avenir. Même s'il avait attiré les faveurs de la reine (qui se préoccupait beaucoup de son hygiène et «prenait un bain une fois par mois, même si elle n'en avait pas besoin»), il fallut attendre encore deux cents ans pour qu'un appareil similaire ait du succès.

Cette innovation prématurée montre l'intérêt de l'époque pour la propreté, mais aussi les efforts développés par les courtisans pour plaire à leur monarque. Certains d'entre eux lui écrivaient des poésies, d'autres lui rapportaient de nouvelles semences de continents lointains, d'autres encore jouaient dans des représentations auxquelles elle assistait... Ou concevaient de nouvelles toilettes dans l'espoir de retrouver grâce à ses yeux.

On dit que c'est en l'honneur de John Harington que les Américains appellent les toilettes des «John».

WILLIAM SHAKESPEARE

Comment Londres, avec lui,
fut à l'avant-garde du théâtre moderne

Peu de temps avant la réouverture du Globe Theatre à Southwark, en 1997, je m'y suis rendu pour interviewer Zoé Wanamaker – le professeur Bibine au nez en trompette d'Harry Potter – dont le père, un visionnaire, avait rendu tout ceci possible. Je ne savais pas à quoi m'attendre et quand Zoé et moi avons marché jusqu'au milieu de ce O en bois et que nous nous sommes arrêtés dans ce qui devait devenir l'auditorium, je dois avouer que j'ai été un peu interloqué.

« Vous voulez dire qu'il n'y aura pas de sièges ? demandai-je à Zoé.

— C'est bien cela.

— Et vous croyez vraiment que les gens vont venir et rester là debout pendant des heures pour écouter du Shakespeare ?

— Bien sûr », répondit-elle du ton enthousiaste d'une Américaine. Et bien que je fusse trop poli pour le lui dire, j'ai pensé qu'elle blaguait. Cela semble inimaginable, mais quand on regarde l'histoire du théâtre élisabéthain, on voit bien que ses amateurs étaient prêts à tout pour assister au spectacle. Ils devaient sortir des limites de la ville et aller dans les « libertés », ces banlieues de Londres où les activités hors-la-loi étaient tolérées, comme à Southwark, par exemple, qui avait la réputation d'abriter prostituées, montreurs d'ours et escrocs en tous genres.

Il fallait se boucher le nez en longeant les industries interdites dans les murs de la ville : les fouleurs qui dégraissaient les draps à l'ammoniaque, les fabricants de colle qui faisaient bouillir des os dans un brouillard odorant. Et si ce n'était pas suffisant pour vous porter un coup fatal, on y trouvait aussi les tanneurs qui assouplissaient les peaux en les faisant mariner dans des concoctions d'excréments de chiens. Après tout ça, on arrivait dans un théâtre sans toit qui vous faisait courir le risque d'être soit trempé, soit brûlé par le soleil.

Le bâtiment n'avait ni chauffage, ni système de refroidissement de l'air. Il pouvait à tout moment prendre feu ou s'écrouler, comme le fit le théâtre de St John Street, tuant trente ou quarante personnes dont «deux prostituées bonnes et belles». Les voleurs étaient partout et les femmes couraient toujours le risque de se faire tripoter. Les toilettes n'existaient pas, mais certains spectateurs se soulageaient tout de même, d'où un amalgame sur le sol de bière vomie, de coquilles d'huîtres et d'autres substances peu ragoûtantes.

Les spectateurs appartenaient pour la plupart à la plèbe londonienne : vagabonds, hommes sans repères, brigands, voleurs de chevaux, clients de prostituées, braconniers, bref, des individus peu recommandables, bien que cette opinion fasse encore l'objet de débats. Quand ils redressaient leurs têtes couvertes de pustules et ouvraient leurs bouches édentées pour rire ou crier, les acteurs sur scène se retrouvaient baignés dans ce que l'écrivain Thomas Dekker appelait «le souffle de l'immonde bête».

Le spectacle qu'ils regardaient ne leur en donnait pas pour leur argent : aucun rideau, pas de décor, costumes bricolés à partir de morceaux de tissus donnés par les riches, éclairage d'amateur, effets spéciaux réduits au sang ou aux organes d'un mouton. Il ne fallait pas espérer y voir de jolies actrices car les rôles de femmes étaient tous joués par des hommes pour quelque obscure raison propre à l'Angleterre et qui n'a jamais convaincu d'autres régions d'Europe.

Le spectacle pouvait durer trois ou quatre heures, suivi d'une gigue, danse élisabéthaine assez déconcertante à nos yeux. En payant un shilling, j'imagine qu'il était possible de s'asseoir sur un coussin dans la salle des lords, en payant six pence, on pouvait goûter au confort relatif de la salle des gentlemen, mais la grande majorité des gens payait un penny – le prix d'une miche de pain – et restait debout.

De nos jours, le public anglais n'accepterait jamais de telles conditions dans un stade de football, encore moins dans un théâtre. Pourtant, les spectateurs de l'époque aimaient ce divertissement et revenaient semaine après semaine en grand nombre. Chaque jour, les théâtres – s'ils n'avaient pas été fermés pour cause de lèpre – donnaient deux séances et chacun rassemblait entre deux et trois mille spectateurs. Si l'on considère que ces pièces étaient données cinq jours par semaine, environ quinze mille Londoniens payaient donc pour les voir, soit soixante mille personnes par mois, près d'un tiers de la population de la ville, qui comptait alors à peu près deux cent mille habitants !

Des centaines, sinon des milliers de pièces étaient produites pour satisfaire les besoins de ces accros au théâtre, et parmi le peu qu'il nous en reste, environ un quart d'entre elles sont écrites par le même homme, William Shakespeare, qui a su offrir un remède magistral à la dureté de la vie, avec des mots parfois nouveaux et étranges, mais toujours captivants. Shakespeare rendit l'inconfort des spectateurs supportable.

Il adoucit et transforma l'atmosphère du Globe. Pour son auditoire, il ouvrit des fenêtres sur des vies et des mots dont ces gens n'avaient jamais rêvé. Il transforma ces planches vides en camps militaires avant la bataille d'Azincourt, en scène de mort au bord du Nil avec Cléopâtre, en château écossais terrifiant, en un balcon faiblement éclairé à Vérone sur lequel une jolie jeune fille (que jouait un garçon) apparaissait pour rejoindre son amant.

Ces drames se retrouvèrent mondialisés à une vitesse incroyable, propulsés à travers les mers par une flotte marchande anglaise de plus en plus aventureuse et confiante. En 1607, quand l'auteur avait encore neuf ans à vivre, *Hamlet* et *Richard II* furent joués à bord d'un bateau près des côtes du Sierra Leone. En 1608, le Danois mélancolique Hamlet fut présenté aux spectateurs d'une région qui est aujourd'hui le Yémen. En 1609, le fantôme du père d'Hamlet est d'abord apparu sur de faux champs de bataille quelque part en Indonésie, et en 1626, le peuple de Dresde écoutait ce prince disserter – en allemand – sur son suicide.

Le spectacle fut l'œuvre d'une troupe allemande nommée «les comédiens anglais» en hommage aux origines de cette forme de dramaturgie. C'est l'Angleterre – ou plus spécifiquement Londres – qui fut à l'origine de l'exportation du théâtre commercial. Aucune autre cité au monde ne fit la même chose.

Au cours des soixante-dix ans qui s'écoulèrent entre l'ouverture du premier théâtre de James Burbage, en 1576, et l'abominable fermeture de spectacles par les puritains, on assista à une explosion théâtrale sans égale dans l'histoire. Ce concept du drame commercial – faire rire les gens, les faire pleurer et, surtout, les faire payer – est l'ancêtre du cinéma, le plus grand art populaire de tous les temps, et c'est à Londres qu'il vit le jour.

Oui, l'Espagne eut une création théâtrale importante, mais plus tard, et les sujets étaient plus limités, traitant exclusivement des tensions d'une société agraire et médiévale. On trouvait aussi des théâtres à Venise, ils furent cependant plus tardifs et n'eurent rien à voir avec la taille de l'industrie londonienne. La France produisit des géants comme Corneille, Molière et Racine, toutefois ils ne commencèrent à créer qu'une génération – si ce n'est un siècle – plus tard.

Dans un genre spécifiquement londonien, c'est Shakespeare la divinité suprême. Le culte qu'il suscitait était général et aucun autre écrivain ne l'égalait. Quelque sept mille ouvrages lui sont consacrés à la librairie du Congrès des États-Unis, des festivals Shakespeare sont régulièrement organisés en Allemagne, Grèce, Espagne, Belgique, Turquie, Pologne, Corée, au Brésil, au Mexique. Shakespeare fut traduit en quatre-vingt-dix langues. Des professeurs chinois consacrent leur vie à étudier son travail. Un jeu en ligne tiré de *Roméo et Juliette* attire actuellement vingt-deux millions de joueurs. Une tribu du nord-est de l'Inde appelée Mizo met régulièrement Hamlet en scène et reconnaît le prince danois comme l'un des siens.

Je n'oublierai jamais, alors que je me rendais à Moscou à l'époque de Brejnev, en 1980, les centaines de Russes emmitouflés qui se ruaient à l'intérieur d'un théâtre sombre et crasseux pour écouter un acteur anglais réciter des textes de Shakespeare dont, bien sûr, la méditation de Hamlet : faut-il abréger sa vie ou lutter contre son sort ? Après la performance, les camarades impressionnés sont sortis en silence dans la nuit sauf l'un d'eux, un individu au visage émacié sous une casquette plate qui aperçut notre petit groupe d'élèves anglais et déclama, rayonnant, « Être ou ne pas être, telle est la question ! » Il tapa sur son exemplaire des *Œuvres complètes* de Shakespeare et enflamma mon imagination d'adolescent de la guerre froide.

Sympathisait-il avec le Prince, enfermé dans l'hypocrisie claustrophobe d'Elsinore ? Cherchait-il à nous envoyer le message que quelque chose était pourri en Russie ? Était-il un Sakharov amateur de Shakespeare ? Ou était-il (bien sûr, il l'était) simplement content de pouvoir citer Shakespeare ? Quoi qu'il en soit, du haut de mes seize ans, j'étais fier qu'il connaisse notre grand dramaturge.

Shakespeare est le héros et le meilleur ambassadeur de la langue anglaise. Il est notre plus belle contribution culturelle au monde, notre Beethoven, notre Michel-Ange. Il nous a laissé une réserve inépuisable de mots, de personnages, de situations dramatiques. Il est universel. C'est notre Homère.

Nous en savons plus sur Shakespeare que sur n'importe quel autre dramaturge élisabéthain – et pourtant nous ne savons pratiquement rien. Toutes nos connaissances ou soi-disant connaissances ne sont qu'un fragile porte-manteau auquel est suspendu un grand duffle-coat imbibé d'hypothèses aux poches bourrées de suppositions.

On sait qu'il est né en 1564 autour du jour de la Saint-George et que son père, John Shakespeare, était un notable local qui avait fait fortune comme gantier. Dans sa jeunesse, Shakespeare est supposé avoir fréquenté l'abattoir et certains détectent dans son travail une connaissance précise de la boucherie et du sang. Le père Shakespeare fut élevé au rang de goûteur de bière puis à celui de shérif de Startford-upon-Avon, c'est-à-dire de maire de la ville.

John Shakespeare n'était peut-être pas une personne irréprochable : il reçut une amende en 1522 pour avoir conservé un tas de fumier sans autorisation et plus tard il fut reconnu coupable d'usure, un chef d'accusation sérieux. Mais il avait suffisamment d'argent pour donner à William une excellente éducation à l'école locale, que le jeune homme quitta en connaissant au moins autant de latin qu'un diplômé d'université qui, de nos jours, a étudié les classiques.

On sait qu'en 1582, à l'âge de dix-huit ans, le jeune homme épousa Anne Hathaway, qui avait vingt-six ans : six mois plus tard naissait leur fille Susanna. Puis ils eurent des jumeaux, Judith et Hamnet, un garçon qui mourut encore enfant. William débarqua à Londres entre 1585 et 1592, où il fut pour la première fois identifié comme un auteur ayant publié, mais sur les questions majeures, on reste sans réponses. On ignore comment ce fils d'un gantier devint acteur et auteur dramatique. On ignore pourquoi il est allé à Londres. Seules des rumeurs circulent. Il a peut-être été poursuivi pour avoir braconné à Charlecote, en Oxfordshire. Il a peut-être été un *recusant*, comme on appelait à l'époque les personnes refusant de suivre le culte anglican, et aurait cherché du travail auprès d'une famille catholique du Lancashire. Ou il aurait été mercenaire en Flandres, ou encore voyageur en Italie. Aucune de ces hypothèses ne peut être vérifiée.

Pour une raison ou pour une autre – peut-être simplement à cause du fait qu'il devait subvenir aux besoins de sa famille et que c'était pour lui un moyen agréable de gagner de l'argent – il vint à Londres. La ville ressemblait à celle qu'avait découverte Richard Whittington. La cathédrale St Paul tenait toujours debout bien que sa flèche, abîmée par la foudre, eût été enlevée. Il semble que l'hôtel de ville et le Royal Exchange resplendissaient. Par ailleurs, on comptait cent vingt églises dans la ville. On commençait à consommer des pommes de terre, bien que, pour certains, il s'agissait d'une mode qui ne durerait pas.

Tous ceux qui se sont rendus dans une ville du Proche-Orient actuel ou en Inde comprendront ce qui se passait dans le Londres de l'époque élisabéthaine. La ville commençait à s'étendre de façon incontrôlée, des taudis surgissaient de toutes parts. La population londonienne doubla entre 1560 et 1600. Ce qui avait été une colonie romaine périphérique était devenue plus importante que son ancienne métropole sur les rives du Tibre. Londres comptait plus d'habitants qu'aucune autre ville européenne, sauf peut-être Paris et Naples, et continuait à croître. C'était le plus grand marché d'Europe et pas seulement à cause des peaux de mouton et des tissus, exportés depuis le Moyen Âge. Londres était devenu un entrepôt, l'endroit où les marchands d'Espagne ou d'Italie venaient trouver des fourrures de la Baltique et du poisson salé de Terre-Neuve, et la croissance de ces échanges y fit naître la première classe moyenne d'Europe.

Il semble que 10 % de la population recevait une aide alimentaire et que 25 % était suffisamment riche pour payer les impôts royaux, mais comme le dit un observateur : «La majeure partie n'était ni trop riche ni trop pauvre et vivait simplement dans la médiocrité.» Que voulaient-ils, ces gens qui vivaient ainsi ?

Ils voulaient ce que les membres de cette catégorie sociale recherchent toujours : de l'alcool. Entre 1563 et 1620, les importations de vin en provenance de France et d'Espagne furent multipliées par cinq.

Ils voulaient du sexe. Environ 40 % des hommes vivant à Southwark étaient des marins qui gagnaient leur vie en faisant traverser la rivière en bateau aux clients des prostituées du quartier.

Et ils voulaient s'amuser. Après l'austérité de la Réforme et la destruction des vitraux, ils voulaient de la couleur, de l'action, des émotions collectives. Bien sûr, on pouvait assister à des spectacles, souvent des scènes brutales mettant des ours et des chiens face à face, ou un singe attaché sur le dos d'un cheval sur lesquels on lâchait des chiens. Mais les ours valaient cher et finalement les humains s'intéressent à eux-mêmes : ils aiment regarder les miroirs qui les aident à contempler leurs vies. Pendant quelque temps, des scènes furent jouées dans les cours des auberges et finalement un imprésario se dit qu'il y avait de l'argent à se faire. Pourquoi ne pas créer un espace permanent dédié au théâtre, comme c'était le cas dans l'ancienne Athènes, et qui ne répondrait qu'à des fins commerciales ?

Bientôt, des théâtres apparurent tout autour de la ville. Ils ressemblaient plus à la cour d'un pub qu'à l'amphithéâtre d'Épidaure. Et pour comprendre l'émergence de William Shakespeare à la fin du XVIe siècle, il est vital de réaliser que ces théâtres étaient des entreprises en compétition les unes avec les autres, et accueillant des troupes elles aussi concurrentes. Un homme comme Philip Henslowe, propriétaire des théâtres Rose et Fortune, payait ses auteurs entre trois et cinq livres pour une pièce et, si celle-ci était bonne, il se remboursait en une seule nuit. Soudain, donc, une incitation financière existait non seulement pour écrire mais pour produire de bonnes pièces. Et des hommes, comme Henslowe ou l'acteur James Burbage, voulaient remplir leurs théâtres et étaient prêts à payer cher le talent de bons auteurs.

Shakespeare faisait partie d'un cercle d'une quinzaine d'hommes de la classe moyenne qui pratiquaient tous le même art, rivalisant entre eux pour attirer l'attention, les plus grandes louanges et les plus grosses sommes d'argent. On y trouvait George Chapman, Michael Drayton, Richard Hathaway, William Haughton, Thomas Heywood, Ben Jonson, Christopher Marlowe, John Marston, Anthony Munday, Henry Porter, Robert Wilson et William Shakespeare. Ils se volaient mutuellement leurs idées, s'inspiraient les uns des autres, et leur compétition les poussait à faire des efforts toujours renouvelés. Cette rivalité entre membres d'un groupe, c'est le meilleur moyen de produire des génies.

La jalousie était partout. Richard Burbage fixa rendez-vous à une admiratrice à la sortie des artistes puis partit se changer et quand il revint, Shakespeare avait pris sa place. La violence physique n'était pas exclue. Marlowe tua un homme et fut tué lors d'une mystérieuse bagarre dans un pub de Deptford. Ben Jonson tua en duel une étoile montante du nom de Gabriel Spencer et s'en sortit en récitant un vers médiéval selon lequel un lettré pouvait échapper à l'exécution en lisant la Bible en latin. Il fut marqué au fer rouge sur le pouce en guise de mise en garde : il serait pendu à la prochaine incartade.

Dans cette atmosphère de compétition féroce, il est normal qu'acteurs et auteurs aient imaginé un système de mise en commun des risques et responsabilités. Ils créèrent donc des compagnies analogues aux entreprises commerciales qui s'étaient associées pour mutualiser les risques et profits des voyages des navires de la marine marchande : après la compagnie Muscovy, créée en 1555, vint la compagnie Turkey en 1581, la Venice en 1583, l'East India en 1600, la Virginia en 1609. Comme dans le cas de ces établissements, ces regroupements d'acteurs ont procédé à des prises de contrôle, à la chasse aux talents, à l'embauche de concurrents, et à l'éternelle lutte pour les parts de marché.

Shakespeare décrit souvent un événement en termes commerciaux. Son théâtre était le reflet de la culture d'entrepreneurs maritimes de l'époque et l'on estime qu'un associé de la compagnie The King's Men (les hommes du roi) – comme l'était Shakespeare – recevait un dividende de cent à cent cinquante livres par an, ce qui n'était pas négligeable. Londres était la mer, les planches du théâtre les bateaux, le public le butin. Et comment chaque compagnie espérait-elle attirer le maximum de clients ? En étudiant leurs goûts et en leur servant ce qu'ils attendaient.

Le public voulait de la romance et du sexe, et la plume sensuelle de Shakespeare savait le satisfaire. On disait que de jeunes hommes s'inspiraient de *Roméo et Juliette* pour pimenter leur vie amoureuse. Ils aimaient rire, c'est pourquoi Shakespeare regorge de jeux de mots et d'intermèdes comiques, certains d'entre eux ayant mieux vieilli que d'autres. Ils voulaient être transportés par les sentiments. Ils voulaient haleter, être surpris par une idée et son rapport avec la politique de l'époque. Le théâtre de Shakespeare se servit des deux centres de pouvoir en présence à Londres : la City et Westminster. Ce sont les marchands de la City qui fournissaient l'argent permettant aux Londoniens de se divertir au spectacle, et qui ont montré aux troupes théâtrales comment faire fonctionner leur entreprise.

C'est la politique de la métropole et les intrigues de la Cour qui ont donné aux pièces cette actualité, ce côté époustouflant qui nous poussent à vouloir comprendre le contexte des affaires d'État. La reine Élisabeth avait envoyé l'Armada en 1588, avait exécuté Mary, la reine des Écossais et bien d'autres. Son service secret était violent, ses espions pullulaient. Mais elle était sans enfant, à la moitié de sa vie, et la question de sa succession se posait avec acuité.

Les Espagnols pouvaient revenir. Des rumeurs circulaient constamment sur leur débarquement à l'île de Wight. Les gens se demandaient comment cette femme solitaire pouvait survivre face à la puissance et au charisme des hommes nobles qui l'entouraient, en particulier son favori, l'ambitieux, le turbulent, le charmant comte d'Essex à la barbe carrée et aux talents de poète.

Comme l'a écrit James Shapiro dans son merveilleux livre *1599*, les drames de Shakespeare n'étaient pas des inventions sans lien avec la réalité, sorties du crâne d'intello d'un écrivain mal coiffé et enfermé dans sa soupente. Pour un public élisabéthain, ses pièces puisaient leur énergie et leurs thèmes dans les événements de leur époque. Elles abordent les zones sombres du non-dit – et aussi de l'indicible –, par exemple les craintes concernant la stabilité de l'État. Nombreuses sont les pièces qui traitent de la succession, de la royauté et du danger que représente le bouleversement de l'ordre naturel des choses – *Hamlet, Macbeth, Jules César, Henry II, Henry IV, Le Roi Lear*... Environ un quart de ses écrits traitent, d'une façon ou d'une autre, de ces questions.

Ainsi, quand le public voyait les conspirateurs brandir leurs épées sur César, ils devinaient les événements effrayants qui s'étaient produits à la Cour. Comme le raconte Shapiro, Élisabeth eut un jour une dispute avec Essex et celui-ci, conscient de l'attrait qu'il exerçait sur la reine, lui tourna le dos, insulte suprême. Élisabeth le gifla et Essex ébaucha le geste de tirer son épée de son fourreau, une chose impensable, un incident qu'on ne pouvait pas raconter, mais rien n'interdisait de choisir un événement historique analogue et de le jouer sur une scène.

De fait, le texte de *Jules César* fut interdit. On ne put acheter un exemplaire de la pièce que vingt-quatre ans après la mort de Shakespeare. Il fallait voir la pièce pour réaliser que l'histoire du tyrannicide s'était nourrie des peurs de l'époque. Pensez à Brutus qui décrit le côté efféminé du dictateur... Exactement ce qu'aurait pu dire un comte sexiste et mécontent de sa reine, et son humeur pouvait être partagée par quelques prolétaires. On surprit par exemple une certaine Mary Bunton en train de dire qu'elle « n'en avait rien à foutre de la reine et de ses préceptes ». Elle fut arrêtée et fouettée, un panneau sur la tête décrivant son offense. Combien y avait-il de Mary Bunton prêtes à soutenir le comte d'Essex dans son inévitable rébellion ?

Élisabeth prit un risque en envoyant Essex à la tête d'une armée en Irlande afin de mater une révolte. On craignait ce qui pourrait se produire à son retour. Les troubles en Irlande rappelaient à chacun un autre monarque : (a) sans enfant, (b) mal aimé par les marchands pour cause de fiscalité trop lourde, (c) qui avait enlisé l'Irlande (d) et qui fut destitué par un comte charismatique. Ce fut la reine elle-même qui fit tristement la comparaison : « Ne savez-vous pas que je suis Richard II ? »

Quand Essex revint d'Irlande à la tête d'une armée sans gloire, il se précipita dans la chambre de la reine et surprit cette femme vieillissante sans maquillage et les cheveux non peignés. Tandis que les dames de compagnie s'affolaient, il s'avança vers Élisabeth et baisa ses mains et son cou avec exubérance. À ce moment-là, Élisabeth ne put pas faire grand-chose mais elle le repoussa. Il demanda quelques jours plus tard à la troupe de Shakespeare de jouer une pièce. Laquelle ? *Richard II* :

For God's sake let us sit upon the ground
And tell sad stories of the death of kings;
How some have been deposed, some slain in war...

(Pour l'amour de Dieu asseyons-nous par terre
Et parlons de la triste mort des rois
Comment ils furent renversés, certains tués au combat...)

Jouer *Richard II*, c'est de la dynamite. La pièce, comme *Jules César*, ne fut jamais imprimée du vivant de Shakespeare. On ne sait pas ce que ce dernier a pensé de devoir jouer un texte au thème séditieux, et on ne sait rien de la réaction du public. Le jour suivant, Essex et ses partisans marchèrent vers la City, appelant les Londoniens à les rejoindre. Les citoyens considérèrent la proposition comme risquée. Essex réalisa que la révolte était un échec, partit déjeuner et attendit d'être arrêté.

Quelques jours plus tard le comte eut la tête coupée dans la Tour de Londres. La reine commença alors à décliner, assise dans le noir, pleurant la trahison de son favori. Il lui fallut peu de temps pour mourir et Jacques Ier arriva sur le trône, un événement que chacun attendait depuis longtemps. L'ordre l'emporta.

C'est cet ordre que Shakespeare, recherchant un effet dramatique, met toujours en danger. Il fut le premier dramaturge à prendre un Noir comme héros et les êtres «inférieurs» — enfants, serviteurs, idiots, vagabonds — sont ceux qui donnent des leçons aux autres. Il nous montre un large éventail de changements de régimes et de révolutions, et pourtant le message principal de Shakespeare est en faveur du *statu quo*. Primogéniture. Héritage bien ordonné. Succession dans l'ordre dynastique — toutes les récompenses classiques d'une royauté bien conduite. Dans ses drames, les méchants sont punis. Dans ses comédies, les comportements confus, changements de sexe, identités usurpées, sont approchés avec un sens de l'harmonie digne de Mozart. Les choses finissent toujours par s'arranger et si un nouveau roi arrive sur un trône dont il s'est emparé, il sera au final un meilleur souverain que le précédent.

Pourquoi cet attrait pour l'establishment chez Shakespeare? Avait-il peur des censeurs? C'est ce lien entre ses textes et la réalité de la vie politique qui donne à ses pièces une tension certaine, qui attire les foules et provoque parfois la fureur des autorités. Le dramaturge Ben Jonson fut emprisonné et eut presque le nez et les oreilles coupés après avoir fait des blagues contre les Écossais au moment de l'accession au trône de Jacques Iᵉʳ, qui fut aussi roi d'Écosse sous le nom de Jacques VI. Un autre dramaturge, Thomas Kyd, fut brisé par la torture après avoir subi le supplice du chevalet et la mort brutale, à coups de couteau, de Christopher Marlowe, un auteur de théâtre qui avait travaillé avec Kyd, est souvent attribuée aux services secrets.

En 1597, deux ans avant la première représentation de *Jules César*, le Privy Council (conseil privé de la reine) demanda que les théâtres de Londres soient fermés sous prétexte qu'ils ne montraient que «des fables profanes, des scènes lubriques, des formules fourbes et des comportements grossiers». Quand la compagnie de Shakespeare joua *Richard II* pour Essex, la veille de sa rébellion sans espoir, ses membres furent tous interrogés et se sont considérés chanceux de s'en être bien sortis.

Peut-être est-ce la simple prudence qui conduisit Shakespeare à donner à ses pièces une tournure promonarchique et favorable à l'establishment. Peut-être. Mais il est plus probable – et plus satisfaisant – de penser que sa vision dramatique des affaires du monde reflétait ses sentiments et ce qu'il pensait des désirs de ses spectateurs. En Angleterre, l'époque était à l'incertitude. Dix ans après le succès remporté sur l'Armada, la paranoïa régnait concernant une éventuelle invasion espagnole.

En 1598, un marchand anglais de retour de Bruxelles raconta qu'il y avait vu une pièce navrante. Élisabeth d'Angleterre y était représentée en femme servile et flatteuse cherchant à espionner les conversations entre la France et l'Espagne en tirant la manche du roi de France, et le public en riait beaucoup. Cela faisait longtemps que l'Angleterre avait été boutée hors de France, et cela faisait plus longtemps encore que Richard Whittington avait organisé un banquet pour le roi en l'honneur d'Azincourt.

Shakespeare nous donna une certaine idée de l'Angleterre – endroit à part, pierre précieuse sise sur une mer d'argent –, et dans *Henry V* il revient sur le triomphe d'Azincourt dans une des pièces les plus chauvines jamais écrites. Quelle gloire, raconta Thomas Nashe, de voir *Henry V* représenté sur scène, faisant prisonnier le roi de France et l'obligeant, ainsi que le dauphin, à lui jurer fidélité. De quoi remonter le moral des troupes ! Si les Espagnols tentaient à nouveau d'envahir le pays, ils trouveraient une nation prête à venir à bout d'ennemis en plus grand nombre – comme les Anglais l'avaient fait lors de cette bataille. « Nous sommes peu nombreux, mais heureux de l'être ! Nous, une troupe de frères ! » dit le roi la veille de la bataille, lançant ainsi l'idée d'un ratio héroïque – quelques-uns face à la multitude – qui s'avéra très utile à l'Angleterre pendant toute l'époque napoléonienne, pour se prolonger jusqu'à la Seconde Guerre mondiale.

Les temps étaient à l'anxiété, à la peur de ce qui pourrait advenir à la mort de la reine vierge, et Shakespeare en joua pour stimuler l'intérêt du public, mais il le rassura toujours au dernier acte. Peut-être était-ce aussi un trait de son caractère. On sait si peu de choses de sa vie de famille – ce qu'il ressentit à la mort de son fils Hamnet, combien de temps il passa à Stratford, quelles étaient ses relations avec sa femme et ses filles. On ne sait pas s'il était adepte des boissons maltées, ou quelle affliction mit un terme à sa vie à l'âge de cinquante-deux ans.

Jamais on ne pourra connaître l'identité de la *Dark Lady* de ses vers, pas plus qu'on ne saura avec certitude ce qu'il voulait dire en laissant à Anne Hathaway son «deuxième meilleur lit».

Mais on sait une chose révélatrice : il n'économisa pas ses efforts pour obtenir ses armoiries, allant deux fois au College of Heralds, peu enthousiaste à lui accorder, et utilisant pas mal d'ingéniosité pour déclarer un lien de parenté avec la famille Arden, connue pour être plus riche que les Shakespeare. En d'autres termes, il n'était pas seulement le plus grand écrivain de langue anglaise, il était aussi un peu snob. C'était un acteur-auteur bohème qui dut fréquenter toutes sortes d'ivrognes, de désespérés, de femmes de petite vertu, et pourtant il s'en sortit avec la deuxième plus grande maison de Stratford à cinq pignons, munie de dix cheminées et d'une façade de plus de vingt mètres.

Il mourut riche, selon les critères de l'époque. Sa vie fut celle d'un entrepreneur et il voulait avoir ses armoiries pour le prouver. Ses pièces ont été jouées tout autour du monde, leurs textes transportés dans les bateaux des marchands aventuriers de l'époque élisabéthaine, et elles ont contribué à consolider une certaine idée de l'Angleterre qui allait perdurer pendant des siècles : autodérision, scepticisme devant les changements constitutionnels, amour de la monarchie et de la campagne, aptitude à boire jusqu'à plus soif.

La floraison shakespearienne coïncida avec le début de l'Empire, dans une nation qui se pensait unique et bénie des dieux. Il acquit le statut – qu'il n'a pas perdu – du plus grand auteur mondial. Il inventa plus de deux mille cinq cents mots et de nombreuses expressions qui sont encore aujourd'hui dans nos pensées et notre langage quotidien.

Au début du XVIIe siècle, quand ils rentraient chez eux en traversant le London Bridge après avoir assisté à une pièce de Shakespeare pendant trois heures, les Londoniens voyaient un monde presque identique à celui du roi Jean, quatre cents ans plus tôt. Bien sûr, la mode avait changé. Les gens portaient des fraises de dentelle, les hommes des braguettes proéminentes. Ils fumaient dans leurs pipes du tabac du Nouveau Monde, mais les maisons des deux rives étaient encore chauffées au charbon ou au bois, les excréments puants encore déversés dans le fleuve, seule l'huile de coude faisait marcher les barges en contrebas, et de macabres têtes étaient toujours plantées au bout de lances.

Un Hollandais du nom de Peter Morris avait installé une pompe à eau sur le pont en utilisant des pédales pour remonter l'eau du fleuve : rien qui aurait pu surprendre Al-Jazari qui avait conçu une machine similaire à Damas au XIIe siècle. Maisons, rues, moyens sanitaires, transports, tout était encore d'allure médiévale.

Mais les marchands londoniens devenaient plus aventureux et affrontaient la concurrence, ils avaient besoin de techniques plus pointues. Le temps étant de l'argent, il leur fallait des horloges plus efficaces que les installations primitives fonctionnant avec des cordes. Il leur fallait de meilleurs mousquetons pour affronter les autochtones récalcitrants, et de meilleurs compas pour éviter les naufrages.

«La connaissance, c'est le pouvoir», disait Francis Bacon qui réclamait la création d'un ministère de la Science. Il n'était peut-être pas l'auteur des pièces de Shakespeare, comme le pensent certains, mais quand il mourut, en 1621, son enthousiasme et son dynamisme avaient ouvert la voie à la révolution scientifique du XVIIe siècle.

C'est elle qui a engendré la révolution industrielle, qui a propulsé l'Angleterre au plus haut de sa gloire et transformé Londres en métropole impériale. Et cette révolution scientifique avait recours au même carburant que le théâtre de Shakespeare – le désir de louanges, de reconnaissance et d'argent, l'ambition de quelques Londoniens prêts à affronter la concurrence. C'est cette bataille pour le prestige qui allait produire tant de gens talentueux, et l'un des plus remarquables d'entre eux fut presque oublié.

Robert Hooke

*Le plus grand inventeur
dont vous n'avez jamais entendu parler*

Le mercredi 5 septembre 1666, c'était fini. Le feu était éteint, comme si les dieux étaient rassasiés de destruction. Le Londres médiéval n'existait plus. Après mille six cents ans, Londres avait finalement découvert un ennemi plus puissant que tous les Normands, les Danois et les Saxons réunis – un homme à lui seul responsable d'avoir brûlé plus d'immeubles et détruit plus de vies que Boadicée elle-même.

Il s'agissait de Thomas Farryner, le pâtissier de Pudding Lane, qui oublia son plateau de petits pains dans son four. Mais en matière d'incompétence imbécile, il est battu par sir Thomas Bloodworth, le lord-maire.

Pour les normes de l'époque, le feu de Pudding Lane était assez anodin quand ce gros bonnet municipal arriva sur les lieux le dimanche matin. Il tomba sur une dispute en cours. Les agents de police voulaient arrêter les flammes par des moyens classiques – détruire les immeubles adjacents avec des pique-feu, mais les locataires n'étaient pas d'accord. Comme les propriétaires des maisons n'étaient pas là, Bloodworth jugea la situation trop compliquée et dit aux agents de police de continuer à lancer des seaux d'eau.

En quittant les lieux, il pensait qu'«il aurait suffi qu'une femme urine pour éteindre le feu». Or le brasier se propagea au cours des deux jours suivants et le désespoir s'empara des citoyens. L'incendie fut comparé à un animal sautant d'une table à une autre, se cachant sous le chaume pour exploser un peu plus tard, prenant les pompiers par surprise.

Le mardi 4 septembre fut peut-être le pire jour, quand les flammes atteignirent finalement les milliers de livres et de manuscrits rangés par sûreté dans la cave de St Paul. Les pierres de la structure médiévale délabrée furent propulsées dans les airs comme des boulets de canon et le plomb du toit s'écoula comme de l'eau dans les rues.

Le matin suivant, le mémorialiste Samuel Pepys grimpa sur la flèche d'All Hallows Barking, près de la Tour de Londres, et pleura sur ce paysage désolé. Londres avait perdu quatre-vingt-sept églises et treize mille deux cents maisons qui abritaient soixante-dix mille personnes. La Bourse, les magasins de Cheapside, tout avait brûlé : des dommages estimés à des milliards de livres dans la monnaie d'aujourd'hui. Les historiens de notre époque refusent de croire au chiffre officiel de morts – huit – et pensent que des centaines voire des milliers de pauvres anonymes disparurent, carbonisés. De son poste d'observation, Pepys voyait les colonnes de fumée s'élever dans le ciel et des gens chercher désespérément à sauver quelques biens sous les cendres chaudes. D'immenses campements furent ouverts pour les sans-abris à Moorfields et Islington, et des groupes de personnes en furie parcouraient les rues encore existantes à la recherche de Français, de Flamands et d'autres étrangers pouvant (comme toujours) être tenus responsables de l'incendie.

L'incendie fut pour la ville non seulement un désastre commercial, mais aussi politique. Au cours de la récente guerre civile, les grands commerçants avaient exprimé des sympathies républicaines, mais leurs aspirations à plus d'autonomie avaient été réduites à néant par l'incompétence de Booldworth. C'était finalement le roi Charles II qui avait donné l'ordre décisif de détruire les maisons pour créer des pare-feux et ce fut son jeune frère le duc d'York – le futur Jacques II, qui organisa la contre-attaque.

Dès lors, la prééminence de la City – voire même son existence – était remise en question. Si les marchands n'agissaient pas promptement, il n'était pas certain qu'ils retrouvent un jour les fruits de leurs investissements dans la vieille cité ceinte de murs romains. Les centres d'affaires allaient se déplacer vers l'ouest ou le nord et, dès lors, les richesses et le pouvoir se concentreraient autour de Westminster. Les commerçants avaient besoin d'un type avec un plan, et vite !

Pour voir ce qui se passa, je vous recommande d'aller visiter la petite place pavée juste à côté du London Bridge appelée Fish Street Hill. Des milliers de Londoniens la traversent chaque matin, lors de leur grande transhumance entre les deux rives du fleuve, sans même jeter un regard sur l'un des monuments les plus remarquables de la City. C'est le plus gros pilier de pierre jamais construit, un incroyable périscope Portland. Il mesure soixante mètres de hauteur car il est à soixante mètres de Pudding Lane et du départ du feu. À l'arrière de son piédestal se trouve l'énorme sculpture d'une femme à la poitrine nue représentant Londres qui lance un regard tendre à son sauveur, Charles II. Ce dernier affiche un air à moitié endormi et une fine moustache qui le font ressembler au couturier au destin agité, John Galliano. Surmonté d'une flamme de bronze étincelante, ce beau monument vaut la peine d'être escaladé.

Arrivé en haut de ses trois cent onze marches de marbre, je souffle et regarde, comme Pepys, le panorama de Londres. Voici Canary Wharf, immobile dans la brume, St Paul, les tours de la City. Si Pepys était là avec nous, j'imagine qu'il ne serait pas seulement surpris mais choqué de voir que les flèches des jolies églises du XVIIe siècle ont été encastrées dans une vague de béton et de verre. Et pourtant, il y a quelque chose dans cette vue qu'il reconnaîtrait.

Dans les semaines qui suivirent le feu, un concours fut organisé pour reconstruire la cité. Le chroniqueur John Evelyn proposa un superbe ensemble classique de boulevards et de places. Sir Christopher Wren fit la même chose. Un homme appelé Valentine Knight présenta un projet si révolutionnaire qu'il fut arrêté par la police. Il devint vite évident qu'aucun de ces projets ne fonctionnerait. Leurs magasins et maisons avaient beau avoir été détruits, les Londoniens s'intéressaient toujours aux ruines fumantes. Ils n'allaient pas les abandonner.

Finalement, tous les projets néo-classiques furent écartés au profit de la configuration ancienne des lieux. Un homme allait, plus que les autres, fixer les choses et délimiter les terrains du nouveau Londres. Jusqu'à la fin du siècle, il restera un personnage familier, celui qui arpentait les ruines avec son *waywiser*, un instrument de son invention lui permettant de mesurer les distances. Il dessina ou géra la construction ou reconstruction de cinquante et une églises. C'est lui qui conçut et proposa l'érection du monument dont je viens de gravir les marches. Non, ce n'était pas Christopher Wren qui joua un grand rôle dans la reconstruction de Londres et qui fut l'architecte de la cathédrale St Paul. Il s'agissait de Robert Hooke, le génie oublié du XVIIe siècle.

En 1703, Hooke mourut seul, malheureux, couvert de poux, avec la réputation d'un grippe-sou à la sexualité étrange. Il est supposé avoir été querelleur, vantard, pilleur des idées des autres, mais c'est lui faire un mauvais procès. Il fut l'un des esprits les plus inventifs de tous les temps. Il ressemblait à Léonard de Vinci dans la palette de ses intérêts, qui allaient de la peinture et l'architecture à un large éventail d'innovations et de théories scientifiques.

Il regardait le ciel à travers de grands télescopes sortant du toit de sa maison qui lui permirent d'être le premier à voir une tache sur Jupiter et à calculer les révolutions de Mars. Il scrutait aussi l'infiniment petit à travers toutes sortes de lentilles de microscope. Hooke fut le premier à étudier le sperme et à découvrir les drôles de têtards qui l'habitent. Il fut le premier à couper un morceau de liège avec un canif, à le placer sous un microscope et à identifier les petites alvéoles qui le composent. Il leur donna le nom de « cellules » qui leur est toujours resté.

Il a non seulement dessiné le monument de Fish Street Hill et de nombreuses églises, mais également toute une série de belles maisons de campagne. On lui attribue la conception des fenêtres à guillotine. La pompe à air et le fusil à air comprimé sont sortis de son cerveau, tout comme la loi, qui porte son nom, sur la déformation élastique des matériaux proportionnelle à l'intensité des forces appliquées, un principe de physique un peu ennuyeux, mais néanmoins important.

Il est vrai qu'il produisit tout une série de gadgets qu'il n'a pas perfectionnés. Comme l'arbalète en os de baleine, la lampe à huile qui s'autoremplit pour voir dans le noir, le langage algébrique universel, le sémaphore aux lettres hautes d'un mètre vingt. Il inventa un costume de chauve-souris permettant aux hommes de planer dans les airs et une trentaine d'autres engins volants, mais aucun d'entre eux n'a jamais décollé. Reste que ses vues étaient très en avance sur son époque.

Bien avant l'invention du stéthoscope il affirma qu'il était plus intelligent d'écouter la poitrine d'un patient que de suivre les procédures habituelles et de goûter ses urines. Il observa les coquillages et déclara que le récit de la Création dans la Bible ne suffisait pas à expliquer toute l'histoire. Il fut le premier à faire un exposé scientifique sur les effets du cannabis et à proposer que le degré de luminosité soit mesuré en relation avec le rayonnement d'une bougie.

Il déduisit que l'air contenait un élément permettant au feu de brûler et prétendit même – une prétention dont les effets s'avéreront fâcheux – avoir découvert le principe de gravité avant Isaac Newton. Il bénéficie d'un plus grand nombre d'entrées dans une encyclopédie des instruments scientifiques qu'aucun autre savant et pourtant sa carrière et ses réalisations ont presque toujours été éclipsées par celles des autres. Il démontre la nécessité d'avoir un bon agent de relations publiques, et j'espère le servir en la matière.

Fils d'un pasteur sans argent, Robert Hooke est né à Freshwater, dans l'île de Wight, le 16 juillet 1635. Son père espérait qu'il deviendrait membre du clergé mais le jeune Hooke trouvait ça ennuyeux. Il préférait imiter les artisans locaux, faire des montres en bois et des bateaux qui flotteraient sur la rivière Yar. Son père mourut quand il avait treize ans et il fit alors ce qui, aujourd'hui, peut sembler excentrique : il marcha jusqu'à Londres, son héritage de cent livres en poche. Il arriva dans une énorme cité, un lieu de quatre cent mille âmes aussi grand que les cinquante plus grandes villes d'Angleterre réunies. En entrant à Southwark et en passant sur le

London Bridge, le garçon put admirer des choses nouvelles, encore inconnues de Shakespeare, comme certains fruits rapportés par les marchands qui arrivaient sur les étals, les bananes et ananas des tropiques. Les brosses à dents (inventées en Chine en 1498) commençaient à avoir un heureux effet sur les dentitions anglaises. Et la fourchette devenait de plus en plus courante.

La pompe à eau du London Bridge avait été agrandie par un réseau de tubes en bois d'orme, mais rien qui aurait pu impressionner les Romains. Les gens se faisaient transporter en chaises à porteur ou en fiacres et les femmes à la mode arboraient de drôles de mouches noires sur le visage en forme d'étoile ou de lune, bien que la plupart d'entre elles ne portassent pas de sous-vêtements. Les hommes optaient de plus en plus souvent pour des perruques. Londres était en train d'entériner une division culturelle et sociale encore en vigueur aujourd'hui, entre l'ouest riche et puissant, et l'est pauvre. Les premiers grands squares avaient été dessinés à Covent Garden et à Lincoln's Inn Fields. Mais le Londres qu'a connu Robert Hooke à son arrivée ressemblait à celui de William Shakespeare et de Dick Whittington sous plusieurs aspects : la ville connaissait encore de terribles épidémies et son centre était constitué d'un réseau de petites rues entremêlées et de maisons de bois qui se chevauchaient. De véritables pièges en cas d'incendies.

Montrant pas mal de jugeote, Hooke se rendit à la maison du portraitiste Peter Lely. Comme il aimait le dessin, il pouvait servir d'apprenti au peintre, mais finalement la peinture, comme la religion, lui donna des maux de tête. Il poursuivit son chemin jusqu'à la Westminster School où il offrit son argent au docteur Busby en échange d'une éducation.

Busby était ce que nous appellerions aujourd'hui un spécialiste de la flagellation. Les résultats de sa sévérité furent remarquables. En peu de temps, l'adolescent avait maîtrisé l'orgue, les six premiers livres d'Euclide, devenait excellent en latin et en grec tout en se débrouillant en hébreu et en d'autres langues orientales. Il commençait aussi à devenir un peu étrange. Il était connu à Westminster pour être «très mécanique» et raconta plus tard qu'il passait tant de temps sur le tour à bois qu'il avait endommagé son dos.

On suppose qu'il souffrait de la kyphosis de Scheuermann, une maladie qui entraîne la formation de protubérances entre les vertèbres. Quelle qu'ait été la cause de sa malformation, il n'était pas beau à voir, avec son visage en pointe, des yeux globuleux, et une tête trop large. Cet étrange spermatozoïde voûté eut la bonne idée de partir à Oxford où il rencontra un groupe de scientifiques – ou de «philosophes», comme ils s'appelaient –, un terme bien trop limité pour couvrir l'étendue de leurs centres d'intérêt.

À cette époque, la raison post-copernicienne régnait et les hommes pouvaient se permettre de remettre en cause le jugement des anciens. Galilée avait pointé son tube optique vers le ciel et la conception géocentrique de l'univers n'avait plus cours. Aristote avait été détrôné. Une école scientifique anglaise était née, une école empirique qui passait d'abord par l'expérimentation avant d'en déduire des théories.

Ce qui était l'approche de Descartes et des Français – et qui l'est encore parfois –, établissant que quelque chose est théoriquement juste avant même d'essayer de la mettre en pratique, n'avait pas leurs faveurs. Hooke fut recruté par son collègue étudiant Robert Boyle, un diplômé d'Eton, fils du comte de Cork et futur auteur de la loi de Boyle sur la compressibilité des gaz. Boyle remarqua les dons de Hooke en mécanique et le fit travailler sur une pompe à vide. À Oxford se trouvait également Christopher Wren avec qui Hooke entretint une relation de travail qui allait durer des décennies et devait inclure des milliers de rencontres, de promenades, de conversations entre les deux hommes. Boyle et Wren figurent parmi le cercle de scientifiques et de dilettantes que Hooke fréquenta à son retour dans la capitale. Ils abordaient les sujets les plus variés, du magnétisme à la circulation du sang. Ils supputaient, spéculaient, penchés sur des appareils de cuivre et de bois polis.

Quand arriva la Restauration, en 1660, ils eurent besoin d'argent pour leurs expérimentations et espérèrent que le roi Charles II serait à la hauteur de sa réputation de mécène de la science. La Royal Society fut formée, mais l'aide du roi s'avéra plutôt maigre, et comme il fallait financer la société avec les cotisations de ses membres, cette dernière rassemblait surtout des aristos à perruques qui avaient les moyens de payer. C'est pourquoi il était nécessaire d'adjoindre à cette confrérie de beaux esprits scientifiques.

Hooke, comme scientifique professionnel, était l'homme idéal et il fut nommé conservateur des expériences en 1662. Il lui revenait de donner des conférences et de diriger les recherches en contrepartie d'un revenu fixe. Il ravissait son monde en soufflant des boules de verre. Il répondait à leurs désirs insensés de faire pousser de la mousse sur le crâne d'un squelette humain ou de fabriquer un carrosse qui avancerait avec des jambes plutôt que des roues. Il mit au point la première cocotte à pression et transforma une vache toute entière – avec cornes et sabots – en pâte gélatineuse que les membres de la Society déclarèrent délicieuse.

124

On doit admettre que la plupart du temps Hooke et ses amis ne savaient pas ce qu'ils faisaient, mais personne avant eux n'avait fait ces expériences. Le monde était encore un mystère. Ils étaient intrigués par le mécanisme de la respiration et voulaient savoir quelle en était la raison. Des années plus tôt, le médecin anglais William Harvey avait dit qu'elle servait à faire bouger le sang, mais ce qu'il signifiait par là n'était pas clair. Hooke fit une expérience horrible : il ouvrit le thorax d'un chien vivant et chacun se bouscula pour voir quelle pouvait être la relation entre poumons et cœur. Rien de clair n'en sortit. Il déclara qu'il ne referait pas l'expérience à cause de la torture infligée au pauvre animal. Mais quelques années plus tard, la Society remit le sujet sur le tapis. La curiosité de ses membres n'avait pas de limites.

L'air permettait-il au corps de vivre, le mouvement des poumons aidant? Un composant de l'air entrait-il dans le circuit du sang? On trouva un autre chien (le premier était mort) et Hooke fit un trou dans la plèvre pour faire entrer un tube relié à un soufflet. En maintenant les poumons de l'animal remplis d'air, il put établir que le mouvement des poumons n'était pas indispensable à la vie. Les yeux du chien restaient brillants. Il remua même la queue. Ha ha, dirent Hooke et la Royal Society tandis que la bête rendait son dernier souffle. Il doit y avoir quelque chose dans l'air. Mais quoi?

Hooke n'avait pas peur d'entreprendre des expériences sur lui-même. Un jour, il s'enferma dans une boîte et demanda que l'air y soit pompé de l'extérieur. Il mit un terme à l'essai quand ses oreilles commencèrent à bourdonner. Il se soignait avec des substances déroutantes et notait les résultats dans son calepin. Il absorba du chlorure d'ammoniaque et se réveilla « étrangement frais ». « C'est une grande découverte. J'espère pouvoir ainsi dissoudre la substance vicieuse qui me tourmente tellement l'estomac et les boyaux.»

Après avoir bu une tasse de café turc, il compensait l'effet de la caféine par du laudanum, ou sirop de coquelicot. Pour se réveiller, il se mettait de la noix de muscade ou du gingembre dans les narines. Une semaine, il prenait une dose quotidienne de fer ou de mercure – aujourd'hui considéré comme plus ou moins mortel – la semaine suivante, il n'absorbait que du lait bouilli. Une fois, il décida de boire deux litres d'«eau de Dulwich» venant d'une source du sud de Londres qu'il estima lui faire du bien. Il découvrit plus tard que de «nombreuses personnes [...] victimes de l'eau de Dulwich [...] étaient mortes de dysenterie ou de méningite».

Il est probable qu'à cette époque, Hooke avait une santé de fer. Et je dis ceci au propre comme au figuré : Hooke buvait du vin mélangé à des morceaux d'acier – la raison en reste inconnue – et se réveillait la tête «engourdie». Son corps supportait tout ou presque. Il avalait des infusions de feuilles de dorure et vomissait sans arrêt le lendemain. Puis il se mit à boire de la bière Chester éventée et se coucha après avoir absorbé de l'urine et du laudanum mélangés à du lait.

Il se tourna ensuite vers ce qu'il appelait des «confitures» et des «fleurs de soufre» qu'il pensait lui convenir un jour bien que le jour suivant il soit pris d'une dysenterie si forte qu'il «s'évanouissait et était oppressé». En permanence, il mettait du miel et de l'amande amère dans ses oreilles, se faisait des lavements, ou encore se prenait du sang. Il était le témoignage vivant de la résistance humaine. D'autres eurent moins de chance.

Quand son ami John Wilkins, évêque de Chester, eut des calculs dans les reins, l'ordonnance préconisait quatre coquilles d'huître chauffées à blanc dans un litre de cidre et un vésicatoire de mouches espagnoles. Wilkins mourut. Hooke n'était pas moins étrange dans ce que nous appellerions aujourd'hui sa vie privée. Il ne semble pas qu'il attirait vraiment les femmes et s'il eut des maîtresses (à sa mort, on trouva plusieurs soutiens-gorge dans ses armoires), il s'agissait surtout de servantes ou de parentes proches, dépendantes de lui en matière de logement ou de revenus.

Il baisait en «luttant» avec elles et répertoriait ses orgasmes dans son calepin par ce signe : «) – (». Une session vigoureuse avec sa servante Nell Young le 28 octobre 1672, pouvait être relatée en ces termes par exemple : « Ai joué avec Nell) – (. Léger mal au dos. »

Il était obsédé par les gadgets et les nouveautés. Très conscient de sa réputation, Hooke était susceptible et sensible aux moindres moqueries. Le 25 mai 1676, prenant un café avec quelques copains, il entendit parler d'une nouvelle pièce, *Le Virtuose*, de Thomas Shadwell. Les comédies de la Restauration avaient alors un grand succès. L'austérité des puritains était oubliée depuis longtemps. Hooke s'en alla voir ce dont il était question. Il était le sujet de la comédie. Il s'agissait d'une parodie caricaturale de la Royal Society, ses disputes délectables et ses expériences tordues.

Dans la pièce, un des personnages principaux, sir Nicholas Gimcrack, est étendu sur une table dans son laboratoire, un fil entre les dents dont l'autre extrémité est attachée au ventre d'une grenouille. Il raconte au public qu'il est en train d'apprendre à la fois à nager et à voler.

Tout semblait être une référence à Hooke. Gimcrack est un homme qui dépense des milliers de livres en microscopes pour examiner des anguilles dans le vinaigre, des mites dans le fromage et le bleu des prunes. Il utilise des termes scientifiques absurdes, comme «d'abord c'est la fluidité puis la fixation puis la cristallisation, la germination, l'ébullition, la végétation... l'animation, la sensation et autres». Chacun savait que tout cela était plus ou moins tiré du travail de Hooke et de son ouvrage, *Micrographie*, dans lequel il rend compte de ses visions des puces, poux et dards à travers son microscope.

Shadwell se moque des transfusions bizarres de Hooke alors que Gimcrack et son acolyte, sir Formal Triffle, décrivent comment ils ont transfusé du sang d'un chien à un autre et même du sang de mouton à un dément. Transfusion qui eut effectivement lieu.

Hooke et ses collègues ont tenté en vain de faire venir des médecins chez eux pour qu'ils conduisent des expériences sur leurs patients, et ils avaient même persuadé un diplômé en théologie, mentalement instable et nommé Arthur Coga d'accepter une transfusion de sang de mouton contre une rémunération d'une livre. Il semble qu'il ait survécu à cette affaire et Gimcrack, le personnage de Hooke dans la pièce de Shadwell, se vante du succès de l'opération. Le patient cessa d'être fou pour se transformer en ovin, dit-il au public, de la laine lui poussa partout. «J'en aurai bientôt tout un troupeau. Grâce à eux, je pourrai me faire tous mes vêtements.»

On voit alors l'idiot Gimcrack lire la Bible de Genève à la lumière d'une patte de porc pourrie, faisant la danse de la tarentule et regardant des campagnes militaires ayant lieu sur la lune. Toutes ces activités font référence aux expériences de Hooke et alors que la fin se profile, la maison du savant est assiégée par une bande de tisseurs de rubans furieux qu'il ait inventé une machine qui allait leur retirer leur travail. Hooke/Gimcrack sort pour les calmer. «Messieurs, dit-il, je n'ai jamais inventé un moteur de ma vie. Dieu m'en garde, vous vous trompez.

Je n'ai même pas inventé de machine à éplucher la crème. Nous, les virtuoses, ne découvrons jamais rien d'utile. Ce n'est pas notre genre.»

Assis dans le public, Hooke était rempli d'indignation. Sa vie et son travail faisaient l'objet de la plus blessante satire. Les gens se tenaient les côtes de rire. «Chiens damnés, écrivit-il dans son journal. Puisse Dieu me venger. Les gens m'ont presque pointé du doigt.»

Critiquer Hooke pour son inutilité était particulièrement injuste. La majeure partie de ce qu'il fit eut un côté pratique, et un grand nombre de ses expériences découlaient de la logique économique. L'Angleterre avait toujours été en concurrence avec les Pays-Bas pour la suprématie maritime, et Londres était le centre d'un empire commercial en expansion. Le tonnage des exportations maritimes dans le commerce extérieur anglais augmenta de 60 % entre 1630 et 1660, et encore de 80 % entre 1660 et 1688. Le nombre de navires composant la flotte marchande anglaise fit plus que doubler au cours de la vie de Hooke.

Il était crucial pour tous ces capitaines d'avoir une idée de l'endroit où ils se trouvaient, d'éviter de faire naufrage et d'être attaqués par les Néerlandais. C'est pourquoi Hooke travailla si dur sur tout sujet pouvant aider la navigation. On peut parler de ses quadrants et de ses sextants minutieusement fabriqués avec des vis de cuivre afin d'indiquer la position d'un navire en fonction des étoiles. On peut aussi mentionner le moulin à vent à bord du bateau, censé (il l'espérait en vain) servir à tourner le cabestan et à éloigner le navire des bas-fonds. Il inventa aussi une sonde pour déterminer la profondeur et un baromètre à cadran. Il testa même un équipement de plongée et expérimenta l'idée qu'il était possible de respirer sous l'eau avec une éponge trempée dans de l'huile devant la bouche. Ce ne fut pas un succès. Sa tentative suivante se fit avec une série de seaux renversés remplis d'air, ce qui fut un moindre échec. Et il se rua comme un écureuil affamé sur la noisette à la coquille la plus coriace de toutes : le secret de la longitude.

Ce n'est pas parce qu'il voulait absolument pouvoir donner l'heure qu'il travaillait si dur sur une montre à ressort − un concept nouveau qui remplacerait le modèle primitif à échappement existant depuis le Moyen Âge. C'est parce qu'il croyait qu'un marin aurait une plus grande chance de déchiffrer la longitude s'il avait l'heure exacte au lever et au coucher du soleil.

Quant à ses projets terrestres, ce ne fut pas par pur plaisir intellectuel que Hooke formula sa loi mathématique sur la courbure que prend un câble lorsqu'il est suspendu à ses deux extrémités. Il a découvert cette théorie après avoir construit de nombreuses arches en pierre qu'il voulait voir durer. Il montra son travail sur des routes car les gens n'arrivaient pas à comprendre ce qu'il leur racontait.

Sur de nombreux sujets, Robert Hooke fit avancer la compréhension des choses, parfois par petites touches, d'autres fois à grands pas, et il trouvait satisfaction dans l'estime de ses pairs.

Pour comprendre la révolution scientifique du XVIIe siècle, il faut pousser la porte des cafés qui se multiplièrent au cours de la vie de Hooke et devinrent de véritables institutions dans la ville. Ils sont apparus en 1652 avec Pasqua Rosee's Head ouvert dans St Michael's Alley par un immigrant turc du nom de Pasqua Rosee. Les cafés vendaient de la nourriture exotique que les marchands anglais allaient chercher dans les eaux des Caraïbes grâce une maîtrise des mers de plus en plus grande.

On y trouvait du café arabe, du sucre des Caraïbes, du tabac de Virginie, du thé de Chine et du cacao d'Amérique du Sud. Quand Hooke mourut, en 1703, on comptait cinq cents cafés. Il les adorait car c'était un lieu où se montrer. Ils étaient aussi un marché aux idées. On peut voir dans son journal qu'il allait chez Man's et discutait le bout de gras avec Christopher Wren. Au cours d'une seule de ces discussions autour d'un café, ils passèrent en revue la machine à voir dans le noir, la réfraction de la lumière, l'anatomie du muscle hélicoïdal des intestins, l'attrait des pigeons pour le sel. Puis Hooke et Wren se penchèrent sur le projet de chariot volant tiré par des chevaux élaboré par Hooke.

On allait au café pour parler à ses amis d'une nouvelle technique de fabrication du verre ou du phosphore. Si vous aviez de la chance, un gars pouvait laisser filtrer une information de premier choix : la recette d'un ciment résistant, par exemple. Parfois, Hooke partageait ses connaissances, comme la découverte qu'il avait faite : si on se coupait la première phalange du pouce, il était possible de se soigner en quatre jours avec du baume du Pérou.

Très souvent, les philosophes et savants ainsi réunis étaient tellement excités qu'ils procédaient sur-le-champ aux expériences. Hooke est monté deux fois au plafond de Garraway's pour faire la preuve, en lâchant un ballon, que la planète tournait dans un certain sens. Alimentée par les nouvelles drogues – nicotine, caféine, cacao – l'atmosphère stimulait la concurrence qui y était grande pour se faire acclamer. En peu de temps, les cafés londoniens allaient devenir des lieux où s'échangeraient actions et obligations et où se vendraient des polices d'assurance. Lloyds naquit dans un café. Dès le début, c'est dans les cafés que les réputations se sont faites et défaites.

En fonction de la réussite ou non de leurs expériences, les «actions en bourse» de Hooke, Boyle ou Newton avaient des hauts et des bas. Les cafés étaient devenus des usines à rumeurs au point qu'en 1675, le roi tenta de les fermer. Plus tard, pourtant, on le dissuada de prendre une mesure aussi impopulaire.

Souvent, Hooke notait comment il était reçu par ses copains buveurs de café, qui parfois trinquaient à la santé de tous, sauf à la sienne. Dans cet environnement, son ego était soit flatté soit déprimé, et en rencontrant d'autres scientifiques qui avaient réussi, il s'embarquait dans des querelles qui allaient lui coûter très cher. Son problème était qu'il faisait des expériences dans des secteurs si variés qu'il était toujours jaloux d'une avancée qu'il avait ratée. Il s'est beaucoup bagarré avec le scientifique hollandais Christiaan Huygens sur la question de savoir lequel avait été le premier à inventer la montre à ressort. Pour compliquer les choses, il accusa le pauvre secrétaire de la Royal Society, un brave homme du nom d'Henry Oldenburg, d'avoir divulgué ses découvertes auprès d'un étranger.

La vanité de Hooke lui faisait dire, à l'annonce d'une quelconque découverte, qu'il en avait eu l'idée des années auparavant et il proposait d'en donner les preuves au cours d'une réunion à venir. Il se précipitait donc sur ses documents et trouvait parfois une sorte de confirmation à ses propos. Quand il formula sa fameuse loi sur l'élasticité, il était tellement excité qu'il l'inscrivit en code de façon à ce que personne ne puisse lui voler en regardant dans ses papiers.

Hooke choqua la communauté internationale des savants en écrivant un essai qui attaquait l'astronome polonais Johann Hevelius, l'accusant d'avoir recours à une technologie primitive et dépassée. «Moi, Hooke, écrivit-il, suis en train de construire un nouveau quadrant fantastique pour l'étude des cieux, un engin bien supérieur à ce qu'a produit Hevelius.» En effet, c'était une merveille, pleine de nouveautés comme un niveau d'eau pour connaître l'exacte position de la perpendiculaire, et un mécanisme d'horlogerie pour la rotation diurne. Mais l'engin ne fonctionnait pas vraiment et certaines de ses particularités mirent des siècles avant d'être perfectionnées par d'autres. Hevelius eut des propos amers contre ceux qui cherchaient à salir son nom et sa réputation et qui semblaient cracher sur ce qu'il faisait. Quelles preuves Hooke pouvait-il produire? demanda-t-il. Nombreux furent ceux qui pensèrent qu'Hevelius était dans le vrai.

Quand Hooke ne revendiquait pas avoir tout inventé ou presque, il essayait d'emprunter les idées des autres. Gottfried Wilhelm Leibniz arriva à Londres avec sa machine à calculer. Hooke rôda autour d'elle, l'ouvrit et – à la consternation de Leibniz – produisit sa propre calculatrice. Cette machine fonctionna et fut bien accueillie jusqu'à ce que quelqu'un déclare qu'elle n'était pas plus rapide qu'un crayon et un papier. Pas de problème! déclara Hooke, dans son style habituel. «Je suis en train d'en fabriquer une autre.» Cette dernière ne vit pas le jour mais Leibniz, écœuré par sa conduite, écrivit à la Royal Society en termes peu élogieux une lettre de protestation.

Hooke fit l'objet de controverses. En dépit de ses incontestables succès, il commençait à être pris pour un vantard. Ces bravades auraient pu être oubliées s'il ne s'était pas mesuré au Goliath intellectuel de son époque.

Ce fut le malheur de Hooke de se brouiller avec Isaac Newton, l'homme dont les vues et le génie allaient dominer notre compréhension du monde pendant les deux cent cinquante années suivantes. Au cours de l'hiver

1683-84, Hooke avait l'esprit occupé par une multitude de choses. Cet hiver fut le plus froid de mémoire d'homme et les Londoniens organisèrent une Fête de la glace pour la première fois en cent vingt ans. La Tamise resta gelée pendant sept semaines et des boutiques et échoppes s'étaient installées sur la glace. La population se divertissait de courses de chevaux tirant des chariots posés sur des patins. On assistait à des combats de chiens contre des ours ou des taureaux, à des pièces de théâtre, on allait au bordel, et selon John Evelyn, l'époque n'était qu'une vaste bacchanale.

Pendant ce temps, Hooke se rendit utile, étudiant la résistance de l'eau gelée sur laquelle tout le monde s'ébattait. Il démontra aussi, grâce à une expérience compliquée, qu'un bloc de glace pesait les sept huitièmes d'un volume d'eau équivalent, et donc qu'un huitième de la masse d'un iceberg apparaissait au-dessus du niveau de la mer : une nouvelle connaissance précieuse pour les marins.

C'est au cours de ce mois de janvier 1684 bien rempli qu'il eut une conversation avec sir Christopher Wren et Edmond Halley, et que Hooke se vanta d'avoir déchiffré la loi en carré inverse. D'accord, lui dit Wren, alors président de la Royal Society. Je te donne deux mois pour que tu m'en apportes la preuve et tu gagneras un prix de quarante shillings. Fastoche, répondit Hooke, avec son assurance habituelle. Je l'ai sur le papier depuis un petit moment. J'attendais juste que d'autres cherchent encore pendant longtemps pour qu'ils apprécient ma trouvaille une fois rendue publique. Wren fronça les sourcils. Vraiment? lança-t-il. Tu veux parier? répondit Hooke qui partit pour se mettre, malheureusement, à travailler sur un sujet totalement différent. La loi en carré inverse est l'une des pierres d'achoppement de l'univers. Elle postule que la force de gravitation entre deux corps est

134

inversement proportionnelle au carré de la distance qui les sépare. Si donc la distance entre un objet X et un objet Y est dix, la force de gravitation entre les deux est de 1/100. Hooke avait déjà spéculé sur la gravité et avait écrit à Isaac Newton en 1679 en suggérant que la loi en carré inverse pouvait lui être appliquée. Cette idée n'était pas la sienne et il n'en donnait pas de preuve mathématique. Mais sa lettre – alliée à son vécu de l'antériorité non reconnue – devait devenir une source de rancœur.

Une fois que Wren eut lancé ce défi à Hooke, Edmond Halley répéta la conversation à Newton, qui était devenu professeur de mathématiques à Cambridge à l'âge de vingt-neuf ans, et le pâle, mystique et chevelu Newton décida de s'atteler sérieusement au problème.

Hooke continua ses activités en tous sens. Un jour, il fabriquait d'étranges chaussures à ressort qu'il disait pouvoir le propulser de quatre mètres en l'air et de sept mètres en avant – mais nous n'avons pas de récit de témoin disant avoir vu un homme chauve bondissant dans la rue et pouvons nous risquer à conclure que ce fut une de ses inventions encore perfectibles.

Il continuait à donner des conférences, avec quelquefois comme seul public un homme obèse, d'autres fois un groupe d'écoliers se curant le nez.

Il avait appris le néerlandais pour pouvoir lire les travaux du grand chercheur spécialiste du microscope Leeuwenhoek, puis il se mit au chinois. Mais il ne se préoccupa jamais de donner des preuves de la loi en carré inverse.

Pendant deux ans, Newton s'enferma dans sa chambre et réfléchit sur la façon dont le ciel et la terre fonctionnaient ensemble. En avril 1686, il publia ses travaux. Parmi les thèmes favoris des joyeux drilles de la Royal Society – chocolat cuit sous pression, enfants difformes, vers d'intestin –, les principes mathématiques de Newton firent l'effet d'une bombe. Furieux, Hooke fut convaincu que Newton lui avait volé l'idée et le dit haut et fort au café.

Newton le sut et s'en trouva encore plus furieux que Hooke. Une chose était d'avancer une loi, perçue de façon intuitive, tout autre chose était d'en donner la preuve mathématique. Et Hooke, selon Newton, «ne savait pas comment y parvenir». C'était une remarque cruelle, mais probablement juste. Hooke en fut fort vexé. Jusqu'à la fin de ses jours, il continua à protester. En 1690, il se réfèra à la loi en carré inverse dans ces termes : «La théorie que j'ai eu le bonheur d'inventer», ou encore «les principes de la gravité que j'ai moi-même découverts comme je l'ai montré il y a des années à cette Société». «Récemment, M. Newton m'a fait la grâce d'imprimer et de publier tout ceci comme s'il s'agissait de sa propre invention.» Au lieu de lui rendre justice, Newton avait joué l'offensé, prétendit Hooke.

Cette fâcherie ne prit fin qu'avec la mort de Hooke, en 1703. La voie était enfin libre pour que Newton devienne président de la Royal Society, un poste qu'il occupa pendant vingt-quatre ans. Certains pensent que le tout-puissant Newton commença alors l'éradication systématique de la mémoire de celui qui l'avait tellement mis en colère et aucun portrait de Robert Hooke n'est resté accroché au siège de la société. Que Newton ait brûlé ou non les portraits de son adversaire, Hooke nous est parvenu comme l'archétype du mauvais perdant, incapable de se réconcilier avec le génie incandescent du Mozart de la science qu'était Isaac Newton.

En réalité c'est Newton qui était un solitaire, un reclus, et Hooke s'est avéré être un homme aimable et sociable. Bien sûr, ses relations sexuelles relevaient de l'inhabituel.

Pendant des années, sa maîtresse ne fut autre que sa nièce, Grace, et il eut de la chance de vivre sous la Restauration et non sous les puritains. Mais il était d'une douce nature. Il avait une gouvernante non conformiste appelée Martha et, parfois, il se soustrayait à son emprise pour se réfugier près de son ancienne gouvernante et maîtresse, Nell Young. C'est peut-être un signe de sa bonté qu'il soit resté en bons termes avec Nell alors qu'elle s'était enfuie pour coucher avec un homme plus jeune, après que Hooke s'était fait mal au dos pendant un) – (. Parfois, il avait de «longues discussions» et mangeait des gâteaux avec une certaine Mme Moore, mais rien de) – (avec elle, semble-t-il.

Hooke allait dîner parfois avec Pepys qui l'admirait beaucoup. Et c'était le signe de son inlassable amour de la science qu'il continuât à donner des cours alors que plus personne ne venait l'écouter. Personnalité très sociable, Hooke allait sans cesse faire de longues promenades ou passer du temps dans les cafés avec ses amis. Sa réputation ne l'obsédait pas tant que ça puisqu'il laissait Wren et d'autres s'attribuer le mérite de constructions qu'il avait lui-même imaginées ou mises sur pied. L'éventail de ses réalisations était vaste.

Avec son horloger préféré, Nicholas Tompion, il lança l'industrie londonienne des pendules et des montres, à Clerkenwell. Il fut tout près de formuler la théorie de l'évolution, notant que des espèces avaient existé qui n'existaient plus, et qu'il «semblait absurde de dire que les choses étaient depuis le début dans l'état où elles étaient maintenant». Il se posa la question de savoir si l'Irlande et l'Amérique avaient pu être formées ensemble, si le fond des mers avait été une terre sèche, et si les terres sèches avaient pu être recouvertes par la mer. Il pressentait toucher à quelque chose d'important.

Il était un scientifique optimiste qui voulait que les gens «jettent aux orties ce principe paresseux et pernicieux d'en savoir autant que leurs pères, leurs grands-pères ou leurs arrière-grands-pères». Au cours de leur long affrontement, Newton lui écrivit ce qui aurait pu être une lettre de réconciliation dans laquelle il fit sa fameuse remarque : «Si j'ai vu plus loin, c'est parce que j'étais debout sur des épaules de géants.» On ne pense pas qu'il se référait à Hooke mais il aurait dû. Robert Hooke eut des succès multiples, mais il commit deux fautes. Comme de nombreux scientifiques anglais venus après lui, il n'a pas cherché de débouchés commerciaux et pratiques à ses découvertes. Et il a laissé à ses détracteurs le soin d'écrire la première ébauche de sa propre histoire.

Si vous étiez monté en haut du dôme de St Paul en 1700, juste avant la mort de Hooke, vous auriez découvert une ville encore majoritairement rurale. Hyde Park et St James's Park étaient entourés de champs. Une mer de verdure s'étendait au nord d'Holborn et à l'ouest de Charing Cross. Au sud de Fleet Street et du Strand on pouvait voir des jardins de roses et de lavande. Des orchidées se dressaient derrière les tavernes de la ville, tandis que Hampstead et Highgate n'étaient que de petits villages lointains. De votre point d'observation, vous auriez entendu le meuglement des troupeaux conduits au marché et les oies cacarder en poursuivant la chaise à porteur d'une dame. Vous auriez pu apercevoir des garçons pêchant ou nageant dans la rivière près de ce qui était encore – et c'est incroyable – le seul pont au-dessus de la Tamise.

Le London Bridge avait l'air fatigué. La Tudor Nonsuch House s'effritait et d'autres échoppes et maisons avaient été emportées par le feu, le tout donnant une impression de délabrement total. Du haut de St Paul, on découvrait que Londres restait essentiellement une collection de villages médiévaux – cent cinquante au total – tous centrés autour de leur église, de leur auberge et de leur place de marché. Dans chacun d'eux se rencontraient toutes les classes sociales entre des habitations bourgeoises et des rangées de petites maisons populaires, et les gens de tous horizons se retrouvaient dans les mêmes églises et les mêmes cafés, et applaudissaient les mêmes processions médiévales que celles croisées par Richard Whittington à son arrivée à Londres.

Ce que vous n'auriez pas vu, quelques dizaines de mètres plus bas, c'est l'impact des bouleversements techniques qui avaient eu lieu grâce à des esprits comme celui de Robert Hooke : des centaines d'inventions qui allaient transformer l'agriculture, l'industrie et les échanges en tous genres. Vous n'auriez pas deviné, en écoutant les gémissements et les hurlements de Londres, que sa population était sur le point de sauter le terrifiant fossé séparant l'agriculture et l'industrie. En 1698, la première pompe à vapeur au monde, conçue par Thomas Savery, venait de voir le jour à Londres et, bien qu'il se fût agi d'un engin assez primaire, elle constitua le premier pas vers la machine de Watt, en 1776. Jethro Tull mettrait au point sa machine à planter en 1701. Les fours de Coadbrookdale allaient être allumés en 1709.

Et si vous étiez montés en haut de St Paul cent ans plus tard, vous auriez alors trouvé une ville si changée qu'elle en était méconnaissable. En regardant autour de vous, il vous eût été difficile de voir les limites de la ville. Les gens ne brûlaient plus de bois mais le charbon de Newcastle, et l'air était rempli d'une épaisse fumée brune. Vous auriez pu admirer les places élégantes dessinées après le traité d'Utrech de 1713 : Grosvenor Square et

Mayfair. Et voir les chefs-d'œuvre de l'architecture georgienne que les générations suivantes ont essayé d'imiter : Berkeley Square, Cavendish Square, Portland Place, Fitzroy Square. Le pont, lui aussi, avait été reconstruit, et ses échoppes et maisons avaient été démolies, ses arcs médiévaux totalement recouverts de pierres. Le Westminster Bridge existait depuis 1750 et de minuscules silhouettes vêtues de noir le traversaient avec précipitation. En 1769, le Blackfriars Bridge était ouvert à son tour.

En laissant votre regard glisser d'est en ouest, vous auriez pu réaliser combien était grande la différence entre les deux côtés de Londres : à l'ouest, des maisons élégantes et des rangs de platanes et de châtaigniers ornant les places ; à l'est d'épouvantables logements ouvriers. Des rubans de maisons à perte de vue entre lesquelles s'élevaient des fours à briques, des tas de graviers et des décharges qui brûlaient d'un feu incandescent. On pouvait voir les ateliers, usines, moulins et chantiers navals où hommes et femmes, beaucoup trop vieux ou beaucoup trop jeunes, travaillaient dans des conditions terrifiantes.

Écuries et étables étaient devenues des dortoirs pour les paysans venus des campagnes, chassés par les remembrements. Les toits de leurs habitations leur tombaient sur la tête, leurs salaires n'augmentaient pas aussi vite que le prix du pain, ils étaient vulnérables aux progrès techniques qui dévaluaient leur travail et, pourtant, ils ne pouvaient compter sur aucun syndicat pour les représenter. Leurs vies étaient courtes et leurs maladies exotiques. « Aussi nombreux que les criquets et aussi pauvres que les rats », comme on le disait alors.

Les avancées technologiques de Hooke et d'autres avaient révélé l'importance des machines, et comme elles étaient onéreuses, la société se divisa encore plus, entre ceux qui peinaient sur les métiers à tisser et ceux qui possédaient ou finançaient les moyens de production. Tandis que la révolution industrielle prenait de l'ampleur, Londres et l'Angleterre devenaient de plus en plus riches. Et cependant, tandis que certains accumulaient les richesses, d'autres, bien plus nombreux, continuaient à vivre dans une misère noire. Alors que Londres s'agrandissait, les inégalités entre Londoniens se creusaient.

Ce problème suscitait toujours les deux mêmes réponses. Celle des conservateurs, pour lesquels les inégalités constituaient une fatalité inévitable de la condition humaine, peut-être même conçues par un ordre divin. Et celle des radicaux, qui militaient pour le changement, faisaient campagne pour l'émancipation des pauvres. Deux des plus grands Londoniens du XVIIIe siècle représentent ces deux courants de pensée. L'un, Samuel Johnson, le père du conservatisme compassionnel. L'autre, son ennemi, John Wilkes, le démagogue et radical londonien que Johnson méprisait et contre qui il se répandit en injures pour finalement se réconcilier avec lui.

LA BIBLE DU ROI JACQUES

« À l'origine, Dieu créa le paradis et la terre », dit la Genèse (I, 1) et de très nombreux Américains – peut-être des millions – le croient. Ils pensent que le monde fut créé en 4004 avant Jésus-Christ et que Dieu conçut tout ce qui marche ou rampe sur la surface de la Terre en leur donnant leur forme actuelle. Ils remettent donc en cause la théorie de l'évolution (formulée par Charles Darwin, à Londres), et ils y croient dur comme fer, grâce au pouvoir de persuasion d'un seul livre.

Quand les pionniers traversaient les grandes prairies dans leurs chariots bringuebalants, tuant Indiens et bisons, ils le faisaient aidés du même livre que les missionnaires anglais en Inde, en Chine et en Afrique. Il s'agissait d'un livre londonien – ou du moins de la version londonienne d'un livre ancien. L'histoire de la Bible du roi Jacques, nommée aussi « version autorisée », commence en 1604, peu après l'accession au trône de ce monarque écossais, bégayant et sexuellement ambigu.

L'Église d'Angleterre était encore jeune, et victime de luttes internes. D'un trait de génie, Jacques réunit les ecclésiastiques pour une conférence à Hampton Court, et même si ces derniers se disputèrent sur tel ou tel point doctrinal, ils tombèrent d'accord sur un principe : le temps était venu de produire une seule et même version de la parole du Seigneur. Six groupes d'érudits furent rassemblés à Londres, Oxford et Cambridge, incluant quarante-sept traducteurs, presque tous membres du clergé.

Le responsable de cette aventure londonienne – chargé de rendre la Genèse au roi – était Lancelot Andrewes. C'est lui qui contrôla toute l'opération. Il était évêque, savant, prêcheur reconnu, un homme doté d'un langage poétique certain, au point que T. S. Eliot lui-même le reprit, sans le citer nommément, dans l'une de ses œuvres.

La traduction dura des années, et même si les membres des groupes de travail furent distraits et consternés par la tentative d'attentat contre le roi (la conspiration des Poudres) de 1605, ce dernier leur demanda de poursuivre leur tâche, au nom de l'harmonie religieuse. En 1609, le Comité de révision se réunit au Stationer's Hall, dans Ave Maria Lane, à Londres, et la bible fut écrite dans un dialecte londonien qui tendait à se normaliser depuis l'époque de Caxton.

Toutes sortes de critiques furent formulées à l'encontre de la version du roi Jacques. Les citations les plus fréquentes – «que vienne la lumière», «la vérité vous rendra libre», «laissez venir à moi mon peuple», «suis-je le gardien de mon frère?» – proviennent en fait de la version de Guillaume Tyndale, datant de 1534. Même pour les lecteurs de 1609, la bible du roi Jacques semblait écrite dans une langue aux accents archaïques.

Des experts hébreux dirent qu'elle était trop éloignée de l'original, quatorze mots hébreux différents étant traduits en anglais par le seul mot «prince». L'un d'eux affirma même «qu'il préfèrerait être mis en pièces par des chevaux sauvages que de voir cette abominable traduction imposée au peuple anglais». Même si le gouvernement annonça que cette version serait la seule lue dans les églises, il fallut pas mal de temps pour que ce texte fasse l'unanimité. Sans parler d'une malheureuse erreur d'imprimerie en 1631 qui oublia la négation dans le commandement «Tu ne commettras pas l'adultère».

Malgré tout, la bible du roi Jacques toucha le cœur des hommes, peut-être à cause d'une particularité bienvenue dans le processus de révision. Il avait été prévu que chaque groupe contrôlerait le travail des autres – ce qui fut fait en lisant le texte à haute voix. D'où une écriture pensée en fonction d'une lecture orale, et des mots recherchés pour l'harmonie des sons. «Elle vit dans l'oreille, dit F.W. Faber, comme une musique qu'on ne peut oublier.»

143

La bible du roi Jacques a apporté deux cent cinquante-sept expressions nouvelles à notre langue, plus qu'aucun autre travail jamais accompli. On dit que Tony Blair et George W. Bush l'ont étudiée ensemble. Ils ont donc dû apprendre ce que veut dire avoir «des pieds d'argile» ou «récolter la tempête».

Samuel Johnson

L'inventeur du conservatisme compassionnel

Le Londres de Samuel Johnson fait naître à l'esprit l'image de la première grande époque de liberté connue par l'Angleterre, celle des Lumières et de la gaieté générale.

En fermant les yeux et en pensant à ce xviiie siècle londonien, on voit des cafés, des fêtes nocturnes, des femmes se permettant de donner de la voix pour la première fois dans l'histoire, des libertins se prélassant contre les seins nus de belles dames agitant des éventails, et partout un ferment de science, de médecine, de littérature et de démocratie naissante.

C'est pourquoi il est choquant de tomber sur un épisode qui nous rappelle comment l'Angleterre, au cours de cette période soi-disant heureuse, pouvait traiter ses citoyens d'une façon que nous considérerions aujourd'hui comme barbare.

J'en veux pour preuve la punition conçue pour un homme d'église appelé William Dodd. À l'âge de trente-huit ans, il était devenu l'un des prêcheurs les plus populaires de Londres. Ses sermons étaient suivis par tant de riches et de *fashionistas* que des queues se formaient en dehors de l'église. Il était si émouvant quand il parlait de prostitution que son auditoire – dont des prostituées sauvées par Dodd lui-même – pleuraient et gémissaient en l'écoutant. Il portait une longue robe de soie parfumée, un diamant au doigt et organisait des fêtes chic dans une maison de campagne décorée de tableaux du Titien, de Rembrandt et de Rubens. En peu de temps, il se retrouva bien sûr endetté.

Il décida d'emprunter de l'argent au comte de Chesterfield, l'un de ses anciens élèves, un homme qui avait toujours été très généreux avec lui dans le passé. Sauf que cette fois, Dodd voulut gagner du temps et, sans en parler au comte, il imita sa signature sur un titre de quatre mille deux cents livres, considérant que Chesterfield, quand il découvrirait le vol, lui donnerait le temps de le rembourser. Hélas, le comte ne goûta pas l'éventuel humour de la situation.

Le 26 mai 1777, Dodd fut condamné à mort par pendaison. Il savait que son seul espoir était d'en appeler à la miséricorde des autorités – à cette époque, le roi. Et il savait qu'un seul homme avait le poids, les qualités littéraires, les arguments et le prestige moral pour faire appel en son nom. Dans le court temps qui lui était encore imparti, Dodd appela un lexicographe, poète, biographe et génie en tous genres de soixante-huit ans, reconnu dans l'Angleterre tout entière comme l'homme de lettres le plus important du pays, l'auteur du premier dictionnaire de la langue anglaise. Cet homme, c'était Samuel Johnson.

Il est facile d'oublier quelle grande célébrité il était, et, selon nos critères actuels de popularité, c'était un homme atypique. Doté d'un nez romain de bonne taille, de grosses lèvres et d'une petite perruque mal ajustée en haut du crâne, il était marqué par des cicatrices dues à une scrofule pendant son enfance et à une opération des glandes lymphatiques dans le cou. Il avait aussi perdu l'usage d'un œil et marchait en tanguant comme sous le poids de fers aux pieds. Il souffrait de tics et bavait, d'où les refus qu'il avait enregistrés à des postes d'enseignement, sous prétexte qu'il pouvait effrayer les enfants.

Il mangeait dans un état de concentration extrême, ses veines saillantes, de la sueur perlant sur ses sourcils. Et pourtant, il avait un tel charisme que les femmes cherchaient à s'asseoir à ses côtés pour le thé et les hommes souhaitaient pouvoir assister à son lever au cas où une perle tomberait de cette bouche flasque et lippue.

Cette vénération peut sembler surprenante. Qui a lu *Rasselas*, son histoire allégorique à propos d'un prince d'Abyssinie ? Il écrivit aussi une tragédie appelée *Irène*, dans laquelle l'héroïne est garrottée sur scène au cours du dernier acte, ce qui provoqua de tels hurlements de joie qu'elle fut retirée de l'affiche au bout de neuf jours. T. S. Eliot pensait qu'il faisait partie des plus grands poètes anglais, et pourtant, on ne peut pas trouver un seul étudiant qui connaisse «Londres» ou «La vanité des désirs chez l'homme». Ses essais furent considérés comme des chefs-d'œuvre et ils le sont aujourd'hui encore, pourtant les éditions en sont bradées ou envoyées au pilon. Quant à ses poèmes en grec et latin, je crois que personne ne les lit dans le Londres littéraire actuel.

Quand on se souvient de lui, c'est pour sa parole décapante et ses propos politiquement incorrects. Ses vues seraient aujourd'hui considérées comme outrées, inacceptables. À première lecture, il semble sexiste, xénophobe, royaliste, défenseur libéral de l'inévitable inégalité des hommes. Il n'aurait jamais pu, de nos jours, être embauché par un rédacteur en chef digne de ce nom.

Il disait qu'il pouvait aimer l'humanité tout entière sauf les Américains, «un peuple de détenus». Ses vues sur les femmes étaient si outrageusement machistes que même les journaux les plus populaires refuseraient aujourd'hui de les publier. Et cependant, Johnson était si vénéré que George III lui versa une rente annuelle de trois cents livres pour ses besoins quotidiens. Les gens venaient voir sa résidence, à Johnson Court, comme des fans de stars hollywoodiennes le feraient à Beverly Hills. Quand il mourut, il fut enterré à l'abbaye de Westminster et des sermons furent consacrés à ce douloureux événement de la vie de la nation.

Samuel Johnson est né à Lichfield, dans le Staffordshire, le 18 septembre 1709. Il aimait faire croire qu'il venait d'un milieu très humble, ce qui était exagéré. Son père, Michael, était shérif de Lichfield, et sa mère était vaguement liée à plusieurs membres de la petite noblesse. Michael, cinquante-deux ans à la naissance de Samuel, n'était peut-être pas le plus dynamique des libraires, mais ce vieux spécialiste des livres anciens encouragea son fils à développer ses dons littéraires.

Le jeune garçon Johnson écrivit des poèmes en latin et en anglais sur des thèmes allant des jonquilles aux batailles entre les pygmées et les grues. À l'âge de dix-neuf ans, il entra à Oxford et c'est là qu'il connut son premier revers. Son père croulait sous les dettes et Samuel, devenu pauvre, fut humilié de devoir abandonner ses études. Quand un camarade d'étude vit ses doigts de pied sortir de ses chaussures et en posa gentiment une paire neuve devant sa porte, Johnson les jeta par la fenêtre, fou de rage.

Dans l'obligation de quitter Oxford dans des conditions ignominieuses, il souffrit de dépression durant des années. Enseignant de temps à autre, Johnson atteignit l'âge de vingt-cinq ans sans avoir jamais connu l'amour.

C'est à ce moment-là qu'il épousa la veuve d'un marchand, Élisabeth Porter.

Leur relation a fait courir de multiples bruits dans le cercle des spécialistes. Après avoir tété, enfant, le sein d'une nourrice tuberculeuse, comment Johnson vivait-il le fait que sa femme eût vingt ans de plus que lui? Était-ce important qu'elle fût décrite comme «très grosse et ayant un derrière d'un volume dépassant la normale»? Pourquoi l'appelait-il «Tetty» ou «Tetsy»? Allo, Sigmund Freud?

Johnson et Tetty ouvrirent une école près de Birmingham qui comptait parmi ses élèves le jeune David Garrick. Plus tard, ce dernier régala les dîners mondains londoniens en épisodes hilarants sur les relations conjugales de ses anciens éducateurs. Faute de candidats en nombre suffisant, cette école dut fermer et Johnson fut pris de panique à l'idée de ne plus pouvoir subvenir aux besoins de Tetty à qui il voua toujours une dévotion profonde. En 1737, devenu pauvre, Johnson commença avec son élève le plus brillant, Garrick, une marche fameuse de cent quatre-vingts kilomètres vers Londres.

Londres, à leur arrivée, comptait entre six cent cinquante et sept cent mille âmes, ce qui faisait d'elle la plus grande ville du monde. C'était un lieu de grande pauvreté, avec des rues regorgeant de crottin. La ville happait les villageois pour répondre à sa soif de main-d'œuvre, et les voisins étaient déjà étrangers l'un pour l'autre. Mais il s'agissait aussi d'un lieu d'échanges excitants où les coups et contrecoups alimentaient le monde littéraire. Et Johnson savait qu'il pouvait s'y faire un nom.

Après avoir manifesté son désintérêt pour Dieu, Johnson devint dévot et toute sa vie allait être imprégnée d'un curieux penchant à s'automortifier.

Comme beaucoup de gens créatifs, son tempérament mêlait indolence et futilité, le tout arrosé d'alcool, provoquant chez lui des sentiments de culpabilité, puis un excès de productivité. Londres lui apportait tout ce dont un homme avait besoin pour être poussé à l'action : l'envie d'argent et celle de garder sa femme, et comme il le souligna avec une insolence très «johnsonienne», «seuls les idiots écrivent pour autre chose que l'argent».

Il avait quelque chose à prouver. Après avoir abandonné Oxford, il était un professeur raté et un provincial. Tenace défenseur du système de classe, il était néanmoins sensible aux affronts. Bien que convaincu de la nécessité du rang, on sent chez lui une indignation à l'idée qu'un autre puisse le dépasser par la naissance et non par le talent, et cette indignation fut un ingrédient de son succès. À l'époque, l'argent n'était pas le seul critère de jugement : la rapidité et l'intelligence des échanges verbaux étaient aussi une référence. Les Anglais ont toujours été intéressés par la vivacité d'esprit et la répartie, et Samuel Johnson se montrait champion en la matière.

Il était un virtuose des réflexions cinglantes, et se lançait aussi parfois dans des démonstrations de force. À Lichfield, son oncle Andrew l'avait initié à la boxe et on disait que l'élève avait grandement dépassé le maître. Un jour, un homme prit sa place au théâtre et refusa de bouger. Johnson l'attrapa en même temps que sa chaise et le lança dans la fosse d'orchestre. Une autre fois, il défia un de ses amis, de plus petite taille que lui, à la course à pied et, alors qu'ils arrivaient près d'un arbre, il le saisit à bras-le-corps, l'accrocha à une branche et continua la course. Une autre fois, alors qu'il marchait dans la rue derrière un porteur chargé d'un lourd fardeau, il poussa sans raison la charge de l'homme qui tomba, et continua son chemin devant les yeux ébahis des passants.

Mais c'était un génie, cela ne fait aucun doute. Il avait cette incroyable capacité à utiliser les mots anglais les plus simples pour décrire avec précision les motivations des hommes et pour faire des observations à la fois nouvelles et vraies qui, par centaines, ont traversé les siècles. Il pouvait être très drôle, même si parfois il faut se transporter au XVIIIᵉ siècle pour l'apprécier pleinement. À un magistrat qui lui racontait pendant des heures comment il venait d'envoyer quatre condamnés dans un pénitencier en Australie, Johnson répondit qu'il aurait aimé être le cinquième. Il n'était pas seulement drôle mais aussi insolent, ce qui explique sa popularité d'alors et d'aujourd'hui.

Dans un pays accro à la dérobade et à l'embarras, on aime les gens insolents car on pense (un peu sommairement) qu'ils sont plus à même de dire la vérité. Les Anglais, souvent hypocrites, aiment aussi les gens qui semblent honnêtes à propos de leurs plaisirs, même s'ils sont vulgaires. Johnson a dit : « Si je n'avais pas de devoirs et ne pensais pas à l'avenir je passerais ma vie à conduire ma chaise de poste à toute allure, une jolie femme à mes côtés », et là, il exprime le rêve éternel de tout mâle anglais. On pense à lui comme à un érudit, un « docteur » Johnson, un homme qui restait des heures penché sur des textes anciens, mais il dévorait aussi des romans d'amour, avait horreur du titre honorifique de docteur, et était l'un des plus brillants observateurs de la nature humaine – et l'un des plus grands moralistes – de tous les temps.

Bien avant Jeremy Paxman ou les autres anthropologues du psychisme anglais, il montra du doigt notre aptitude bizarre à garder nos distances. Si, dans un pays étranger, un Français rencontre un autre Français, ou un Allemand un autre Allemand, ils lieront facilement conversation. Mettez un Anglais dans une pièce où se trouve un autre Anglais, dit Johnson, l'un se posera sur une chaise, l'autre se mettra près de la fenêtre, et chacun fera comme si l'autre n'existait pas.

Il épingla les faiblesses de ses confrères journalistes et écrivains qui revendiquaient de hautes motivations à leur travail : pipeau, pipeau, déclara Johnson, la seule raison pour laquelle les écrivains sont des écrivains, c'est le plaisir de voir leur nom publié.

Il arrive d'être confronté à des dictons de Johnson et on se dit oui, c'est bien ça, c'est humain : «L'antidote à la tristesse, c'est le travail», «Rien n'est plus désespérant qu'un plan pour être joyeux», «Tout animal se venge de ses peines sur ceux qui se trouvent à ses côtés». Et il y en a bien d'autres...

Son prestige et son autorité morale découlent d'un effort littéraire surhumain. Il fallut cinquante-cinq ans à quarante Français pour produire un dictionnaire français. Il fallut vingt ans à l'Accademia della Crisca pour terminer un dictionnaire italien. Il fallut neuf ans à Johnson pour faire son dictionnaire dont il écrivit personnellement quarante mille articles. On pense parfois, à tort, que Johnson voulait faire rire, principalement à cause de la présence de blagues dans ses textes. Un patron est un «pauvre diable qui supporte l'insolence et est payé de flatterie». L'avoine est «une graine qu'on donne aux chevaux en Angleterre et aux gens en Écosse». Quand une femme lui demanda pourquoi il avait défini le paturon comme le genou du cheval, il répondit «Ignorance, madame, pure ignorance». Pourtant, toute idée d'anti-intellectualisme anglais ou d'amateurisme est purement illusoire.

Le dictionnaire de Johnson permit une véritable percée. Noah Webster a peut-être critiqué son prédécesseur, mais il lui a emprunté des milliers de textes, et quand, en

1888, les victoriens commencèrent leur grand œuvre, ils l'appelèrent le «Nouveau dictionnaire anglais», ce terme «nouveau» signifiant qu'il était le premier à se démarquer de celui de Johnson.

C'est un fait considérable d'avoir défini non seulement une vieille langue, mais la langue de ce qui était alors le plus grand pays au monde. C'est surtout un fantastique acte d'affirmation personnelle que de retenir le vaste torrent des mots alors qu'ils changent et se faufilent à travers l'histoire, et de dire : c'est ça. C'est ce qu'ils signifient, et ils signifient ceci car moi, Johnson, je le dis. Ce n'est donc pas étonnant que Dodd se soit tourné vers lui pour tenter de sauver sa peau.

Cet ecclésiastique qui aimait rire n'était pas un mince auteur lui-même puisqu'il avait produit cinquante-cinq titres, dont un charmant volume sur Shakespeare. Mais le comparer à Johnson, c'est comparer un pistolet à eau à un cuirassé. La seule question qui vaille est : pourquoi Johnson a-t-il accepté de l'aider ? Pourquoi a-t-il prêté son immense talent à ce filou ?

Même s'il avait du charme, Dodd était un escroc. Trois ans plus tôt, il avait été impliqué dans une affaire de corruption, quand il avait offert trois mille livres à lady Apsley, la femme du lord-chancelier, pour qu'elle l'aide à participer au fonctionnement lucratif de l'église St George, sur Hanover Square. À cette époque, être vicaire était un sort enviable qui valait bien de graisser quelques pattes.

Le subterfuge fut découvert et le roi, ulcéré par l'insulte ainsi faite à son lord-chancelier, et conséquemment, à la Couronne, raya Dodd de la liste des chapelains royaux. Face au scandale qui prenait de l'ampleur, Dodd se sauva en Suisse et Londres suivit de loin toutes ses frasques. Quand il y revint et y prêcha son dernier sermon, le 2 février 1777, il était devenu célèbre.

Lorsque Johnson reçut la demande d'aide de Dodd, on dit qu'il fut « très agité ». Il avait rencontré Dodd une seule fois, plusieurs années auparavant, mais quand il lut la lettre, il déclara qu'il allait « faire ce qui était en son pouvoir ». Et il le fit certainement, ne ménageant pas ses efforts, souvent secrets, en faveur de cet ecclésiastique malhonnête.

Johnson ne correspondait pas à l'image que l'on avait de lui, celle d'un conservateur réactionnaire. Il était plus compliqué que cela, plus compatissant, et mû par un sens certain du devoir.

L'analyse de la société par Johnson nous semble étrange aujourd'hui car on nous a inculqué depuis l'enfance l'idée d'égalité. Dans un monde idéal, on se traiterait avec respect et en tant qu'égaux. Pour Johnson, c'était irréaliste. Les gens ne se conduisent pas de cette façon, pensait-il. Il est même allé plus loin en disant que l'égalité était non seulement irréaliste, mais aussi indésirable. Si nous étions tous égaux, la race humaine n'aurait aucun avenir : on n'enregistrerait aucune avancée intellectuelle car celle-ci ne découle que des loisirs, et les loisirs découlent à leur tour du travail de ceux qui sont au service des oisifs.

Quand Johnson voyait un mendiant dans la rue, il ressentait de la compassion, certes. Mais il n'était pas exactement indigné par la disparité de condition entre le mendiant et lui-même. Pas du tout. Pour lui, leur existence n'était pas seulement inévitable, elle était indispensable. « Mieux vaut le malheur de quelques-uns que le bonheur pour personne, ce qui serait le cas si nous étions tous égaux. » L'inégalité se révèle essentielle à la bonne marche de toute institution. C'est la seule façon d'obtenir des résultats. À ses yeux, la hiérarchie est une nécessité, avec un chef en haut, les autres en dessous.

Et vous savez quoi ? poursuivait-il, les humains aiment ça. En fait, ses propos peuvent être interprétés de manière généreuse : il ne prône pas l'inégalité par snobisme ou amour de la hiérarchie, il pense qu'elle avantage et protège les gens du bas de l'échelle. C'est le point de vue des tories du XVIIIe siècle dont Johnson fut un grand avocat.

Pendant la vie de Johnson, les tories n'ont jamais été majoritaires. Ils luttaient pour les petits commerçants et la monarchie alors que les whigs étaient le parti des affaires et du «progrès». Les tories soutenaient le roi, pas par une sorte d'atavisme superstitieux mais parce qu'ils considéraient qu'il protégeait le peuple. On avait besoin d'un roi contre les avancées des riches et des puissants.

Si on regarde sa pensée économique, il s'oppose à l'augmentation des salaires des journaliers qui les pousserait à l'oisiveté, «une très mauvaise chose pour la nature humaine». Il applaudit le luxe selon l'argument conservateur classique de ses retombées sur les autres classes sociales.

Tout ceci pourrait faire passer Johnson pour un monstre yuppie des années 1980 qui considérait la consommation de champagne comme essentielle pour l'économie et agitait ses billets de banque devant le nez de mendiants. En fait, il était l'opposé d'un cœur dur. Peu soucieux de l'argent, il fut arrêté pour dettes et se montrait si généreux qu'il donna un jour tout son argent sur le chemin entre sa maison et la taverne dans laquelle il dînait. Ses lettres sont pleines de demandes d'aides en faveur des moins chanceux. Et il s'occupa des êtres qui lui étaient chers avec affection et dévotion.

Parmi ceux que l'on trouvait dans l'étrange ménagerie de Bolt Court figurait une vieille poétesse aveugle,

Mme Williams, connue pour sa répugnante façon de se tenir à table et que Johnson amenait avec lui dans le Londres à la mode. Et le fameux Frank Barber, son serviteur noir, que Johnson aida de façon extraordinaire. Il lui fit quitter la marine, paya pour son éducation, le traita comme son pupille, et en fit le principal bénéficiaire de son testament. «Il est impossible de ne pas penser que tous les hommes étaient égaux à l'origine», dit-il. Et il n'y a aucune confusion dans son esprit.

Pour Johnson, subordination et inégalité étaient inévitables et même désirables. Cependant, il n'était pas incohérent de penser que tous les êtres humains étaient égaux en dignité. Sous des aspects d'intolérance intellectuelle, il était en fait un bon vieux tendre. Quand il s'interrogeait pour savoir s'il allait aider l'ecclésiastique auteur de faux chèques, on peut imaginer que la simple compassion le motivait – une compassion peut-être amplifiée par plusieurs épisodes relatifs au propre passé de Johnson. La vie de William Dodd était en jeu car il avait été en conflit avec le comte de Chesterfield, son ancien élève qui avait refusé de passer l'éponge sur son délit. Et ce comte de Chesterfield était le fils du fameux comte de Chesterfield avec lequel Johnson avait eu, un quart de siècle plus tôt, la plus grande prise de bec de l'histoire de la littérature anglaise.

Quand, à court d'argent, Johnson cherchait des mécènes pour l'aider à financer son dictionnaire, il avait approché lord Chesterfield, à la fois diplomate, politicien, homme de lettres et théoricien ultra-chic de l'étiquette. Après y avoir été encouragé, Johnson s'était rendu chez lui mais avait été cantonné dans une antichambre reculée où il avait poireauté un long moment, puis était reparti, d'une humeur de chien, les mains vides.

Sept ans plus tard, le dictionnaire terminé, le travail de Johnson commençait à retenir l'attention. C'est à ce moment-là que le comte de Chesterfield écrivit quelques articles dans lesquels il expliqua tout le bien qu'il pensait de cette énorme tâche accomplie. À cela Johnson répondit par une lettre qui contient un des plus beaux écrits littéraires. « Le mot qui montre que vous avez été satisfait de mon travail, eût-il été écrit plus tôt, aurait été aimable, mais il est arrivé si tard qu'il me laisse indifférent, que je ne peux donc pas le partager, et que je vous le rends. »

Un second souvenir a peut-être aussi refait surface avec Dodd. Quarante ans plus tôt, Nathaniel, le plus jeune frère de Johnson, avait trouvé la mort dans de tristes circonstances, criblé de dettes. On parla de suicide, d'usage de faux. Peut-être fut-ce la pensée du désespoir de son frère qui décida Johnson à agir. Il prit la plume pour aider Dodd, et ce avec un zèle presque obsessionnel.

Quelle que soit la tâche à accomplir, il allait jusqu'au bout. Il s'agissait d'un homme qui se faisait une règle de toucher les poteaux qu'il trouvait sur son chemin selon un certain ordre, d'entrer dans une pièce selon un certain rituel, et que son démon intérieur poussait à collectionner toutes les peaux des oranges qu'il mangeait. Le malheur l'aurait frappé s'il avait laissé une tâche inaccomplie car sa conscience – claquant la langue et tapant du pied – l'aurait poursuivi jusqu'à ce qu'il la mène à bien. Un seul exemple résume la capacité à culpabiliser de Johnson : son père lui avait demandé de faire une course quand il était jeune, et cinquante ans plus tard, il expia son manquement en restant la tête nue sous la pluie à l'endroit où l'étal de son père se trouvait jadis.

La liste des actions qu'il entreprit – de façon anonyme – en faveur de l'homme qu'il connaissait à peine sont multiples. Il rédigea un discours qui devait être lu par l'avocat lors de la condamnation à mort de Dodd à la cour d'assises ; une lettre aux détenus emprisonnés avec Dodd à Newgate; une autre lettre au lord-chancelier et une à lord Mansfield; une supplique du docteur Dodd au roi; une supplique de Mme Dodd à la reine; plusieurs longs articles dans les journaux indiquant qu'une pétition avait été présentée à Sa Majesté, portant vingt mille signatures et demandant la liberté pour Dodd. Il écrivit aussi une supplique à la City de Londres et un document qui devait être la dernière déclaration solennelle du docteur Dodd.

Au total, un magnifique travail. Mais un travail inutile. Le roi fut implacable et refusa son pardon. Entouré d'une foule énorme, Dodd fut transporté dans une charrette funéraire jusqu'à Tyburn, une corde autour du cou, priant et pleurant tandis qu'il passait dans la rue où il avait vécu dans le luxe.

Alors que Dodd montait sur l'échafaud, un officiel du nom de Villette se vit remettre la dernière déclaration solennelle du condamné (écrite en secret par Johnson) pour qu'il la lise devant la foule agitée.

Elle était remplie de protestations de foi et de regrets devant la place qu'avaient pris le paraître et la volupté dans son existence, et devant son incapacité à réduire son train de vie. Vanité et plaisir l'avaient poussé à des dépenses disproportionnées par rapport à ses revenus et sa détresse – importune détresse – avait entraîné la fraude. Mais il était un bon chrétien, même si sa conduite avait été répréhensible. Malheureusement, le document était plutôt long et l'officiel décida que la foule allait s'impatienter. La décision fut donc prise de couper court à la lecture et de procéder à la pendaison de William Dodd.

Le chariot s'écarta de la potence, son corps tomba. Comme si l'indignité n'était pas suffisante, il fut emmené sur-le-champ, encore chaud, par les horribles croque-morts qui hantaient alors Tyburn. Ils le conduisirent au fameux chirurgien John Hunter qui essaya de lui insuffler de l'air dans les poumons à l'aide d'un soufflet.

En vain. Dodd était aussi mort qu'un dodo et tous les efforts de Johnson avaient été inutiles. Pour la première fois dans l'histoire, un ecclésiastique avait été exécuté pour cause d'immoralité.

Cet épisode montre l'éventail des qualités de Johnson : sa compassion, son énergie, sa phénoménale production littéraire. Sa volonté d'écrire de façon anonyme souligne l'esprit charitable et le sens moral obsessionnel qui étaient constitutifs de son tempérament.

Même s'il aimait paraître, Johnson était un homme doux et gentil. Il a soutenu Dodd. Il se rendait compte de la dureté de la vie des pauvres. Aujourd'hui, on dirait qu'il est un conservateur compassionnel, et il était sans aucun doute conservateur – l'un des pères de la philosophie politique selon laquelle faire les choses à l'ancienne représente la sagesse, bouleverser l'ordre établi comporte des périls.

Il s'est opposé aux colons américains dans leur guerre d'indépendance sous prétexte qu'ils étaient de séditieux renégats. Et il désapprouva ceux qui poussèrent le peuple à l'insurrection. «Ceux-là n'aiment pas leur pays et perturbent inutilement sa paix», dit-il. Ce qui n'était pas exactement l'opinion des grands radicaux dans le Londres du XVIIIᵉ siècle.

LES SERGENTS DE VILLE

Peu de villes au monde offrent aux touristes la possibilité d'acheter la copie d'un casque de policier comme souvenir. On en trouve dans tous les kiosques à Londres, à côté de cabines de téléphone rouges miniatures, de petits autobus à deux étages et de slips portant l'inscription « J' (♡) Londres ».

Ceci en dit long sur la façon dont est géré le maintien de l'ordre dans la ville, sur le fait que ceux qui portent ces casques bleus au cachet indubitable ne doivent pas être pris pour la sinistre personnification du contrôle de l'État. Ils ne sont pas là pour obéir au ministère de l'Intérieur leur enjoignant de défoncer votre porte pendant la nuit. Ils n'appartiennent pas à la *securitate* de l'ancien dictateur roumain Ceaucescu, ils ne sont pas, non plus, gendarmes, ni *carabinieri*.

Ils font partie de la foule des rues : non armés, aimables et prêts à vous donner l'heure. Selon sir Robert Peel, le fondateur de la Metropolitan Police Force, « les policiers c'est le public ; le public, ce sont les policiers ». Ce qui signifie qu'ils sont proches de nous. La police, en Grande-Bretagne, se fait « par consentement ».

Cette distinction entre la police anglaise et des modes de régulation sociale du genre « Vos papiers, s'il vous plaît » peut sembler subtile, mais c'est important. Ancien, le souci des Londoniens en matière de liberté individuelle est tel que, pendant des années, l'existence même d'une force de police a fait l'objet de sérieuses réticences.

Il y eut des agents de police, comme le stupide Dogberry dans la comédie de Shakespeare *Beaucoup de bruit pour rien*, qui baragouinait un langage se voulant officiel. On trouvait des gardiens rémunérés par les corporations ; et tandis que la population de Londres augmentait au début du XVIIIe siècle, et que

160

les taudis devenaient le paradis des voleurs, des gens étaient payés par les magistrats pour attraper les criminels.

Le problème, avec ce système de récompenses, c'est que ceux qui arrêtent les voleurs ont avantage à encourager le vol. En la matière, le personnage le plus incroyable fut Jonathan Wild (1682-1725). Il se présenta comme « l'attrapeur en chef de brigands de Grande-Bretagne et d'Irlande », et persuada les autorités qu'il était un genre de Batman du respect de la loi – alors qu'en même temps il organisait des bandes de délinquants s'attaquant à toutes sortes de biens.

Ces biens volés étaient « retrouvés » et Wild réclamait sa récompense qu'il partageait avec sa bande. Si l'un des membres voulait moucharder, ou ne plus marauder, Wild le dénonçait, l'envoyant ainsi à la potence. Aux yeux du pauvre public dupé, Wild, c'était Robocop, un héros. Quand, en 1720, le Conseil privé le consulta sur les moyens de contrôler la criminalité, Wild répondit avec superbe qu'il fallait augmenter les récompenses des chasseurs de primes. En définitive, la fraude fut découverte et Wild fut pendu.

Pourtant, les Londoniens se montraient toujours hostiles à une force de police mise en place par l'État. Pour eux, c'était une idée tyrannique, autant dire étrangère. À la fin du XVIIIe siècle, la ville comptait sur ces sergents de Bow Street, « une bande de braves gars, toujours prêts à partir à l'autre bout de la ville ou du royaume ». Ils patrouillaient les rues et procédaient à des arrestations au nom des magistrats de Bow Street. Mais comme ils étaient aussi payés au résultat, ils succombèrent aux mêmes tentations que les attrapeurs de voleurs et participèrent à une escroquerie à grande échelle, visant à partager les récompenses entre criminels et receleurs.

Au début du XIXe siècle, les pressions se multiplièrent, dans certains quartiers, en faveur de la création d'une force professionnelle. En 1811, les gens furent outrés de voir l'incapacité des autorités à mettre un terme aux horribles meurtres perpétrés dans l'est de Londres. «Je préfère que l'on coupe la gorge d'une demi-douzaine de personnes autour de Ratcliff Highway tous les trois ou quatre ans, plutôt que d'être exposé à des contrôles à mon domicile, d'être espionné, et soumis à d'autres méthodes employées par Fouché», déclara alors John William Ward, futur ministre des Affaires étrangères, se référant aux techniques brutales de Joseph Fouché, le ministre de la police de Napoléon.

La pression grandit en 1821, à l'occasion du désordre qui suivit la mort de la reine Caroline (un genre de Lady Di, qui provoqua un deuil rageur et extravagant), bien qu'en 1823 le *Times* insistât encore sur l'idée qu'une force de police centralisée était «un moteur inventé par des despotes». Finalement, en 1829, Peel vit sa loi votée par le Parlement. Une police professionnelle était née.

Par respect pour un public anxieux face aux nouveaux agents autorisés par l'État, Peel fit de son mieux pour que cette force soit de nature civile. Il habilla les hommes de hauts-de-forme, de manteaux bleus à queue-de-pie, et les équipa d'une seule matraque (d'un coutelas dans les endroits dangereux). Même si les Londoniens commencèrent par huer ces policiers, ces derniers connurent vite un grand succès, soutenus par Dickens et d'autres. On assista à une baisse spectaculaire du nombre de crimes au cours de la deuxième partie du XIXe siècle, un nombre resté bas jusque dans les années 1960.

Pour les Londoniens, la première démonstration était faite de l'efficacité de la police. Si la liberté avait un prix, il s'avérait modéré, et ils décidèrent qu'il valait la peine d'être payé.

JOHN WILKES

Le père de la liberté

Nous sommes un matin de février 1768, l'Angleterre frissonne sous des températures glaciales et la Tamise est gelée. Il fait un froid de gueux à Westminster. La porte d'une élégante maison s'ouvre dans Marsham Street – à sa place se dresse aujourd'hui le ministère de l'Éducation – et un homme aux yeux clairs – John Wilkes – observe la rue.

Dire qu'il a une fantaisie dans le regard est une litote. Le pauvre homme louche de façon extraordinaire. Une bouche édentée, un menton exagérément proéminent : ce type a une tête à donner des cauchemars aux enfants. Et pourtant, il n'est pas dénué de charme alors qu'il renifle l'air glacé avec bonheur.

Wilkes a quarante et un ans et il est fort satisfait d'être de retour – après quatre années d'un exil confortable sur le continent – dans le Londres qu'il aime et où il s'était rendu célèbre. Dans son regard brille la curiosité de celui qui se réjouit de découvrir ce que le destin lui réserve. Il enfonce son chapeau sur la tête, referme le col de son manteau, et si l'on l'interroge, il doit répondre qu'il se nomme M. Osborn.

On peut difficilement imaginer un nom d'emprunt aussi superfétatoire. Ces yeux qui convergent et ce menton proéminent ont déjà été caricaturés par le célèbre dessinateur William Hogarth, dont les images se vendent par milliers. Le roi d'Angleterre le traite de «diable». Wilkes est l'un de ses plus turbulents sujets et certains ministres le considèrent même comme la plus grande menace qui pèse sur la paix et le gouvernement du pays.

Wilkes est comme un clou enfoncé dans les jointures les plus fragiles de la Constitution, et poussé plus profondément encore par l'indignation du peuple, il semble prêt à tout faire sauter. Il scandalise la Chambre des lords pour être le co-auteur de l'un des plus obscènes – ou des plus puérils – poème jamais écrit. Il se bat en duel avec l'un de ses pairs pour défendre son honneur, et porte une cicatrice dans l'aine gagnée dans un autre duel avec un parlementaire, tentative ratée de l'establishment, selon certains experts, pour se débarrasser de cet importun.

Cette blessure est vite un vieux souvenir et n'entrave pas ses aventures romantiques. À peine son cœur s'est-il brisé pour une beauté italienne de dix-huit ans dont les charmes sont internationalement célébrés qu'il se console déjà à Paris avec deux maîtresses bien nées qui semblent ne nourrir aucune rancune l'une envers l'autre. Il est une autorité en grec et en latin, qui a déjà battu le docteur Johnson sur son propre terrain, la lexicographie, il dîne avec James Boswell, l'écrivain écossais, aide un autre Écossais, le philosophe David Hume, dans le bon usage de l'anglais, et rit avec Voltaire des peurs liées à la superstition qui asservissent la plupart des êtres humains.

Quand il s'engage dans Marsham Street, en ce froid matin de février, Wilkes sait déjà que son nom restera dans l'histoire. Il a été au centre de batailles juridiques pour défendre les libertés individuelles et réduire les pouvoirs de l'État. Il est si populaire que lorsqu'il a de nouveau posé, un an plus tôt, un pied sur le sol de l'Angleterre, les cloches des églises ont sonné en son honneur et une foule de gens s'est massée devant la maison qu'il occupait.

Wilkes, ce matin-là, marche avec détermination parce qu'il sait ce qui lui reste à faire. Ruiné, endetté, il est hors la loi et peut être arrêté et déporté à tout instant. Mais il a conscience qu'il est encore en mesure de faire un pied de nez au roi et à tous ses flagorneurs.

Il va faire ce qu'ils redoutent le plus : se présenter de nouveau au Parlement, celui-là même qui l'a expulsé. Et ceci pour défendre la démocratie.

Je ne suis pas très fier d'avoir écrit un jour un devoir d'histoire pompeux, alors que j'avais quinze ans, traitant Wilkes d'imbécile, de politicien de quatre sous, d'opportuniste de seconde classe, de démagogue sans principe flottant comme une bulle sur une vague de sentiments populaires qu'il ne partageait pas. Heureusement, ce texte est perdu. Peut-être reflétait-il ce que certains pensent encore à son sujet.

Or, rien n'est plus faux. Je n'ai pas simplement changé d'avis en admirant aujourd'hui son courage, son dynamisme et son énergie. J'ai aussi réexaminé son travail et compris qu'il était vraiment ce que ses admirateurs chérissaient chez lui : le père des libertés. C'est lui qui a obtenu le droit pour les journaux de relater les travaux de la Chambre des communes, lui qui s'est levé le premier au Parlement pour demander que tous les hommes adultes – riches ou pauvres – aient le droit de vote. Son combat fut ardemment soutenu par les Américains, las des errements des gouvernements de George III. Il existe un comté de Wilkes dans l'État de Caroline du Nord, dont la ville principale s'appelle Wilkesboro (connue pour ses poules en batteries et son festival de musique country). Quand, en 1969, le premier élu noir, Adam Clayton Powell, fut exclu de la Chambre des représentants, c'est à John Wilkes que le juge de la Cour suprême Earl Warren se référa pour annuler cette exclusion, qualifiée de mauvaise et partiellement fondée sur des motivations racistes. Élire ses représentants est le droit souverain du peuple et de lui seul, rappela le juge Warren. Wilkes peut légitimement être considéré comme le père des libertés, non seulement en Grande-Bretagne, mais aussi en Amérique.

Né en 1725 ou 1726, Wilkes vécut jusqu'à la fin du XVIIIe siècle. Cette époque connut une croissance extraordinaire de la puissance et de la richesse de Londres. Quand Wilkes voit le jour, les places du quartier de Mayfair sont en construction. La Banque d'Angleterre et la Bourse ont déjà trente ans. Grâce au traité d'Utrecht de 1713, la Grande-Bretagne a acquis de nouvelles colonies en Amérique et ailleurs, et les marchands s'en mettent plein les poches. Le commerce est très lucratif, comme l'importation du sucre des Antilles, par exemple, qui est raffiné sur les docks de Londres. Mais on peut gagner plus d'argent encore avec tous les services associés à ces activités commerciales : les banquiers financent la construction de navires et la création de plantations, les assureurs assurent ces navires et la production de ces plantations, les courtiers achètent et vendent des participations dans les entreprises dont le capital est réparti en actions. Tous ces gens apportent de l'argent à Londres et les besoins d'une bourgeoisie en pleine expansion font tourner les rouages des industries de toutes sortes.

Wilkes est né à St John's Square, dans le quartier de Clerkenwell qui abrite aujourd'hui des ateliers d'architecture et des restaurants à la mode. C'est à Clerkenwell que Nicholas Tompion fabriqua ses premières montres à ressort, sur les ordres de Robert Hooke et le quartier devint le centre européen de l'horlogerie. Les femmes des horlogers voulaient montrer leurs bijoux et leur jolie

166

vaisselle, et c'est encore à Clerkenwell qu'elles trouvaient des marchands d'argenterie et des joailliers. Il leur fallut ensuite mettre tous ces trésors sous clef, et les serruriers de Clerkenwell ouvrirent des échoppes et répondirent à la demande.

La famille de Wilkes travaillait elle aussi dans le commerce. Sa mère était l'héritière de tanneurs et son père, Israel Wilkes, possédait une distillerie. Il prétendait n'être qu'un brasseur de bière et que son malt n'avait jamais été associé à la fabrication du gin, cette boisson dont l'impact sur les classes pauvres avait été vicieusement illustré par Hogarth dans un dessin intitulé *La Ruelle du gin* (*Gin Lane :* une mère indigne, emportée par l'ivresse, lâche son bébé qui tombe la tête la première dans un égout). Qu'Israel Wilkes ait été ou non responsable de l'intoxication d'un prolétariat sans défense, il n'en reste pas moins qu'un énorme fossé se creusait alors entre les revenus des bourgeois commerçants comme les Wilkes et les urbains pauvres.

Londres, à l'époque, n'était ni sûre ni saine. Le travail du prolétariat résistait mal aux assauts des technologies nouvelles. En 1710, les tisserands de Londres détruisirent plus d'une centaine de métiers à tisser pour empêcher leurs employeurs d'embaucher trop d'apprentis. En 1720, les «soyeux» de Spitalfieds chahutèrent et bousculèrent les femmes vêtues ou coiffées de cotonnades bon marché venues d'Inde, déchirant leurs vêtements et les traitant de «putes du coton indien».

Ces tisserands étaient désespérés de se voir chaque jour giflés par la grande main invisible d'Adam Smith et l'une des caractéristiques de Wilkes, c'est qu'il était non seulement le champion de la réforme démocratique, mais aussi le héros des pauvres et il assumait ce rôle avec une exubérante insolence.

Ses parents, pourtant, avaient décidé de faire de lui un érudit et un gentleman. Contrairement à ses frères, il reçut une éducation complète et coûteuse et entra à l'université de Leiden, aux Pays-Bas, alors bien plus prestigieuse qu'Oxford ou Cambridge. C'est là qu'il prit goût à la débauche, penchant qu'il gardera tout au long de sa vie. « J'étais toujours avec des femmes à Leiden, racontera-t-il plus tard. Mon père m'envoyait autant d'argent que je voulais, ainsi j'avais trois ou quatre courtisanes avec moi et me saoulais tous les soirs. » Cependant, il ne perd pas son temps. « Le matin, je me levais avec une gueule de bois, ensuite, je lisais. » D'où sa maîtrise du latin et du français. Il adorait les grands classiques et rencontra pour la première fois à Leiden certains des intellectuels qui seront heureux de l'introduire dans le cercle local des philosophes. Wilkes associait le sexe à la créativité intellectuelle. « Dissipation et débauche rafraîchissent l'esprit, déclara-t-il un jour. J'ai écrit mes meilleures pages au lit avec Betsy Green. »

Il était de retour à Londres à l'âge de vingt ans et se maria, sous la pression familiale, avec Mary Mead, de dix ans son aînée, femme riche mais névrosée. Ce ne fut pas un mariage heureux et le couple finit par se séparer, mais ils eurent cependant une fille, Polly, qui éveilla chez Wilkes une affection et une attention paternelle constantes. Même ceux qui n'aimaient pas Wilkes — et ils étaient nombreux — se disaient profondément touchés par la dévotion du père pour son enfant. Elle avait des yeux bruns et une intelligence qu'elle avait héritée de Wilkes, lequel lui légua aussi, hélas, un profil prognathe. La famille passait l'été dans une propriété de sa femme à Aylesbury, et Wilkes devint un pilier de la communauté locale. Peut-être aurait-il pu mener la vie tranquille d'un châtelain de campagne, mais il aimait Londres et découvrit qu'il y était de plus en plus attendu, comme un homme au goût du jour et plein d'esprit.

«Faire oublier mon visage ne me prend pas plus de vingt minutes», disait-il avec assurance. Et on peut diviser ce temps par deux, parfois. Il fut élu membre de la Royal Society en 1749 et admis au Beefsteak Club en 1754. En 1755, il était si sûr de lui et de sa position mondaine qu'il se moqua ouvertement du docteur Johnson qui avait prétendu dans son dictionnaire que la lettre H se trouvait pratiquement toujours au début d'un mot. «Ha!», lança Wilkes, avant de citer avec humour vingt-six mots anglais ayant un h en leur milieu.

Wilkes s'habillait comme un dandy et se promenait avec deux chiens, Didon et Pompée. Il était membre du Hellfire Club et participait aussi aux rites sulfureux des moines de Medmenham, une société secrète et libertine. Pensez aux soirées bunga-bunga de Silvio Berlusconi, mais en habits ecclésiastiques...

Les réunions avaient lieu dans une ancienne abbaye à moitié en ruine, sur les rives de la Tamise, du côté de Marlow, et son propriétaire, sir Francis Dashwood, tenait à ce que ses pensionnaires fassent preuve d'une robuste hétérosexualité; des courtisanes de haute volée, mais aussi des femmes du monde aventureuses étaient invitées à un dîner à l'issue duquel elles devaient choisir un partenaire avec lequel elles se retiraient dans une cellule monacale. Les enfants nés de ces unions étaient appelés les fils et les filles de Saint-Francis. Un soir, alors que les chandelles vacillaient, que la moitié des «moines» était fin saouls et que les ombres de leurs ébats dansaient sur les fresques érotiques des caves, Wilkes amusa la galerie en lisant un poème écrit par l'un de ses amis, Thomas Potter, fils rebelle de l'archevêque de Canterbury. Le texte s'intitulait «Essai sur la femme», une gaudriole idiote qui lui posa beaucoup de soucis par la suite.

Wilkes, alors, avait le vent en poupe. Il s'était lancé dans un duel lexicographique avec l'éminent Samuel Johnson, il frayait avec les aristocrates. La prochaine étape, le poste le plus chic ensuite, c'était un siège au Parlement. Après une défaite à Berwick, pour avoir commis la sottise de ne pas avoir acheté les voix des électeurs, il fut élu pour la circonscription d'Aylesbury, comme membre du groupe de William Pitt l'ancien qui deviendrait bientôt comte de Chatham.

Wilkes n'était pas un parlementaire très brillant. Ses dents étaient gâtées, sa voix inaudible, mais en 1760 vint son heure. George II mourut et son petit-fils, George III, lui succéda.

George III était un homme sérieux qui parlait l'anglais avec un accent teuton. Plein de bonnes intentions, il voulait le meilleur pour son pays, ce qui signifiait, selon lui, un rôle politique plus actif pour le roi d'Angleterre. Ses pouvoirs avaient été considérablement réduits depuis la guerre civile, mais il y avait encore un peu d'espace pour l'ambiguïté. Le roi pouvait toujours dissoudre les chambres, faire et défaire les Premiers ministres, et ainsi exercer une influence politique considérable. George III décida de s'en servir, et dès son premier discours, le 12 novembre 1760, il défendit les positions de son tuteur, lord Bute – une figure presque paternelle dont la rumeur affirme qu'il était l'amant de la mère du roi. Et c'est ainsi que George III annonça qu'il voulait mettre un terme à la guerre de Sept Ans.

Les guerres impériales de Pitt avaient le soutien de la City. Elles rapportaient de l'argent à Londres, et voilà soudain ce roi venu de Hanovre et son tuteur écossais, ancien élève d'Eton et trousseur de reine mère, qui voulaient faire la paix, sous prétexte que la guerre coûtait cher, pour faire des coupes dans le budget de la défense, comme nous dirions maintenant. William Pitt ne voulut rien entendre et démissionna. Ses amis furent indignés et Wilkes trouva sa voie, qui n'était pas celle d'un orateur, mais d'un pamphlétaire. Avec son copain libertin le poète Charles Churchill, il commença à harceler le régime à grands coups de plume.

Il créa un journal, le *North Briton* (le Britannique du Nord), ainsi nommé parce que sa cible principale, lord Bute, était écossais. Il lui tapait dessus à bras raccourcis, dénonçant la mafia en kilt et le coût pour le contribuable anglais des soins et de l'éducation des Écossais, accusés d'indolence. Sa prose était si virulente que pendant des décennies, il ne pourra pas croiser un officier écossais sans que celui-ci le défie en duel. Les enfants écossais brûleront ses effigies jusqu'à l'époque victorienne. Pour des gens comme Wilkes, l'époque était aux Lumières et l'on pouvait enfin, comme Voltaire, faire et dire à peu près tout ce que l'on voulait. Pour beaucoup, cependant, tout ceci était extrêmement choquant.

Ce pauvre vieux lord Talbot, par exemple. Lors de la célébration du couronnement de George III, il était censé entrer à cheval dans Westminster, saluer le roi puis reculer jusqu'à la sortie. C'était sans doute en demander beaucoup à un cheval, mais lord Talbot fit de nombreuses répétions jusqu'à ce que l'animal recule sans rechigner. Hélas, le jour J, la bête, affolée par le bruit de la foule, fit demi-tour, leva la queue et présenta son gros derrière au roi, provoquant un immense éclat de rire. Wilkes en fit son miel. Ce cheval, écrivit-il dans *North Briton*, est un champion légendaire, la Rossinante de Don Quichotte, un animal au style naturel si merveilleux que la Couronne devrait lui attribuer une pension.

Tout cela semble bien gentil aujourd'hui, mais lord Talbot était au bord de l'apoplexie. Il voulut savoir si Wilkes était bien l'auteur de cette farce anonyme et exigea réparation. Le 5 octobre 1762, les deux hommes s'affrontèrent en duel à Bagshot Heath, un coin sinistre peuplé de bandits de grand chemin. Wilkes arriva avec une gueule de bois sévère, suite à une orgie jusqu'au petit matin avec ses amis les «moines» de Medmenham, et pensant que le duel n'aurait pas lieu avant le lendemain. Mais Talbot insista pour se battre le soir même et entra dans une indescriptible rage.

Ce duel mettait Wilkes dans une situation difficile. Alors que sa vision était mauvaise, Talbot était un athlète à l'œil de lynx. Il y avait pire encore : s'il tuait Talbot, il serait probablement pendu, tandis que l'officier pouvait compter sur le pardon du roi. À sept heures du soir, éclairés par la pleine lune, ils se retrouvèrent donc dans le jardin d'une auberge à l'enseigne du Lion rouge. Ils se tinrent debout, dos à dos, firent sept grands pas en avant et se retournèrent en tirant. Cela en dit long sur l'art de la balistique au XVIIIe siècle, ou sur leur terreur mutuelle, car ils se ratèrent. Wilkes s'était comporté avec courage et en homme d'honneur : il s'avança vers Talbot pour lui dire qu'il était bien l'auteur des satires qui l'avaient offensé tandis que Talbot l'assurait qu'il était l'une des âmes les plus nobles que Dieu ait jamais conçue.

En un sens, cette histoire était absurde. Talbot, qui représentait le gouvernement et ceux qui s'indignaient de ces pamphlets anonymes, était victime de son manque d'humour. Wilkes, défendant le droit des journalistes à publier des attaques anonymes sans crainte de représailles officielles, était conscient de la gloire qu'il pouvait tirer de s'être honorablement battu en duel. De fait, sa réputation sortit grandie de cet épisode, qui augmenta ses succès auprès des femmes. Il écrivit à Churchill : « Une jeune fille charmante, pour laquelle j'ai soupiré sans succès pendant quatre mois, m'a annoncé qu'elle peut maintenant confier son honneur à un homme qui prend tant de soin de préserver le sien. N'est-ce pas joliment dit ? S'il te plaît, regarde le mot honneur dans un dictionnaire, je n'en ai pas, afin que je comprenne cette délicieuse créature. »

Tout ceci était un jeu pour Wilkes. Il savait bien, comme tout pamphlétaire, que ses victimes ne méritaient pas tant de sévérité. La plupart des politiciens admettent de nos jours que les critiques acerbes font partie des aléas du métier, ils se sont endurcis. Mais ce n'était pas encore le cas des ministres de George III. Après que Wilkes eut avoué à Talbot être l'auteur des pamphlets du *North Briton*, d'autres personnalités le poursuivirent en justice, et le tirage du journal monta en flèche, jusqu'au chiffre – à donner le tournis à l'époque –, de deux mille exemplaires, tandis que parallèlement grossissait la polémique. Accusé par Wilkes d'être un flatteur écossais pacifiste à la botte du roi, Bute fut sifflé par une petite foule qui lui jeta des pierres.

On tenta d'acheter Wilkes pour le faire taire, on lui offrit le poste de gouverneur au Canada, ou la direction de l'East India Company. Non seulement il refusa, mais publia, le 23 avril 1763, dans le numéro 45 du *North Briton*, une dénonciation de la *cider tax*, un impôt sur le cidre, un moyen, écrivit-il, de contrôler les habitations des citoyens anglais libres. Il déclara inconstitutionnelle la perquisition des maisons au prétexte qu'elles pourraient abriter une distillerie de pommes fermentées, et en appela à la résistance. Pour le roi George III, c'en était trop. Il demanda l'arrestation de Wilkes.

Cette exigence rendit les ministres nerveux. Ce n'était pas si facile d'arrêter un membre du Parlement, même quand le roi piquait une colère. L'immunité parlementaire, cela existait. Et quel chef d'accusation choisir ? Ils finirent par opter pour la « trahison » et remirent aux « messagers du roi » (ce qui ressemblait le plus à une police, à l'époque) un mandat d'arrêt mentionnant les offenses commises, mais pas leurs auteurs. Lesdits messagers, armés de ce document bizarre, entreprirent d'appréhender tous ceux qu'ils jugeaient plus ou moins associés au *North Briton*.

Ils entrèrent dans les immeubles, arrachèrent les rouleaux de papier des presses des imprimeurs, arrêtèrent les typographes, leurs valets, leurs apprentis, jusque dans le pub du coin. Au final, quarante-huit personnes. Mais pas Wilkes. Quand les policiers vinrent le chercher chez lui, il était ivre et leur fit un si vigoureux sermon sur l'immunité parlementaire qu'ils repartirent demander de nouvelles instructions. « Oui, leur déclarèrent les lords Halifax et Egremont, secrétaires d'État, vous devez arrêter Wilkes. » Lequel accepta finalement d'être amené devant eux, mais dans une chaise à porteur, même pour parcourir cent mètres. Une foule déchaînée l'accompagna. Après avoir été interrogé, il fut enfermé dans la Tour de Londres.

La nouvelle se répandit rapidement. Les gens commençaient à connaître ce Wilkes, pourfendeur d'un gouvernement impopulaire. Il devint un martyr de la liberté, des notables lui rendirent visite à la Tour, des ballades furent composées en son honneur, des auberges prirent son portrait pour enseigne, et une foule immense l'accompagna quand il fut transféré de la Tour à Westminster pour y être entendu par le juge Pratt, bientôt lord Camden, qui devint ce jour-là, lui aussi, un héros.

Publier un pamphlet n'est pas porter atteinte à la paix civile, déclara le juge, et l'accusé est couvert par son immunité parlementaire. Il est libéré. «Ce n'est pas la clameur de la racaille qu'il faut entendre, c'est la voix de la liberté qu'il faut écouter», dit Wilkes à son juge.

Wilkes, d'homme du monde, se transforma en opposant radical. Peut-être faut-il y voir l'héritage de sa mère, puritaine et non conformiste, mais ce libertin se révéla être homme de principes : il devint obsédé par la liberté, notamment celle de la presse.

Furieux que le pamphlétaire ait été relaxé, les ministres du roi divulguèrent un détail dont ils pensaient qu'il ferait du tort à Wilkes. Parmi les affaires que l'État lui avait restituées se trouvait un paquet de préservatifs : mais cela ne fit ni chaud ni froid aux Londoniens, comme d'ailleurs les autres révélations sur sa vie privée.

Wilkes passa à la contre-offensive, déposant une plainte contre les secrétaires d'État pour violation de domicile et vol, puisqu'au cours de la perquisition, un chandelier d'argent avait disparu. Il ne fut pas le seul à exploiter l'incident du «numéro 45» pour tourmenter le ministère de George III : il fut suivi dans sa riposte judiciaire par vingt-cinq employés d'imprimerie et apprentis qui, eux aussi, portèrent plainte contre les messagers. Pour la première fois dans l'histoire de la Grande-Bretagne, des ouvriers eurent recours à la justice pour défendre leurs libertés face aux abus des représentants de l'État, c'est-à-dire le roi lui-même.

Tout souriait à Wilkes. Il établit une nouvelle imprimerie sur Great George Street et accabla encore une fois de sarcasmes le gouvernement dans l'infernal *North Briton*. Et soudain, le vent tourna.

Sur le sol de l'imprimerie, l'un de ses ouvriers découvrit un papier qui semblait être un poème pornographique où il était question de lord Bute et d'érection royale, texte corrigé de la main de Wilkes lui-même. Ce poème était une épreuve d'imprimerie de l'«essai sur la femme» de Potter et Wilkes, que ce dernier avait imprudemment fait imprimer à un peu plus d'une douzaine d'exemplaires. L'ouvrier ramena l'épreuve chez lui pour la montrer à sa femme. L'histoire ne dit pas ce qu'elle en pensa, mais le lendemain, l'épouse se servit du papier sur lequel était imprimé le poème pour emballer le casse-croûte de son mari, lequel partagea au pub du coin ses oignons, radis, pain et bière avec un collègue. Celui-ci lit le poème sur le papier gras et le trouva si drôle qu'il l'empocha pour le montrer à son contremaître. Ce dernier ne résista pas à l'idée de le faire lire à son patron, un Écossais nommé Faden qui détestait Wilkes. C'est ainsi que le papier beurré et son poème se retrouvèrent, après d'autres intermédiaires, sur le bureau d'Halifax et d'Egremont qui s'en délectèrent. Car on peut toujours écrire quelques vers cochons, mais les imprimer, c'est autre chose. C'est de la sédition, du blasphème. Wilkes fut trahi par un de ses imprimeurs nommé Curry à qui l'on demanda de livrer d'autres épreuves du texte incriminé. «L'impudence de Wilkes est incroyable, alors que sa ruine est proche», s'exclama le roi qui entreprit de le faire juger par les Chambres des communes et des lords réunies. C'était faire fi, une fois de plus, de l'immunité de Wilkes. Mais le plus désolant et pathétique fut la soumission des parlementaires aux pressions du roi.

Lors de débats pompeux, Wilkes fut traité de monstre par les orateurs. Le plus pénible pour l'accusé fut de voir Pitt – sous la bannière duquel il s'était battu, au nom duquel il avait attaqué Bute – se lever pour se joindre à la curée contre lui et son numéro 45 du *North Briton*. Les lords, en leur chambre, écoutèrent, ébahis, le frêle évêque Warburton affirmer qu'il avait été diffamé par Wilkes dans un poème obscène, et tandis qu'il prononçait son discours, des copies du poème, fraîchement imprimées par le gouvernement, circulaient de main en main dans les rangs. L'indignation fut à son comble quand lord Sandwich – inventeur du repas coincé entre deux tranches de pain et ancien compagnon de Wilkes au Hellfire Club –, se mit à lire à haute voix une partie du texte : « Réveille-toi, ma Fanny, oublie tes tâches subalternes et rappelle-toi ce matin que la vie n'apporte guère plus que le plaisir de bien baiser. »

Quelques lords durent sortir prendre l'air pour retrouver leurs esprits. D'autres jugèrent paradoxal que Sandwich jouât les moralistes. « C'est comme si le diable condamnait le péché », dit l'un d'eux. À première vue, ces procès parlementaires semblaient mal partis. Beaucoup s'étonnèrent de l'hypocrisie du gouvernement qui condamnait l'impression d'un poème tout en l'imprimant lui aussi à de plus nombreux exemplaires.

Curry fut diffamé pour sa trahison et se suicida par la suite. L'un des parlementaires qui s'estimait visé par le poème demanda réparation et affronta Wilkes en duel et le blessa au bas-ventre. Beaucoup y virent une tentative d'assassinat orchestrée par le gouvernement. Quand un exécuteur public tenta d'obéir aux ordres des Communes et entreprit de brûler une copie du numéro 45 du *North Briton*, une foule en colère l'en empêcha et se battit avec les agents du roi qui voulaient rétablir l'ordre. Sensible sans doute aux mouvements de l'opinion, les juges estimèrent finalement illégal le mandat d'arrêt à l'origine de l'arrestation de Wilkes.

Ce fut un moment historique. Les messagers du roi ne pouvaient plus arrêter les gens de façon arbitraire, ni se saisir des biens privés de quiconque à leur guise. Quand le roi se rendit au théâtre, il fut accueilli par des cris de « Wilkes et liberté ! » Néanmoins, la volte-face de Pitt fut décisive. Wilkes fut exclu des Communes le 19 janvier 1764 alors qu'il se trouvait à Paris où il rendait visite à sa fille. Un jury réticent le condamna pour diffamation pour avoir publié le numéro 45 du *North Briton* et l'essai sur les femmes, et comme il ne s'était pas présenté pour écouter sa sentence, il fut déclaré hors-la-loi. Il ne pouvait plus intenter de procès ni se réclamer de la loi. Il était susceptible d'être arrêté à tout moment, un shérif avait le droit de lui tirer dessus sans sommation s'il le rencontrait.

Wilkes s'en moquait. Il était à Paris, avec sa fille chérie, et adulé. Pour les intellectuels de la France prérévolutionnaire c'était un héros qui s'était dressé contre son roi et avait gagné. Un roi français avait peut-être dit : «L'État, c'est moi», mais aucun roi anglais ne pouvait plus rêver dire une chose pareille après ce que Wilkes avait fait à ses représentants. Quand il n'était pas à Paris, Wilkes voyageait. Il rencontra Voltaire à Genève et, à Rome, le grand historien et archéologue allemand Johann Joachim Winckelmann. Il dîna également un soir avec James Boswell, le biographe de Samuel Johnson, qui trouva Wilkes en pleine forme. «Je remercie le ciel de m'avoir donné l'amour des femmes», lui déclara ce dernier en guise d'explication de sa bonne humeur.

Durant l'essentiel de son exil, l'objet principal de son grand appétit sexuel fut une «actrice» de dix-huit ans, Gertrude Corradini. L'une de ses plus grandes qualités, raconta Wilkes, c'est que contrairement à ses contemporaines anglaises ou françaises, elle enlevait tous ses vêtements avant de se mettre au lit. «Elle est possédée par le don divin de la luxure», s'enthousiasmait-il. Hélas, elle était fort généreuse de ce don divin, et quand Gertrude découvrit qu'elle était enceinte, Wilkes découvrit pour sa part, en consultant son agenda, que ce n'était pas lui le père de l'enfant mais un autre homme, qui se faisait passer pour «l'oncle» de Gertrude. Wilkes s'en attrista, car il aimait la jeune femme, mais se consola assez vite, comme nous l'avons vu. Ce qui l'inquiétait surtout, c'était sa situation financière.

Il était censé écrire une histoire de l'Angleterre et avait promis d'éditer les poèmes de Charles Churchill. Comme tout auteur qui se respecte, il avait depuis longtemps dépensé son à-valoir, mais n'avait pas écrit grand-chose. Il vendit sa bibliothèque et sa maison d'Aylesbury, mais devait toujours de l'argent à ses amis français. Il était temps de rentrer à Londres, et de braver l'orage. C'est ainsi qu'il se retrouva, en ce glacial mois de février 1768, à marcher dans Marsham Street, réfléchissant aux différentes options possibles.

Il se présenta d'abord dans la circonscription de la City de Londres, et malgré le soutien enthousiaste des pauvres livreurs, charpentiers, savonniers et distillateurs, il arriva dernier. Il surprit alors tout le monde en annonçant qu'il allait viser plus haut. Il décida de se porter candidat dans le Middlesex, un petit comté au nord de la Tamise qui avait été englobé par le Grand Londres. L'élection eut lieu dans la ville de Brentford, dont la population s'enthousiasma vite pour Wilkes. Le prix du pain augmentait, l'hiver était terriblement froid, les emplois précaires, et quand Wilkes chantait aux pauvres «Indépendance! Propriété! Liberté!», il déchaînait les foules.

Le chiffre 45, numéro de l'édition séditieuse du *North Briton*, devint un chiffre magique, objet de graffitis sur toutes les portes des maisons à Brentford. Le signe de la liberté que n'importe quel artisan illettré pouvait comprendre. Quand Wilkes fut élu, une foule de plusieurs milliers de personnes descendit sur Londres par la Great West Road, arrêtant les voitures pour que leurs occupants fêtent Wilkes et lançant de la boue et des pierres à ceux qui ne voulaient pas se joindre à eux. Les joyeux militants de Wilkes stoppèrent ainsi la calèche de l'ambassadeur de France auquel ils tendirent un verre de vin pour qu'il le boive à la santé de leur héros, ce que le diplomate accepta de bonne grâce. L'ambassadeur d'Autriche, en revanche, refusa, et « cet homme d'État fort pompeux » se retrouva sens dessus dessous, les chiffres 4 et 5 peints sur les semelles de ses chaussures.

Il partit s'en plaindre officiellement le lendemain à Whitehall, une rue de Westminster où siègent la plupart des ministères du gouvernement, où ses malheurs firent rire tous les ministres. Tout le monde n'était pas effrayé par le « wilkisme ». Le gouvernement se trouvait néanmoins dans une situation compliquée avec un Wilkes hors la loi élu au Parlement, couvert par son immunité. S'il était arrêté, la foule des pauvres en colère serait incontrôlable. Que faire ? Ne pas bouger, c'était courir le risque de ridiculiser la Couronne. Wilkes, quant à lui, voulait un nouveau procès, le meilleur moyen, selon lui, d'affirmer le droit à la liberté de parole et à l'immunité parlementaire et de s'assurer une publicité maximale. Être parlementaire impliquait qu'on ne pouvait vous juger pour diffamation, être en prison faisait que l'on ne pouvait être poursuivi pour dette. Un parlementaire en prison, c'était pour lui la meilleure des situations.

Il fut mis en détention provisoire quand ses partisans essayèrent d'intervenir, ce qui ne lui rendit pas service. Sur le pont de Westminster, ils se saisirent de la calèche qui le conduisait en prison. Wilkes promit à ses gardiens qu'il les rejoindrait plus tard au pénitencier puis donna à ses partisans la joie – et l'illusion – de l'avoir libéré. Dans la soirée, il se déguisa et tint sa promesse de se constituer prisonnier. Tel le Charlie Chaplin des *Temps modernes*, il estimait qu'il s'agissait du lieu le plus sûr et le moins cher pour dormir. Il était élu du peuple et martyr du roi. Autant dire un héros.

Pour tous les Américains qui se sentaient persécutés et rabaissés par le roi d'Angleterre, Wilkes était leur homme. Il fut cité et commenté plus qu'aucun autre dans la *Virginia Gazette* et des hommes de Boston lui envoyèrent un festin de chair de tortues. À Newcastle, en Angleterre, on organisa des banquets ayant pour thème le chiffre 45. À 13 heures 45, 45 gentlemen prirent place autour d'une table pour déjeuner, devant 45 verres à moitié remplis de vin et dans lesquels 45 œufs frais avaient été versés, puis, à 14 heures 45, 45 plats furent servis, dont un steak de bœuf de 45 livres. Après le repas, un bal fut ouvert avec 45 dames, 45 danses et 45 confitures, jusqu'à 15 heures 45, quand sonna la fin des festivités.

Le portrait de Wilkes trônait, en porcelaine, en bronze ou en marbre, sur les cheminées d'une bonne moitié des maisons d'Angleterre, disait-on. On trouvait son effigie sur les panneaux indicateurs de tous les villages du pays. Le chiffre 45 apparaissait sur des boutons de manchette, des broches, des tabatières, des tasses de thé, et on trouvait des perruques ornées de 45 boucles. Ceux qui n'avaient pas les moyens de s'offrir ces accessoires n'en continuaient pas moins à soutenir Wilkes. Personne, en dehors de lui, ne semblait s'intéresser à eux ou à leurs problèmes.

Wilkes n'était pas un révolutionnaire, mais un pamphlétaire qui égratignait avec ironie les prétentions royales. Il représentait une réponse très anglaise, et très londonienne, à une question d'ordre constitutionnel.

Nous n'avons pas eu la Terreur, à la fin du XVIIIe siècle, nous n'avons pas coupé la tête des aristocrates, et nous n'avons eu ni Danton ni Robespierre. Mais nous avons eu John Wilkes.

La prison de Wilkes jouxtait un très large espace ouvert nommé St George's Fields, où une foule si dense et bruyante s'était rassemblée le 6 mai 1768 que le gouvernement y envoya la troupe. L'atmosphère, d'abord bon enfant, dégénéra vite et les soldats tirèrent, tuant une demi-douzaine de personnes. En peu de temps, la colère envahit la City, et Benjamin Franklin, qui justement visitait Londres, évoqua «une meute patrouillant dans les rues à midi, frappant tous ceux qui refusaient d'acclamer Wilkes et la liberté». Cinq cents menuisiers détruisirent une nouvelle scierie fonctionnant au vent. Charbonniers et tisserands rejoignirent la révolte, les marins empêchaient les bateaux de quitter le port de Londres. George III menaça d'abdiquer, la popularité de Wilkes attint la stratosphère.

Les intellectuels français lui adressèrent des messages de soutien et les proto-révolutionnaires américains lui rendirent visite en prison. Le cri «Wilkes et liberté» fut entendu jusqu'à Boston et le numéro 45 écrit sur les portes et fenêtres des maisons de la ville.

Wilkes rédigea des articles accusant l'exécutif d'avoir planifié et provoqué le massacre de St George's Fields. En 1769, le gouvernement, dirigé par le duc de Grafton, à bout, décida que Wilkes devait être chassé du Parlement pour ses outrages. La motion fut adoptée par deux cent treize voix contre cent trente-sept. Immédiatement, Wilkes se représenta à son propre siège, devenu vacant par son expulsion, et il fut réélu sans opposition le 16 février. Wilkes tourna le roi et son gouvernement en dérision, et il était si populaire que Benjamin Franklin crut que le peuple anglais aurait pu le choisir comme monarque.

La prison ne gênait pas vraiment son mode de vie. Il semble qu'il put y entrer et en sortir au gré des nécessités de sa campagne électorale, et il était fort bien nourri par les paniers de provisions que lui envoyaient tous les jours ses plus fervents sympathisants. L'un d'eux commit l'erreur de lui rendre visite en compagnie de sa femme, en laquelle Wilkes reconnut une ancienne petite amie. Il lui fit passer un *billet doux*[1] et la jeune femme revint plusieurs fois le voir sans son mari.

Par ailleurs, un groupe de ses partisans s'employa à rembourser les dettes de Wilkes. La date de sa libération approchant, le gouvernement Grafton jugea que la seule option possible était de l'expulser à nouveau du Parlement. Cette fois-ci, les lèche-bottes des Communes votèrent une motion selon laquelle Wilkes était « inéligible » et aggravèrent encore la situation en utilisant la force armée pour imposer à sa place un certain colonel Henry Luttrell, un outrage au droit souverain du peuple à choisir ses représentants.

En avril 1770, Wilkes fut libéré et cet événement provoqua une série de réjouissances nationales. Une table de 45 pieds de long fut dressée dans une rue de Londres. Dans le Sunderland, 45 feux d'artifices furent tirés à 45 secondes d'intervalle, à Greenwich, on tira 45 coups de canon tandis qu'à Northampton 45 couples dansèrent la *Wilkes wriggle*. Wilkes n'était plus parlementaire, mais le jour même de sa libération, les officiers de la cité de Londres l'invitèrent à Guildhall, siège de l'administration municipale, pour le nommer conseiller.

Et c'est ainsi que Wilkes, le démagogue libertin, entama une deuxième carrière qui fit de lui un conseiller efficace et écouté, puis le maire de Londres. Il continua à lutter pour les libertés, en contrôlant la composition des jurys des tribunaux et en s'opposant à la peine de mort.

---

1. En français dans le texte.

Il contribua également à mettre un terme à l'interdiction faite aux journalistes de raconter les débats du Parlement. Il s'agissait d'une liberté démocratique fondamentale, même si aujourd'hui la question n'est plus pour les parlementaires de garder leurs débats secrets, mais de persuader la presse d'en parler de temps en temps.

Le mandat de maire de Wilkes fut une joyeuse affaire, incluant bon nombre de bals et de réceptions. Il s'endetta et usa alors de sa stratégie habituelle dans ce cas de figure : il se représenta au Parlement pour retrouver une immunité. Élu en 1774, le voilà à la fois maire de Londres et député. Il faisait désormais régulièrement des discours, fruits d'un grand travail de recherches et pleins d'idéaux libéraux.

En 1776, il fut le premier parlementaire à requérir que tous les hommes, riches et pauvres, puissent voter. «Le plus humble machiniste, le plus pauvre paysan ou le plus modeste journalier ont eux aussi des droits à faire respecter. Tous les gouvernements sont constitués pour le bien de ceux qu'ils gouvernent. Ce sont eux la source originelle du pouvoir», déclara-t-il à des collègues engourdis. La proposition de Wilkes ne fut pas, hélas, adoptée, mais son promoteur était très en avance sur les Français qui n'ont instauré pour la première fois le vote universel (masculin) qu'en 1792. Wilkes commença avec cette revendication une campagne pour un suffrage universel qui ne le sera vraiment qu'en 1928, avec le droit de vote accordé aux femmes. Wilkes eut raison avant tout le monde sur ce point et raison aussi quand il soutint la lutte des Américains pour leur indépendance. En fait, c'est une cause qui lui allait comme un gant, lui permettant de se battre pour les libertés et en même temps de dénoncer une nouvelle fois le gouvernement de George III. «Arrêtez de parler d'une rébellion, déclarait-il au Parlement à propos de la révolution américaine. Si le gouvernement ne fait aucun effort pour comprendre les sentiments américains, l'ensemble du continent se détachera de la Grande-Bretagne et la grande arche de notre empire s'effondrera. » Son discours fut publié par la *Boston Gazette*. En avril 1775, il obtint la signature de deux mille radicaux plus intéressés par le libre commerce que par la « souveraineté » britannique sur l'Amérique. Les capitalistes signèrent avec enthousiasme cette pétition qui accusait le roi de tenter d'imposer un pouvoir arbitraire sur le continent américain. Puis Wilkes exerça son droit, au grand dam des ministres, de présenter personnellement sa pétition au souverain.

Pour la première fois, les deux adversaires se retrouvèrent face à face. Le vieil activiste fit une révérence profonde et avec la plus grande déférence remit son brûlot insultant entre les mains du roi.

Ses positions en faveur des Américains finirent par lui valoir quelque impopularité, mais Wilkes ne se détourna pas de sa ligne en faveur des libertés, et prononça un jour un discours défendant une proposition de loi sur les droits des catholiques, affirmant qu'il « ne poursuivrai[t] même pas un athée. Je souhaite voir s'élever dans le voisinage d'une cathédrale chrétienne le minaret d'une mosquée turque, une pagode chinoise, une synagogue juive, un temple du soleil... »

Cette proposition de loi, le Catholic Relief Act, rédigé par sir George Savile, était une mesure modeste donnant aux catholiques le droit d'acheter et d'hériter des terres, et de rejoindre les rangs de l'armée. Cette législation de bon sens causa la panique dans une Écosse encore sectaire où l'on croyait aux rumeurs selon lesquelles des soldats du pape, entrés incognito dans l'armée, avaient pour mission de retourner un jour leurs armes contre les protestants.

Des révoltes éclatèrent, très vite les troubles s'étendirent à l'Angleterre, où un parlementaire, lord George Gordon, attisa les sentiments anticatholiques. Le 2 juin 1780, une manifestation menée par Gordon tourna à l'émeute à Londres, alors qu'une foule en colère brûlait la chapelle de l'ambassadeur de Sardaigne et mettait à sac l'ambassade de Bavière. Ces factieux étaient les ouvriers et prolétaires ayant soutenu Wilkes quand il était parti à la conquête de son siège du Middlesex. Et Wilkes était là lui aussi, une fois de plus au cœur du tumulte – mais dans le camp adverse. Le roi avait demandé à la troupe d'agir, et une escouade de soldats intervint avec à leur tête John Wilkes, alors que les émeutiers s'attaquaient au London Bridge.

Wilkes rétablit l'ordre dans son district de la City. Il ordonna la fermeture des pubs, confisqua les armes, mit les meneurs à l'ombre, personnifiant désormais la Loi et l'Ordre. Il donna des preuves irréfutables de son attachement à la Couronne. Sa réputation de héros des radicaux londoniens s'effondra.

Il avait toujours détesté la violence, et cette fois-ci, de surcroît, la cause était, à ses yeux, détestable. Il était écœuré par l'antipapisme de ses collègues. Pour avoir eu le courage de leur tenir tête, il en sortit grandi.

Au seuil de la vieillesse, Wilkes était devenu un pilier de l'establishment. Il continuait à aller discrètement d'une maison d'une maîtresse à une autre, de visiter les divers enfants qu'il avait eus avec certaines d'entre elles, mais il restait un grand édile de la ville, efficace et bien payé, tout en produisant des éditions de Catulle en latin et de Théophraste en grec.

Sa popularité auprès des pauvres de Londres n'était plus ce qu'elle était, et il ne faisait rien pour tenter de les séduire à nouveau. Un jour, une vieille femme le vit dans la rue et s'écria : «Wilkes et liberté», il se retourna et lui lança : «Taisez-vous donc. C'est fini maintenant.»

Cette anecdote fit dire à certains historiens que Wilkes n'était pas un type sérieux, mais un libertin sans principes. Je crois tout le contraire. Pendant deux décennies il s'est battu pour la liberté, a inspiré les révolutionnaires américains. Lui-même était trop ironique pour être un révolutionnaire au sens français du terme et son attitude, où se mêlent le radicalisme et le compromis, a contribué à épargner à l'Angleterre les débordements qu'a connus le reste de l'Europe à partir de la fin du XVIIIe siècle. À Londres, les marchands, les ouvriers, les minorités religieuses avaient conquis des libertés qui contrastaient de façon saisissante avec le cauchemar totalitaire qu'était devenue la Révolution française. Un Allemand nommé Friedrich Wendeborn visitant Londres à la fin du XVIIIe siècle affirme qu'un étranger, «s'il a suffisamment d'intelligence pour percevoir la valeur de la liberté de pensée et d'agir dont on jouit en Angleterre, aura envie d'y finir ses jours». Cette liberté, on la doit à John Wilkes.

Il resta en bonne santé presque jusqu'à la fin de sa vie. Devenu très maigre, il souffrit de malnutrition. Au lendemain de Noël 1797, sentant sa fin proche, il demanda à sa fille un verre de vin, le but à la santé de cette «excellente enfant chérie», reposa le verre, et mourut quelques instants plus tard.

Les succès de Wilkes ont contribué au calme relatif et à la prospérité de l'Angleterre du XIXe siècle. Entre la Révolution française de 1789 et celle de la Russie en 1917, en passant par les révolutions de 1848, presque tous les pays d'Europe connurent des rebellions violentes, conclues souvent par la mort ou la fuite d'un monarque. Rien de tel à Londres où le gouvernement a retenu la leçon de l'art du compromis de Wilkes, et de sa constance pour faire adopter des réformes. La Grande-Bretagne acquit alors la réputation de pays stable, qui reste encore aujourd'hui bénéfique au commerce et aux services financiers.

Tandis que Londres s'enrichissait, sa population explosait, passant d'environ un million en 1800 à six millions six à la fin du siècle. Il devint urgent de transporter ces gens à travers la ville. Les quatrième, cinquième et sixième ponts de Londres furent édifiés les uns derrière les autres : Vauxhall en 1816, Waterloo en 1817 et Southwark en 1819.

En 1831, un nouveau London Bridge fut construit à quelques mètres à peine à l'ouest de l'ancien, lequel fut finalement détruit. En 1836, le premier train de banlieue arriva de Greenwich à la gare du nouveau London Bridge. La foule dans la ville était indescriptible, des omnibus tirés par des chevaux traversaient le nouveau pont, des hommes perchés sur leurs toits comme des voyageurs indiens. Les voitures se croisaient et s'entrecroisaient, entourées d'une masse de piétons, les hommes en chapeau claque hauts comme des tuyaux de poêle, les femmes en bonnets et des gamins qui essayaient de leur faire les poches.

En un seul jour – le 17 mars 1859 – le pont fut utilisé par 20 498 véhicules et 107 074 piétons. Ces gens étaient arrivés à la station de train grâce à une machine plus puissante que la force humaine ou animale : l'âge de la vapeur s'ouvrait à Londres.

De nouveau, les pauvres furent menacés par l'automatisation. Un cylindre à vapeur de l'imprimerie du *Times* envoya ses imprimeurs au chômage. Les fabricants de voiles cédèrent devant les progrès des bateaux à aubes et la fumée couvrit la ville. C'était une révolution technologique et elle suscita vite une révolution dans la peinture.

« Jack a beaucoup de conversation,
Jack est un érudit
et Jack est un gentleman. »

Samuel Johnson à propos de John Wilkes,
Correspondance.

LE COSTUME

Prenez l'assemblée générale des Nations unies qui rassemble des représentants de tous les pays du monde et vous remarquerez une chose surprenante : les délégations de cent quatre-vingt-douze pays, porteuses chacune d'une histoire et de traditions culturelles fortes, n'arborent pas leur tenue nationale. Aucune jupe en feuilles, ni chapeaux en plumes, ni accessoires en peau de léopard ou d'éléphant. On remarque tout juste quelques djellabas. Pour le reste, on ne voit que des costumes. Quant aux femmes présentes, elles ont revêtu l'équivalent féminin des costumes d'hommes. Ces derniers sont tous sombres et associés à des chemises claires et des cravates.

Tout individu qui veut être pris au sérieux porte un costume dont le style a été conçu durant la Régence – au début des années 1800 – par un certain Beau Brummell ou George Bryan Brummell (1778-1840).

On peut lui trouver pas mal de défauts : c'était un dandy flagorneur, joueur, qui gaspillait son argent en vêtements et autres plaisirs. Il disait qu'il lui fallait cinq heures pour s'habiller et recommandait de lustrer les bottes avec du champagne. Il affirmait aussi qu'il fallait huit cents livres pour vêtir un homme, des propos outrageants quand le salaire hebdomadaire d'un Londonien n'était que d'une livre.

Et pourtant, Beau Brummell peut mériter quelques compliments. S'il avait de l'influence en matière vestimentaire, il n'en profita pas pour faire preuve d'ostentation. Nous étions alors à l'époque des guerres napoléoniennes et Brummell mena la lutte contre les chichis à la française. Il voulut éloigner le Londonien chic des redingotes, satins, velours, boucles de couleur. Et il introduisit les pantalons et cravates, le tout dans des tons sombres et chics.

Globalement, Brummell simplifia grandement la vie des

hommes. Il nous offrit un uniforme toujours d'actualité et des milliards d'êtres humains n'ont plus eu à se demander comment ils allaient s'habiller. Grâce à lui, Londres acquit la réputation d'être la capitale mondiale de la mode masculine et les coutu-riers de Savile Row comme de Jermyn Street – où se tient sa statue qu'il a bien méritée – représentent un atout de taille pour l'économie anglaise.

J. M. W. Turner

Le précurseur de l'impressionnisme

Les gens fréquentent les galeries d'art pour différentes raisons : un supplément d'âme, une rencontre, se protéger de la pluie. Mais il est rare d'être récompensé de sa visite par un échange thermonucléaire entre deux des plus grands artistes de la planète.

La scène eut lieu à la Royal Academy, alors sise à Somerset House : l'agitation battait son plein avant que ne s'ouvre l'exposition de l'été 1831. Il ne s'agissait pas d'un espace d'un blanc pur comme dans les galeries modernes et le silence absolu n'y était pas de mise.

Du sol au plafond, les murs étaient recouverts de la production des académiciens, chaque peinture essayant, par force couleurs, de retenir l'attention. Occuper le centre d'un mur était une faveur, en être exclu une insulte.

Dans la pièce principale, un homme de cinquante-six ans faisait les cent pas, un chapeau en forme de tuyau de poêle sur la tête et un manteau noir luisant sur le dos. Dans une main, il tenait un parapluie qui faisait également office de canne et d'épée lors de ses voyages sur le continent. Pif proéminent, menton saillant et jambes courtes, il était vraiment petit, même pour l'époque. Il aurait pu passer pour quelque aubergiste d'un roman de Dickens sans les restes de pigments colorés sous ses ongles.

Il s'agissait de Joseph Mallord William Turner, un peintre qui croyait tellement en son génie qu'il avait affirmé être «le lion superbe de notre temps». Un lion qui se demandait qui dévorer.

Une fois de plus, ses yeux parcoururent les murs de l'Academy. Aucun doute. Son grand tableau rose et or de la décadence romaine – *Le Palais de Caligula* (*Caligula's Palace and Bridge*) – avait disparu pour être remplacé par la peinture d'une église grise digne d'un couvercle de boîte de chocolats. Turner posa un regard incendiaire sur le coupable, John Constable, un homme qui avait non seulement eu le culot de déplacer son *Palais de Caligula,* mais aussi de peindre le paysage accroché à sa place.

Turner connaissait Constable depuis au moins 1813, quand les deux hommes avaient assisté au même dîner. Constable avait toujours été gentil avec le grand lion – en tout cas en public – et louait ses «qualités de visionnaire». Il n'y avait que quelques années que Turner avait personnellement informé le jeune homme de son élection à l'Academy (bien qu'il y ait des doutes sur le vote de Turner lui-même) et maintenant Constable utilisait sa position nouvelle au sein du Hanging Committee, le comité de sélection des œuvres, pour accomplir ce monstrueux échange. On peut dire qu'il s'agissait d'un coup... pendable.

Turner explosa et Constable fit de son mieux pour contrôler la situation. Il avança des arguments moraux. Son geste, disait-il, avait été totalement désintéressé, il était seulement soucieux de montrer les peintures de l'Academy sous leur meilleur angle et la bonne lumière. À tous les arguments de Constable, Turner répondait : «Oui, mais pourquoi avoir mis votre tableau là?»

Turner était furieux pour plusieurs raisons. Il y avait certainement un peu de rancœur de sa part. Constable était un bel homme, l'héritier d'un marchand de maïs aisé du Suffolk, et avait en privé traité Turner de «fruste». Turner était un cockney autodidacte et fier de l'être, né au-dessus d'une échoppe de barbier de Maiden Lane. Jamais il ne put se débarrasser de son terrible accent.

Constable était pieux et vêtu de noir en mémoire de sa défunte épouse. Turner méprisait le mariage et disait détester les hommes mariés qui «ne sacrifient jamais rien à l'art mais pensent à leurs devoirs envers leurs femmes et leurs familles». Bref, les deux hommes n'étaient pas vraiment copains.

La vérité, cependant, c'est que Turner était en rage car il avait devant les yeux une pure merveille, la *Cathédrale de Salisbury* (*Salisbury Cathedral*). Un désir de revanche l'envahit, qu'il put assouvir l'année suivante.

En 1832, Constable exposa *Ouverture du pont de Waterloo* (*The Opening of Waterloo Bridge*), une peinture à laquelle il attachait une grande importance et sur laquelle il avait travaillé pendant dix ans. Chacun savait qu'il était capable de peindre des nuages, des arbres, des cieux et des enfants buvant l'eau d'un ruisseau, mais pouvait-il réaliser un chef-d'œuvre ?

Turner était non seulement un maître accompli des aquarelles pastorales, mais il avait produit de grandes toiles extraordinaires représentant Didon fondant Carthage, ou Ulysse raillant le cyclope Polyphème, ou encore la bataille de Trafalgar. Maintenant c'était au tour de Constable de présenter une peinture de ce style, et il avait des points faibles.

Un grand peintre m'a dit un jour qu'un tableau devait toujours avoir un «héros», un point de couleur vers lequel l'œil est attiré avant même d'observer la peinture dans son ensemble. Le problème avec le *Pont de Waterloo* de Constable c'est que même si actions et couleurs ne manquent pas – foules de spectateurs, avirons, soldats – on n'y trouve pas de point focal. Et sans lui, point de héros. Ce tableau est un fouillis et, pour aggraver son cas, il fut exposé dans une petite salle, à côté d'un paysage marin très simple de Turner. Selon la coutume d'alors, Constable travaillait encore à son tableau accroché au mur de la galerie.

Turner entra dans la pièce, se planta derrière lui et le regarda travailler. Puis il se rendit dans une autre pièce où il faisait des retouches à un autre de ses tableaux, prit sa palette et ses pinceaux et, sans hésitation, revint ajouter une tache de rouge un peu plus grosse qu'une pièce de monnaie au milieu de sa mer grise. Et il quitta les lieux.

«Turner vient de tirer un coup de fusil», lança Constable. Le «lion» ne se montra plus pendant deux jours et demi puis, au dernier moment où il était encore permis de faire des modifications, il vernit le point écarlate qu'il avait posé sur son tableau et lui donna la forme d'une balise.

Ce n'était pas qu'une simple tache de peinture, c'était une déclaration de guerre. Les rivalités ont toujours existé entre les peintres anglais. On a vu que Londres fonctionne comme un cyclotron pour les talents : elle rassemble les esprits brillants et les lance ensuite les uns contre les autres, créant une réaction en chaîne d'énergie et d'émulation jusqu'à ce qu'une explosion de génie se produise. La gloire est un aiguillon, a dit Milton, et Londres en est la caisse de résonance.

Ainsi rivalisèrent les écrivains élisabéthains, et la lutte entre les compagnies théâtrales pour attirer des spectateurs révéla le génie de Shakespeare. C'est la compétition entre philosophes de la nature qui débattaient dans des cafés qui a servi d'impulsion aux inventions et travaux de Robert Hooke. Et là, à la Royal Academy, les Anglais avaient trouvé une arène dans laquelle les hommes (pardon, mais il n'y avait que des hommes) pouvaient se battre pour la gloire à coups de peinture. Admettons-le, Londres, contrairement à Paris, était une ville où il fallait attendre longtemps pour connaître la gloire.

Les Londoniens étaient les premiers au monde en théâtre et ils n'étaient pas mauvais non plus dans le secteur des sciences. Mais pendant des siècles, la peinture fut un art dont les représentants avaient des noms étrangers : Hans Holbein, sir Anthony van Dyck, Peter Paul Rubens, sir Peter Lely, sir Godfrey Kneller... Tous les peintres qui comptèrent pendant les époques Tudor et Stuart donnent l'impression d'être nés hors d'Angleterre.

Le cardinal de Richelieu fonda l'Académie française en 1648, près de cent vingt ans avant que George III ne fonde la Royal Academy. Le premier président de celle-ci fut sir Joshua Reynolds, ami de Johnson, qui fit un discours en 1788 introduisant Thomas Gainsborough, discours dans lequel il se demandait «si cette nation produira[it] un jour un génie suffisamment grand pour qu'il nous offre l'honneur d'avoir une École anglaise». En fait, il n'existait pas d'École anglaise. On assistait à un recul culturel, à un asservissement intellectuel devant le triomphe de l'art français, hollandais et italien.

Quand les jeunes hommes riches revenaient de leurs périples, ils voulaient des Canaletto pour se souvenir des lieux qu'ils avaient visités. Ils recherchaient des peintures dans le style des vieux maîtres – et pendant des années Turner tenta lui-même de copier les grands noms du continent. En 2009, la Tate Gallery organisa une exposition appelée «Turner et les maîtres» dans laquelle on pouvait voir comment Turner imitait les géants du passé.

Ce fut un triomphe. Lorsque Turner alla au Louvre contempler les tableaux de Rembrandt, il sortit en déclarant avec son assurance habituelle qu'ils étaient « mal dessinés et d'une expression pauvre ». Il voulait le surpasser et tenta de le faire avec son *Pilate se lavant les mains (Pilate washing his hands)*. Les critiques furent caustiques, affirmant que Turner ne savait pas peindre les visages. Ses formes humaines étaient grossières. Nombreux étaient les personnages vus de dos, ce qui était plus simple pour lui. Turner n'était pas Rembrandt.

Il ne réussit pas dans l'imitation ou le pastiche, mais triompha avec son propre style. Son énergie et sa force produisirent un nouveau genre de peinture qui combinait le côté translucide des aquarelles avec la brutalité et la grandeur de l'huile. Enfant, je passais beaucoup de temps à regarder la couverture de mon livre de Charles Dickens, *Les Grandes Espérances* (*Great Expectations*) des éditions Penguin, non pour rassembler mes forces afin de le lire, mais parce que j'étais fasciné par le tableau qu'elle montrait.

Il s'agissait d'un coucher de soleil sur une rivière, avec un soleil en forme de boule de feu comme je n'en avais jamais vu. Dans le fond, on voyait une sorte de bateau marron. C'était *Le Dernier voyage du* Téméraire (*The Fighting* Téméraire *tugged from her last berth to be broken up*).

Ce tableau est un chef-d'œuvre anglais. Par son style et les émotions qu'il suscite, c'est un travail révolutionnaire, le produit d'un génie londonien qui avait plusieurs décennies d'avance sur ceux du continent. Turner était plus qu'un peintre, il était aussi poète et penseur. Par l'intermédiaire d'un seul tableau, il met en valeur la fabuleuse transition qu'est son époque, une révolution à la fois technologique et sociale.

Regardons le chemin qu'il a parcouru entre l'échoppe de barbier de Covent Garden jusqu'au *Dernier voyage du Téméraire*. Et commençons par sa naissance – le même jour que Shakespeare aux dires de Turner – au 21 Maiden Lane, le 23 avril 1775. Ce jour est pour Turner un signe providentiel : ce que Shakespeare avait fait pour le théâtre anglais, il le ferait pour la peinture.

Son père, William Turner, avait fabriqué jadis des perruques, mais celles-ci étant passées de mode en raison d'un nouvel impôt sur le talc en 1770, il en fut réduit à couper les cheveux de ses clients. Turner vécut son enfance dans une atmosphère masculine, dans l'échoppe de son père. Il grandit parmi les jurons des marchands de quatre-saisons et les appels des prostituées, et toute sa vie on se moqua de lui à cause de son accent cockney – même lorsqu'il enseignait la perspective à la Royal Academy.

Il n'est jamais devenu un aristo, à l'image des acheteurs de ses peintures. Jamais il ne se montra prétentieux. Il resta mentalement attaché aux arrière-cours de Covent Garden et si ses mécènes étaient des tories en dentelles, Turner fut toujours mentalement et politiquement radical. Il finit sa vie peu sûr de lui et même un peu dérangé, mais rien d'exceptionnel compte tenu d'une enfance que l'on peut qualifier de perturbée. Sa mère, Mary, était folle et sujette à des «colères ingérables».

La pauvre n'avait jamais recouvré la raison après la mort de sa fille et lorsque Turner eut vingt ans, elle fut enfermée à l'asile de Moorfields, autant dire l'enfer sur terre. Il semble que son fils ne soit jamais allé la voir avant qu'elle ne meure.

Quand Turner eut dix ans, la vie chez lui était devenue si terrible qu'il partit chez son oncle maternel, Joseph Mallord William Marshall, à Brentford, dans le

Middlesex. Là, il trouva le moyen d'oublier sa douleur en utilisant ses pinceaux pour représenter ce qu'il voyait et il développa cette habitude.

Dans cette région, la Tamise coulait au sein d'un paysage de prés et de bois, une atmosphère qu'il peindra toute sa vie. Il alla à l'école à Margate et la mer se brisant sur les côtes frappa son imagination. À cette époque, il produisit de si nombreux dessins que son père, très fier, organisa une exposition sur la vitrine de son échoppe.

À douze ans, il vendit son premier tableau et découvrit la joie de gagner sa vie avec la peinture. Les clients de son père se voyaient offrir une scène de rivière exécutée par l'adolescent. À quatorze ans, il trouva un job dans un cabinet d'architectes où il coloriait les dessins, et c'est certainement à travers cet emploi qu'il parvint à un âge précoce aux portes de la Royal Academy. Le 11 décembre 1789, il fut interviewé et admis par le vieux sir Joshua Reynolds, le premier président. Turner resta loyal à l'institution et à Reynolds, et demanda plus tard à être enterré aux côtés de celui qui avait décelé son talent.

Ce dernier avait une théorie en matière de peinture : elle devait faire plus qu'évoquer le souvenir d'un endroit ou d'une personne mais conduire à des émotions, comme le fait la poésie. Plus que tout autre peintre anglais, Turner essaya de transformer le pigment en sentiment et de mettre en pratique la théorie de Joshua Reynolds.

Reynolds était assez intelligent pour comprendre qu'il ne pouvait pas accepter des va-nu-pieds à la Royal Academy et s'attendre à ce qu'ils deviennent vite l'équivalent anglais de Rembrandt ou de Poussin. Ils devaient d'abord apprendre à dessiner. Les élèves suivaient donc deux années de cours dans une galerie de moulages de statues. Puis, s'ils étaient talentueux, ils pouvaient dessiner des modèles nus. Turner avait du talent et développa un intérêt pour le dessin de femmes nues qui lui resta toute sa vie. Même à soixante-dix ans, il brossait des gros plans de couples copulant – au total, des centaines d'images érotiques, pour ne pas dire pornographiques.

Il faut réaliser l'impact des représentations artistiques en deux dimensions sur les esprits du XVIIIᵉ siècle. Londres avait une «culture du papier» : les gravures se vendaient par milliers. Mais la majorité des Londoniens considérait quelque peu surnaturelle la capacité de gens comme Turner à transformer un moment fugitif – du givre le matin, une tempête de neige enveloppant Hannibal traversant les Alpes – en une expérience dont ils étaient les témoins.

C'est pourquoi ils donnèrent tant de prix aux peintures du «lion». Au début des années 1790, celui-ci commen-çait à bien gagner sa vie – et il devint dur en affaires. En fait, il était grippe-sou. Ce jeune homme de vingt-cinq ans était maintenant entouré de riches mécènes ayant de l'argent à jeter par les fenêtres après l'avoir acquis dans l'Empire et on peut imaginer leur frustration. Ils vou-laient mettre un Poussin ou un Canaletto dans leur salon, mais les guerres napoléoniennes les avaient, pendant des années, mis dans l'impossibilité d'aller les chercher sur le continent.

Ils devaient donc se contenter de talents locaux et l'émergence de Turner à la fin du XVIIIᵉ siècle fut l'un des premiers exemples de substitution à l'importation. Une peinture du Français Claude[1] pouvait coûter six mille livres – une somme stupéfiante – et s'avérait difficile à trouver. Mais il était possible d'acheter un Turner de style français pour à peine cent cinquante.

---

1. Il s'agit du peintre Claude Gelée (1600-1682), appelé Le Lorrain, et simplement Claude par les Britanniques.

Le jeune Turner vénérait tellement Claude qu'on le trouva un jour debout devant un des tableaux du peintre, des larmes coulant le long de ses joues, désespéré à l'idée de ne jamais pouvoir égaler le vieux maître français. Et pourtant, la dernière fois qu'un Claude fut mis sur le marché, il se vendit deux millions de livres. Il fallut mettre vingt-neuf millions pour acquérir le dernier Turner en vente. L'élève avait dépassé le maître.

À la fin du XVIIIe siècle, Turner commençait à lancer les tendances, ce que tout artiste aspire à faire. Un peintre doit généralement accepter des compromis entre ce qu'il aime représenter et ce que les clients recherchent. Les gens aimaient alors acheter leurs portraits ou des tableaux de leurs propriétés, de leurs chiens, chevaux, femmes, ou encore des paysages champêtres réalisés à la façon d'artistes étrangers reconnus.

À vingt-cinq ans environ, Turner avait atteint l'heureux stade l'autorisant à ignorer ces conventions et à proposer à ses clients richissimes ce que bon lui semblait. Il savait qu'ils lui achèteraient tout ce qu'il produisait. En 1799, six aquarelles lui avaient été commandées et il dut construire une table rotative lui permettant d'accélérer le processus de réalisation de ses tableaux.

On aurait tort de dire que son style ne venait de nulle part sinon de sa tête de cockney. Il avait beaucoup appris, pas seulement des vieux maîtres présents à Londres, mais aussi de ses collègues de l'Academy, tout particulièrement des aquarellistes romantiques comme John Robert Cozens et Richard Wilson. En fait, il était une formidable éponge d'idées et d'influences, cherchant sans cesse de nouveaux paysages et de nouvelles atmosphères. Il n'a pas seulement voyagé en Angleterre. Aussitôt que la paix de Paris fut signée, en 1802, il se rua sur le continent où des témoins décrivent ce drôle de petit bonhomme criant pour que sa diligence s'arrête et qu'il puisse capturer l'atmosphère particulière de l'aube ou du crépuscule. Il passa des jours entiers au Louvre, copiant fiévreusement les trésors que Napoléon avait assemblés là au retour de ses conquêtes européennes. En 1803, devenu académicien de plein droit, il était déjà un maître de l'huile et de l'aquarelle.

Il avait tellement vendu de toiles qu'il put faire construire sa propre maison, près de Harley Street, qui comprenait une galerie, ce qui lui permettait d'exposer à la fois chez lui et à la Royal Academy. Le succès aidant, il prit confiance en lui et son style devint plus aventureux. Quelques critiques attaquèrent ses «compositions dynamiques» et ses «couleurs choquantes». Mais ils ne pouvaient pas lui reprocher son appétit pour le travail et sa maîtrise technique.

Il avait également une mémoire exceptionnelle, comme le montre le récit de la nièce de l'un de ses mécènes. En 1818, Turner se trouvait à Farnley Hall, près de Leeds, la résidence d'un certain Walter Fawkes qui lui demanda de réaliser une peinture. Bien avant la télévision et cinquante ans avant la première photo, il voulait se régaler à regarder l'un des grands vaisseaux qui avait battu les amiraux de Napoléon. Comme le relate la nièce de Fawkes, «l'idée plut à Turner car sans attendre, il proposa au fils aîné de Fawkes, un garçon de quinze ans, de l'accompagner». Le gamin s'assit à ses côtés toute la matinée et suivit l'évolution du tableau *Équipement d'un navire de guerre de première classe* (*A First Rate Taking in Stores*). La description qu'il fit de son expérience montre à quel point la manière de peindre de Turner était extraordinaire. «Il commença par faire couler de la peinture sur le papier jusqu'à ce qu'il en soit saturé, il gratta, brossa de façon énergique et transforma le tout en chaos – mais petit à petit, comme par magie, le bateau prit forme, ses détails devinrent visibles, et vers midi le tableau était là, dans toute sa gloire.» Regardez une carte de l'Angleterre et vous verrez que Farnley Hall, à Leeds, n'est pas du tout au bord de la mer. Regardez ensuite de près *Équipement d'un navire de guerre de première classe* et vous verrez les gréements, le nombre exact de canons et de poteaux sur les mâts, la forme de la proue, la lumière jouant sur les vagues.

Cet homme était une sorte de Rain Man doté d'une mémoire photographique, une caméra humaine douée d'une énergie créatrice considérable. En 1818, il avait dessiné et peint tant de fois la mer et les bateaux qu'il pouvait reconstituer la réalité à partir de sa mémoire et créer un tableau harmonieux et vrai, exactement ce que lui avait demandé son client.

Ce jeune garçon qui regardait Turner peindre a dû vivre une expérience inoubliable. Et Turner aimait qu'on l'admire. Peu habile à l'oral, il devenait un maître avec ses pinceaux : il transformait l'acte de peindre en un art en soi. Il était théâtral, comme il l'a montré un matin de février 1835, quand, à cinquante-neuf ans, il arriva à la Royal Institution pour trouver sa toile sur le mur, presque blanche excepté un léger trait qui marquait une rivière. Une foule se pressa autour de lui et il commença à jouer son rôle, appuyant sur les tubes pour en sortir de gros boudins de peintures, les écrasant avec son couteau et les étalant avec ses doigts.

Ses admirateurs comprirent vite ce qu'il allait peindre. Le 16 octobre précédent, le palais de Westminster avait décidé de supprimer les «longs bâtons», ce système médiéval permettant de garder une trace du paiement des impôts (il s'agissait de casser un bâton de noisetier en deux, le contribuable et le shérif gardant chacun un morceau afin que vérification puisse être faite ensuite que les deux parties avaient trouvé un accord : on réunissait les deux morceaux du bâton qui devaient pouvoir s'imbriquer l'un dans l'autre). Au cours des siècles, des milliers et des milliers de ces bâtons qui ne servaient plus avaient été accumulés et il avait été décidé de les brûler.

Comme un feu incommoderait les voisins, on utilisa les chaudières à charbon qui, depuis le sous-sol, chauffaient la Chambre des lords. À la fin de la journée, le sol de l'édifice était brûlant et le soir, les conduits de cuivre des cheminées avaient fondu. Le sol prit feu, les beaux meubles des lords partirent en fumée et, cette nuit-là, les Londoniens purent assister au plus grand incendie depuis 1666.

Depuis le Waterloo Bridge, Turner regarda ce spectacle, l'enregistrant dans sa mémoire. Et ce matin de février 1835, la foule vit le désastre se produire de nouveau. Il peignit toute la journée, oubliant son public, et quand il eut terminé, il ne jeta même pas un œil à son travail. Il rassembla son matériel puis quitta les lieux.

Turner exécuta plusieurs tableaux de *L'Incendie du Parlement* (*The Burning of Parliament*) et, fait marquant, aucun d'eux ne montre de scène d'horreur. Aucun bras agité en signe de désespoir. Ce sont des scènes de feu bon enfant sur fond de ciel bleu foncé agrémenté de quelques nuages cotonneux qui semblent profiter des derniers rayons d'un coucher de soleil resplendissant. C'est peut-être ce que Turner pensa de l'événement. Avocat de la réforme, il voulait un Parlement différent et le brûler pouvait être un bon début. Même si ses mécènes étaient de riches tories, ses instincts allaient vers la réforme. Ses vues généralement libérales trouvaient toute leur expression dans sa vie privée.

Il ne se maria jamais, mais se retrouva souvent, semble-t-il, dans les bras de prostituées et autres femmes aux affections négociées, chez lui ou ailleurs. Un poème paillard écrit alors qu'il était trentenaire à une jeune fille appelée Molly la présente comme son «passeport vers la félicité».

Pendant longtemps, il eut une relation avec Sarah Danby, la veuve d'un de ses amis, célèbre compositeur de chansons. Elle avait dix ans de plus que lui et deux filles dont on a longtemps cru qu'elles étaient de Turner, mais certains ont récemment émis l'hypothèse que c'était le père, l'ancien coiffeur, qui les avait engendrées. Depuis la mort de sa femme, ce dernier tenait une place importante dans le foyer de Turner. Le vieil homme aidait à tendre les toiles et à vernir les tableaux. On ne saura jamais avec certitude si ses devoirs consistaient aussi à se mettre au service des maîtresses de son fils, mais cette maison n'était pas, de toute façon, conventionnelle.

À la cinquantaine, J. M. W. Turner eut des aventures – et peut-être plus – avec des filles d'amis âgées d'une vingtaine d'années, et quand il prit un peu plus encore de bouteille, il trouva Sophia Booth, qui gérait un internat à Margate. Là, dans cette agréable station balnéaire, il jouissait de magnifiques vues sur la mer et d'une splendide lumière. Et grâce à cette merveille technologique qu'était le bateau à vapeur, il pouvait faire des allers et retours réguliers à Londres.

Il se penchait à l'arrière du bateau pour voir les vagues, et quand le mari de Sophia mourut, Turner répéta le même schéma qu'avec Danby – il se mit dans le lit de la dame. À ce moment-là, sa vie devint surréaliste. Quand des visiteurs venaient à sa maison de Harley Street, ils ne voyaient que délabrement. «Cet endroit donnait l'impression d'avoir été la scène d'un crime, raconte l'un d'entre eux, la peinture tombant des murs, les fenêtres couvertes de couches successives de poussière et de pluie. » La porte de son domicile était ouverte par un serviteur muet, le visage couvert de pansements. La salle où étaient exposés ses tableaux montrait des trous dans le toit et les fenêtres, d'où le conseil donné aux clients potentiels de venir avec un parapluie, au cas où... Mais le plus drôle c'est que Turner n'était pas là. Il avait installé Sophia Booth dans une petite maison au bord de l'eau, à Chelsea, où il paradait à côté de cette veuve plantureuse et illettrée, vingt-cinq ans plus jeune que lui : elle, grande et imposante, lui, le pas lourd et l'air d'un vieux loup de mer aux jambes arquées.

Les voisins et commerçants de Chelsea l'appelaient « M. Booth » où, comme il l'aimait, « amiral Booth » à cause de son allure de marin. Personne ne réalisait que ce vieux bonhomme au nez rouge était le plus grand artiste de l'Angleterre. Et Turner avait un tel penchant pour l'intimité qu'il s'assurait, en quittant la Royal Academy ou son club de Pall Mall, que personne ne l'entendait donner son adresse au chauffeur de taxi.

Turner a copié les vieux maîtres, a lutté avec eux, les a vaincus et a forgé son propre style révolutionnaire et lucratif. Il a absorbé les changements dans le paysage de Londres, des changements plus rapides et plus importants que ceux qui avaient été expérimentés par les générations précédentes. Au cours de sa vie, la population de sa ville a triplé ou même quadruplé, les idées et la vie des gens ont été bouleversées par une révolution technologique d'une rapidité et d'une ampleur sans précédent. Il a observé toutes les facettes de la nature humaine, depuis les madrigaux des salons du manoir de Petworth jusqu'aux cabrioles obscènes des filles de joie des pubs de Wapping. Plus qu'aucun autre peintre avant lui, il a regardé l'impact des rayons du soleil sur les objets et a vu comment, à Londres, la lumière était filtrée par la fumée et la vapeur de la révolution industrielle.

Il a produit des milliers de peintures à l'huile et d'aquarelles avec une ribambelle d'objets et de gens comme sujets, mais rien n'a plus servi sa réputation que ce qu'il fixe maintenant. C'est l'épave d'un ancien grand bateau dans les docks, à Rotherhithe. Elle n'a ni voiles ni mât mais avec ses yeux perçants, Turner peut lire l'inscription sur ses flancs : *Téméraire*. Pour un homme de sa génération, ce nom a une consonance particulière.

Baptisé du nom d'un navire français qui avait été capturé lors de la bataille de Lagos, en 1759, le *HMS Téméraire* avait combattu à Trafalgar avec un courage tout particulier. Il avait lutté pour protéger le vaisseau de Nelson, *HMS Victory*, avait aidé à ce que le navire français *Redoutable* se rende, et avait permis la capture du *Fougueux*, un bâtiment de la flotte de Napoléon. En d'autres mots, Turner regardait l'un des bateaux les plus chargés de gloire de toute l'histoire des combats navals anglais.

Il faisait partie de l'histoire et avait assuré à la Grande-Bretagne le statut de plus grande puissance maritime et commerciale de la planète. Depuis ce combat, et après la victoire terrestre de Waterloo, le rôle de l'Angleterre comme atelier artisanal du monde n'avait fait que s'affirmer. Tout ce que Turner pouvait voir à partir de son vapeur sur la Tamise – docks, usines, vastes étendues d'habitations et de lieux de travail – était pour ainsi dire le produit de l'audace de ce navire. Et maintenant, regardez-le. Mutilé, prêt à être débité en bouts de bois pour en tirer encore quelque profit. L'image s'imprima sur la rétine de Turner alors que le bateau à vapeur continuait son chemin. Au cours des mois suivants, le peintre réfléchit à une sortie honorable pour le *Téméraire*, à un bûcher funéraire fait de rouge et d'or.

La reine Victoria n'était arrivée sur le trône que depuis quelques années, en 1837, et son règne avait commencé par une insulte. Constable était mort, Turner n'avait aucun rival sur la scène artistique anglaise. Pourtant, la première liste d'honneur de la reine inclua Newton le miniaturiste, Westmacott le sculpteur, et Callcott, un disciple de Turner – mais non Turner qui dut en être terriblement blessé. Le problème, c'est que la reine pensait que Turner était timbré.

Depuis les années 1820, il faisait l'objet de controverses de plus en plus grandes. On commençait à trouver perverse sa façon de refuser de peindre ce qu'un artiste devait peindre – à savoir des objets et des personnages reconnaissables – ainsi que son obsession égotiste d'appréhender la lumière. Certains disaient que c'était un escroc qui jouait avec la crédulité du public. À cet égard, sa réputation ressemblait à celle de Damien Hirst aujourd'hui. Il est vraisemblable que Turner a voulu faire taire ces critiques et venger sa réputation avec un tableau à la fois figuratif et totalement en accord avec son style.

Dès que son *Téméraire* fut dévoilé, le public lui fit un accueil triomphal. Lui-même l'aimait tellement qu'il l'appela «Mon chéri». Turner avait magnifiquement suivi le conseil de Joshua Reynolds. Il avait produit un poème.

En regardant ce tableau, on est frappé par l'atmosphère qu'il dégage et par sa composition – le coucher de soleil sur la surface lisse de l'eau, le navire et le remorqueur à gauche dans un élégant triangle bleu, la sinistre bouée en bas à droite –, une utilisation de l'espace que Turner apprit adolescent, quand il peignait des décors pour le théâtre du Panthéon, à Covent Garden. On sent immédiatement que cette peinture est une déclaration.

Il était superflu de demander au peintre ce qu'il avait voulu nous dire, Turner étant connu pour être incapable d'interpréter ses œuvres. Vous n'avez pas besoin des explications de l'artiste ou d'un bagage en histoire de l'art pour comprendre le symbolisme du *Dernier Voyage du Téméraire*. Il est question de grand âge et de jeunesse, de vieux héros réduits à la dépendance, Œdipe aveugle conduit par un adolescent, ou encore (tout sentiment artistique étant personnel) l'amiral Turner, soixante-quatre ans, remorqué vers le front de mer à Margate par l'habile Sophia Booth.

Mais il s'agit surtout d'une transition, le passage du grand âge de la voile vers l'âge de la vapeur. Du côté droit du tableau, le soleil descend, juste au-dessus de la bouée à laquelle le *Téméraire* va être attaché pour la dernière fois. À gauche, on voit la lumière d'argent venue d'une lune de cire – symbole, dit-on, de l'avènement d'un nouvel âge technologique.

Pour l'Angleterre, l'époque du *Téméraire* fut synonyme d'une période de paix et de prospérité inégalée, au cours de laquelle des centaines de milliers de paysans vinrent travailler dans les échoppes, les usines et les docks de ce qui était devenu le plus grand centre manufacturier du monde. En 1824, la Banque d'Angleterre mit fin à son monopole, et bientôt de grands palais de la finance virent le jour à la City, Barclays et Midland étant parmi les premiers.

Les banques et les compagnies d'assurance avaient besoin d'employés. Les fiacres des riches furent remplacés par de gros omnibus tirés par des chevaux. Le concept du banlieusard était né. Dès lors que les transports de masse avaient vu le jour, les banlieues commencèrent à se développer.

Avec chaque nouveau train et nouvelle cheminée, la pollution augmentait, avec chaque nouvel arrivant la surpopulation empirait. Les Londoniens souffraient de vagues répétées de choléra qui déroutaient les autorités. De nombreux artistes et écrivains se plaignaient des usines, des machines et de l'urbanisation, mais je ne crois pas que Turner était l'un des leurs.

En 1838, l'année où il vit le *Téméraire*, la gare de Paddington ouvrit ses portes. En 1844, Turner tenta d'exprimer ses sentiments concernant ces avancées avec *Pluie, vapeur et vitesse* (*Rain, Steam and Speed*). Il montre une locomotive s'avançant sur un pont à Maidenhead, et le point focal du tableau c'est le feu rougeoyant dans la chaudière. Il ne s'agit pas d'une peinture anti-industrielle, mais d'une célébration de la machine qui révolutionne l'espace et le pouvoir.

Au fond, ce qui l'intéresse vraiment, c'est la couleur et le mouvement, la façon dont la lumière change en passant à travers les fumées d'usines d'une nouvelle époque ; c'est l'excuse qui lui est ainsi fournie d'un style de peinture de plus en plus impressionniste.

En 1870, longtemps après la mort de Turner, Claude Monet vint à Londres. Il visita des galeries et vit ce que Turner avait réalisé. Il se rendit aussi sur les bords de la Tamise et, comme Turner, se mit à peindre le Parlement. Ces immeubles étaient différents, le brouillard plus épais, et Monet allait devenir le peintre le plus recherché de tous les temps, ses tableaux atteignant des sommes astronomiques.

Mais il ne fait aucun doute que le précurseur fut bien Turner. C'est lui le premier qui affirma le principe selon lequel ce qui compte n'est pas ce que l'œil voit, mais la façon de regarder. C'est lui le père de l'impressionnisme.

En 1846, J. M. W. Turner avait emménagé avec Sophia dans leur petite maison de Chelsea. S'il montait sur la terrasse installée sur le toit et regardait à gauche puis à droite, il admirait les plus belles vues de la rivière que Londres pouvait offrir. Quand il mourut, le 19 décembre 1851, on le trouva sur le sol de sa chambre, essayant, semble-t-il, de se hisser jusqu'à la fenêtre pour voir la rivière.

Le docteur de Turner raconta comment, juste avant neuf heures du matin, «le soleil traversa les lourds nuages qui faisaient écran à sa splendeur et remplirent la chambre mortuaire d'une glorieuse lumière». Turner mourut sans un gémissement, tenant la main de sa fidèle Sophia à qui, avec la pingrerie qui le caractérisait, il ne laissa presque rien.

D'après une autre version des faits, ses derniers mots furent : «Le soleil est un dieu.» Qu'il ait été sérieux ou non, cette curieuse croyance aztèque est au moins aussi plausible que d'autres théories le concernant. Et elle n'eut aucun impact sur sa notoriété qui ne fit que croître.

L'année de la mort de Turner, les victoriens se rendirent par millions à l'Exposition universelle. Un palace de cristal, le Grand Shalimar, fut construit dans Hyde Park : un temple au bénéfice de l'échange commercial et de l'innovation technologique. Pour un shilling, les Londoniens pouvaient admirer un éventail de choses allant du diamant Koh-i-Noor au premier fax.

La même année – 1851 –, le premier câble sous-marin reliait Londres à Paris, suivi d'un câble vers New York en 1866, et vers Melbourne en 1872. L'ère des télécommunications s'ouvrait. Le télégraphe rendait les envois plus faciles et plus sûrs, les coûts pouvaient être réduits et on se dirigeait déjà vers un système de «flux tendus». Des bateaux plus nombreux et plus gros arrivaient qui portaient des cargaisons plus importantes, et les spéculateurs construisaient de nouveaux docks immenses.

Londres était devenue la ville la plus riche au monde, avec une Bourse dont la taille était plus de cinq fois celle de New York (et où une approche moins stricte des dates de règlements encourageait de plus grandes prises de risques et de plus grandes récompenses). Ces canaux, ces docks, ces chemins de fer, ces ponts et ces câbles sous-marins – toute cette infrastructure victorienne – demandaient des capitaux et aucune de ces réalisations n'aurait été possible sans l'ingénuité et l'audace des grands banquiers londoniens.

«Je me suis bien amusé avec Turner.
Il est grossier, mais il a l'esprit large.»

John Constable, 1813.

LA BICYCLETTE

C'est tout simplement génial : la bicyclette est l'une des idées les plus fantastiques que l'esprit humain ait pu concevoir. Mais il faut être juste et dire que l'ancêtre de la bicyclette n'a pas été créé à Londres. Cet honneur revient à Karl Drais, un baron allemand travaillant dans la sylviculture, diplômé de l'université de Heidelberg, qui a également inventé le clavier de machine à écrire.

Il ne fait aucun doute que les premières personnes à avoir croisé un engin à deux roues propulsé par les jambes se trouvaient à Mannheim, en 1817, quand Drais enfourcha sa Draisienne pour aller faire un tour. Mais en moins d'une année, l'idée avait été piratée et améliorée par un inventeur londonien, Denis Johnson. C'est à Long Acre, Covent Garden, que Johnson – ayant peut-être des liens lointains avec l'auteur de cet ouvrage – y apporta des modifications majeures. La première image de Drais et de sa Draisienne nous montre une machine plutôt agraire. Rayons et jantes étaient faits de bois et le tout si lourd et peu maniable que la moindre collision était susceptible de provoquer au moins une hernie au conducteur.

Johnson figurait parmi les nombreux experts en carrosserie de Covent Garden, et il allégea l'engin avec un cadre et des rayons en métal. Contrairement à Drais, il trouva aussi un marché pour ce produit. Après 1815, Londres comptait de nombreux jeunes hommes dont les pères s'étaient enrichis grâce à l'industrie et à l'Empire. Il s'agissait des dandys, adeptes de Beau Brummel. Pour eux, le vélocipède de Johnson ne représentait pas seulement un moyen pratique de se déplacer. C'était comme les plastrons impeccables de leurs chemises blanches et leurs lorgnettes : le signe qu'ils suivaient la mode À une époque de réforme parlementaire et de conflits dans l'industrie, ils revendiquaient ainsi de manière outrancière leur frivolité.

La bicyclette

Denis Johnson construisit et vendit environ trois cents de ces vélocipèdes – que l'on appelait aussi « chevaux pour dandys » ou « accélérateurs » – et fit breveter son engin en 1818. Il fut décoré pour cette « machine conçue afin d'alléger le travail et la fatigue des gens qui marchent, et de permettre d'aller plus vite avec ce qu'il entend appeler un vélocipède ».

En mars 1819, il avait ouvert deux « écoles de conduite » sur le Strand et sur Brewer Street : y entrer coûtait un shilling et il fallait compter huit livres pour acheter la bécane. Son fils organisa une vente ambulante dans le pays, et on peut voir des images de jeunes gens apprenant à monter ces « chevaux pour dandys » et tombant par terre. Les routes étaient si chaotiques que l'expérience s'avérait pénible pour le bas-ventre, et quand ils l'essayèrent sur les trottoirs, dandys et dandizettes (ainsi étaient appelées les jeunes femmes dandys) devinrent encore plus impopulaires.

Une ou deux années plus tard, la folie du vélocipède avait vécu, et le Collège royal des chirurgiens le déclarait dangereux. Mais quand, quarante ans plus tard, des pédales tournantes furent ajoutées aux « chevaux pour dandys » de Johnson, ce moyen de transport, d'abord un symbole d'extravagance élitiste, devint le plus égalitaire de tous. Et de surcroît, il n'était pas si lent que ça.

En 1819, quatre gentlemen parcoururent grâce à lui en douze heures les quatre-vingt-dix kilomètres qui séparent Londres et Brighton. En août 2011, Mark Cavendish remporta la course préparatoire aux Jeux olympiques en couvrant les quelque cent trente kilomètres entre Londres et Box Hill et retour en trois heures dix-huit minutes – ce qui ne le rend que cinq fois plus rapide que les dandys.

LIONEL ROTHSCHILD

Le financier de l'Empire

C'est connu et confirmé par les statistiques : faire de la bicyclette à Londres est de plus en plus sûr. Le cycliste le plus expérimenté reconnaîtra cependant qu'en un ou deux endroits de la ville, il vaut mieux être optimiste dans le talent des autres conducteurs. Un certain sang-froid est nécessaire pour se faufiler dans les passages souterrains de Marylebone Road ou de Hyde Park Corner. Et l'on est en droit de se demander comment Londres peut être traversée par une autoroute urbaine qui a pris la place de ce qui était auparavant le charmant quartier pastoral de Park Lane.

On doit en remercier un ancien ministre des Transports tory, Ernest Marples. Ce visionnaire a, entre autres, décidé que Londres avait besoin d'un gros sens giratoire autour de Marble Arch et de Hyde Park Corner.

En 1962, il transforma cette zone agréable en scène de dévastation : en voulant construire son sens giratoire à cinq voies, Marples a démoli une rangée de maisons anciennes au bout de Piccadilly. L'un d'elles, au n° 148 Piccadilly, certes un peu fanée, restait néanmoins un monument de la grandeur domestique d'antan, construite à l'échelle d'un club londonien. On y trouvait de profondes caves à vin, des logements pour les serviteurs, de vastes cuisines équipées de gazinières ultramodernes et de grands escaliers de marbre menant à l'étage noble rempli de peintures flamandes. La lumière entrait par des fenêtres françaises donnant sur le parc.

C'est dans cette demeure qu'un des accords les plus incroyables de l'histoire fut signé entre une banque et le gouvernement anglais. Sur ce lieu, envahi aujourd'hui par le trafic automobile, se trouvait la maison de Lionel Rothschild, et c'est là qu'il rencontrait son ami Benjamin Disraeli, le Premier ministre.

Nous étions en 1875, l'Angleterre était à l'apogée de son pouvoir et Londres un grand centre industriel. Plus à l'est s'étendait un nombre incroyable d'ateliers et de manufactures malodorantes. C'est d'ailleurs pour cette raison qu'elles avaient été construites aussi loin, pour que les vents ne puissent pas porter ces effluves désagréables jusqu'aux sensibles narines des habitants des belles résidences de Piccadilly. Ces usines fabriquaient jute, caoutchouc, engrais, et dégageaient des odeurs de poisson pourri. D'autres utilisaient le sucre et les oranges des colonies pour produire des marmelades, ou bien importaient du goudron et exportaient créosote, poix, désinfectants, insecticides et teintures. Londres achetait laine, thé, café, sucre, agents colorants, et bien d'autres choses, avant que ses usines ne les transforment, les emballent et les vendent autour du monde. Elles importaient notamment le coton d'Inde et le renvoyaient sous forme de vêtements pour habiller les Indiens, jusqu'à ce qu'il soit raconté que les plaines d'Hindoustan étaient devenues blanches sous les os des malheureux tisseurs indiens.

En 1871, un consortium conduit par les Français avait ouvert le canal de Suez reliant la Méditerranée à la mer Rouge, réduisant considérablement le périple jusqu'en

Inde. Pour Disraeli – romantique et opportuniste dès qu'il s'agissait de l'Empire et de son impératrice – c'était une chance à saisir d'accroître la suprématie de son pays. Le canal ouvrait l'Est africain au commerce et à la colonisation – une aubaine pour les Anglais qui y voyaient un nouveau filon commercial.

L'Empire ottoman était sur la paille, de même que le vice-roi d'Égypte, le khédive, et l'entreprise qui avait creusé le canal avait découvert – comme bien souvent – que son retour sur investissement ne répondait pas à ses attentes. Les Égyptiens demandaient quatre millions de livres, une somme fabuleuse à cette époque, égale à environ 8,3 % du budget du Royaume-Uni. Disraeli savait à quelle porte frapper.

Lionel Rothschild était le principal membre anglais de la dynastie paneuropéenne bancaire. En 1870, sa photo avait fait la couverture du magazine *The Period* comme le « roi » de l'argent liquide et des obligations, et les leaders mondiaux rendaient hommage à ce barbu de grande taille : l'empereur de Chine, le sultan turc, Napoléon III, le pape, le Kaiser Wihelm Ier et la reine Victoria. Lui et sa famille jouissaient d'une grande expérience dans le financement des projets de transports : ils avaient contribué à la création d'un réseau de chemins de fer européens. Lionel était aussi un ami intime de Disraeli et de sa femme.

Dès que le Premier ministre eut reçu l'accord de son cabinet pour le paiement des quatre millions de livres, il envoya un membre du gouvernement, Montagu Corry, au quartier général de N. M. Rothschild, à New Court, sur St Swithin's Lane – là où il se trouve encore aujourd'hui. Corry salua le financier de soixante-sept ans, assis dans son bureau aux murs recouverts de chêne et apparemment dans de bonnes dispositions. « Le Premier

ministre désire quatre millions de livres pour demain»,
lui annonça-t-il.

Rothschild attrapa une grappe de raisin de muscat, le
mangea, jeta les peaux, et répondit :

«Quelle est votre garantie?

— Le gouvernement anglais.

— Vous les aurez.»

Cet accord favorisait tout le monde. Si les Français
étaient furieux de voir l'influence anglaise s'accroître
encore, l'opposition libérable, menée par W. E. Gladstone,
ne trouva aucune objection à formuler. Les Anglais se
montraient ravis de devenir propriétaires de ce canal au
Moyen-Orient, et un Disraeli fou de joie écrivit à
Sa Majesté pour lui apprendre la bonne nouvelle.
«C'est réglé. Il est à vous, Madame. Les Français ont
exagéré, offrant des prêts à des taux usuriers et à des
conditions qui leur auraient quasiment donné le contrôle
de l'Égypte.

«Désespéré et écœuré, le khédive a offert au gouvernement de Votre Majesté d'acheter ses parts, ce qu'il
n'aurait jamais fait auparavant. Quatre millions de sterling!
Et presque immédiatement. Une seule compagnie pouvait le faire : celle des Rothschild. Ils se sont comportés
admirablement, ont avancé l'argent à un faible taux
d'intérêt, et les avoirs du khédive sont maintenant à vous,
Madame.»

Comme on peut le penser, les Rothschild ne s'en
étaient pas mal sortis non plus. Certains dirent que le
vieux mangeur de raisin avait tondu le gouvernement
anglais, qu'il était excessif d'encaisser cent cinquante
mille livres pour un prêt de quatre millions sur trois mois,
soit un taux annuel de 15 %. D'autres insinuèrent que
Lionel et sa famille avaient fait une manœuvre classique,
achetant de gros volumes de titres égyptiens en sachant

que l'accord conclu allait les faire monter. Mais Lionel se moquait des critiques.

Il s'avéra que l'audacieuse décision du gouvernement anglais d'acheter un canal égyptien fut une chance inespérée pour le contribuable. En janvier de l'année suivante, les actions du canal avaient augmenté de 50 %. En 1898, la part du gouvernement valait vingt-quatre millions de livres, six fois la somme payée par Disraeli. En 1935, cette part valait quatre-vingt-treize millions de livres. Les dividendes annuels passèrent de deux cent mille livres en 1875 à huit cent quatre-vingt mille en 1901.

Disraeli n'avait pas seulement travaillé pour les intérêts anglais en protégeant la voie la plus rapide vers l'Inde, il avait aussi réalisé un énorme profit. Le canal de Suez allait rester sous pavillon anglais jusqu'en 1956, pas bien longtemps avant que l'auteur de ces lignes ne soit né.

Comme Disraeli le fit remarquer à Victoria, c'est le système bancaire anglais qui permit de conclure cet accord avec le vice-roi, un accord impossible sans Lionel Rothschild.

En 2012, alors qu'on célèbre le soixantième anniversaire du règne de Sa Majesté la reine Élisabeth II, nous avons de quoi être fiers. Les conditions de vie des gens ont grandement évolué et Londres peut prétendre à juste titre être la ville la plus fantastique au monde. Les revenus y ont beaucoup augmenté depuis 1952 et chacun peut jouir d'Internet, des iPod et des vendeurs de glaces.

Ceux qui inévitablement chercheront à gâcher l'ambiance se tourneront vers le passé et vers l'autre monarque britannique resté soixante ans sur le trône. Les parallèles qu'ils feront entre l'époque de notre seconde Élisabeth et celle de Victoria, ne seront vraisemblablement pas à notre avantage.

L'époque victorienne bat toutes les générations précédentes en termes d'énergie, d'ambition, de réussites. Et
elle nous bat aussi. Il est impossible de rendre justice
au large éventail des personnages qui, au cours des cent
cinquante dernières années, ont fait de Londres la Rome
moderne. À cause, peut-être, du fait qu'ils vivaient
plus que nous dans l'ombre de la mort, les victoriens
semblaient plus avides de vie. Ils se levaient tôt, marchaient
sur de longues distances, préparaient des repas plus
compliqués. Ils écrivaient des romans plus gros, leurs
barbes et moustaches étaient plus fournies qu'au cours
des générations précédentes. Ils réagissaient plus violem-
ment, et se montraient donc plus excités par le sexe et
avaient plus d'enfants. Ils produisirent plus d'aquarelles,
jouèrent plus au piano et se préoccupèrent plus de la vie
des autres – notamment des moins chanceux – que la
classe moyenne de l'Angleterre moderne.

Comme ils étaient, au moins en apparence, plus religieux que les générations précédentes, les victoriens
pensaient œuvrer pour Dieu et, comme les Romains
qu'ils prenaient comme modèle, ils considéraient leurs
succès comme un signe divin. Ils avaient conquis une
bonne partie de la planète car Dieu le voulait ainsi et ils
prenaient l'Inde et l'Afrique de haut car cela faisait partie
de Son plan. Comparé à notre époque, une incroyable
confiance en soi régnait alors.

Sous l'influence teutonne du prince Albert, les victoriens qui avaient des loisirs étaient les intellectuels les
plus sérieux au monde. C'est un sage victorien barbu du
quartier londonien de Bromley, Charles Darwin, qui
développa la théorie de l'évolution, peut-être la découverte
scientifique la plus importante des deux cents dernières
années.

Les victoriens ont inventé ou codifié tous les types de jeux ou de sports. C'est le goût, l'imagination et le dynamisme des victoriens qui ont donné forme à la ville que nous connaissons aujourd'hui. Regardez l'architecture exubérante de Londres, depuis la Cour de justice à l'Albert Memorial, en passant par le Museum d'histoire naturelle. Il n'est pas surprenant que les gens adorent l'architecture victorienne avec ses couleurs, sa complexité et sa chaleur.

Regardez les splendides lambris dorés du Parlement, puis ensuite le béton et l'acier, gris et stérile, du quartier de l'hôtel de ville de Londres. Comparez, et vous allez pleurer. On aimerait tous vivre dans des maisons victoriennes avec grattoir à l'entrée, fronton classique et coquet jardin à l'arrière.

Chaque jour, on envoie nos eaux usées dans de gigantesques égouts percés sous la ville à l'époque victorienne par le génie de Joseph Bazalgette. On descend dans des stations de métro construites par les victoriens avant qu'aucun autre train souterrain n'ait vu le jour, et l'on passe dans des tunnels qu'ils ont percés. Quand le métro arrive à une station, on observe, presque toujours, un morceau d'archéologie industrielle victorienne.

Il existait aussi un autre savoir-faire bien plus important que la construction d'un moteur à vapeur ou que l'exploitation de l'électricité : savoir prêter de l'argent à un taux d'intérêt raisonnable, être confiant dans le retour qu'un investissement pourrait produire – sans parler de toutes les autres compétences nécessaires à la gestion de l'argent et du risque. Londres comptait des experts qui achetèrent de la dette, des gens qui en vendirent et, comme aujourd'hui, des gens qui gagnèrent de l'argent en pariant sur le remboursement de la dette.

La grandeur de l'époque victorienne fut construite sur la prééminence de la City. Sa grande contribution au bon fonctionnement de la planète fut d'injecter des capitaux privés dans le système bancaire. Grâce aux banques commerciales londoniennes, l'épargne des producteurs de cidre du Somerset ou de vieilles dames du Lincolnshire pouvait servir à financer une voie ferrée en Amérique ou en Prusse – et c'est ce qui se passait.

Les banquiers londoniens offrirent des garanties qui permirent d'huiler les mécanismes du commerce mondial. En 1858, on disait : «Un homme à Boston ne peut pas acheter un bateau de thé à Canton sans obtenir un crédit de banquiers comme M. Matheson ou M. Baring.» Londres était devenue le centre mondial des services financiers, non pas seulement parce que la ville se trouvait au cœur d'un empire en croissance, ou parce qu'il s'agissait de la plus grande métropole de la planète, et pas seulement non plus parce qu'elle avait des liens avec d'autres capitales (notamment grâce aux câbles sous-marins en partie posés par le transatlantique britannique *Great Eastern*, le premier paquebot géant). Tous ces facteurs avaient leur importance, mais le plus important en matière bancaire, c'était – et c'est toujours – le billet que l'on tient dans sa main.

Ce billet est une promesse de paiement, ce qui requiert de la confiance, et la confiance s'accorde mieux d'une conjoncture calme. La principale qualité de Londres aux yeux des détenteurs de capitaux du monde entier était qu'il s'agissait de la capitale d'une île ne faisant l'objet d'aucune menace extérieure et jouissant de paix et de stabilité, surtout quand on la comparait au reste de l'Europe. Il s'agissait aussi d'une ville agréable à vivre, où la liberté d'expression et d'association était bien plus grande qu'ailleurs.

Depuis le Moyen Âge, la banque était aux mains de gens qui n'appartenaient pas au sérail, notamment des juifs, et pendant les convulsions de l'époque napoléonienne des nouveaux venus talentueux arrivèrent chez nous en nombre toujours plus grand. Là, ils trouvaient les Baring, toujours désireux de préciser qu'en dépit de leur nom vaguement germanique ils n'étaient pas juifs, mais les descendants d'un pasteur luthérien établi à Exeter.

Ils aimaient souligner aussi leur prééminence puisque John Baring s'était installé à Londres en 1763 et qu'au XIXᵉ siècle sa famille n'avait pas moins de cinq titres de noblesse, châteaux, chasses réservées, chevaux de course, femmes élégantes et liens sans pareil avec le gouvernement qui ont perduré jusqu'en 1995, quand la banque explosa à la suite des agissements frauduleux d'un trader à Singapour, Nick Leeson.

On vit ensuite les juifs sépharades quitter Amsterdam après que la ville eut été conquise par les Français, en 1795, et les juifs des villes allemandes tombées sous les coups des armées napoléoniennes : Schroders, Brandt, Huth, Fruhling, Goschen. Des banquiers grecs vinrent à Londres pour fuir les persécutions turques. Hambros arriva d'Allemagne et du Danemark en 1840, Bischoffsheim et Goldschmidt débarquèrent en 1846, Kleinwort en 1855. Il y eut aussi les Américains comme Peabody, J. S. Morgan, le père de J. P. Morgan, et les Rothschild.

Les Rothschild n'étaient pas simplement une famille aux membres liés par la religion et l'ADN, c'était une entreprise et un empire. Présents dans toutes les grandes capitales du monde, ils furent la cible de critiques antisémites les accusant d'être une pieuvre géante enserrant le globe.

Grâce à leur travail et à leur maîtrise du calcul mental, les Rothschild sont devenus les gens les plus riches de la planète. Selon certains, ils ont accumulé des avoirs comme personne avant eux, battant Midas et Crésus. Leurs premiers millions, ils les gagnèrent durant les conflits de l'époque napoléonienne.

« La guerre engendre toutes choses », dit Héraclite, et elle fut à l'origine du marché international des titres. Si Napoléon et Wellington furent des experts militaires, les Rothschild furent des experts financiers, avec Londres comme principal centre d'opérations.

L'histoire remonte à 1577 et à un homme du nom d'Izaak Elchanan Rothschild, vivant à Judengasse, l'«allée juive», à Francfort. À l'époque, la vie des juifs était très réglementée. Il leur était interdit de faire commerce des armes, des épices, du vin ou des grains. Ils devaient rester dans le ghetto les dimanches et jours de fêtes chrétiennes. Ils pouvaient échanger des pièces et prêter de l'argent, mais une limite était toujours imposée à l'ampleur de leur richesse.

Ce sont les répercussions de la Révolution française de 1789 qui ont libéré les juifs de Francfort de ces obligations – et donné sa chance à Mayer Amschel Rothschild. Il s'enrichit en servant de gérant de fonds à l'électeur de Hesse-Kassel – qui avait été exilé par Napoléon –, et en touchant les intérêts de ses avoirs de façon discrète, mais efficace.

Mayer était une vieille buse à poigne qui enseigna à ses fils de saints principes comme «mieux vaut traiter avec un gouvernement en difficulté qu'avec un gouvernement qui réussit», ou «si vous ne pouvez pas vous faire aimer, faites-vous craindre», ou encore «si une personne haut placée a une relation d'affaires avec un juif, il entre dans le cercle des juifs».

Un de ses fils tira particulièrement profit de ces leçons. Il s'agissait de Nathan Mayer qui fut d'abord envoyé à

Manchester pour importer des textiles et revint à Londres en 1804, quand il fonda la banque N. M. Rothschild. Très vite, il finança l'effort de guerre britannique contre Napoléon. Quand les fournisseurs espagnols et portugais de denrées refusèrent la monnaie de papier pour alimenter les troupes de Wellington pendant la campagne d'Espagne, Nathan Mayer envoya des lingots par la Manche. En 1815, le compte de N. M. Rothschild avec le gouvernement anglais se montait à dix millions de livres et lord Liverpool le traitait d'«ami très utile».

Nathan Mayer était reconnu comme un géant de la Bourse. On parlait du «pilier Rothschild». On le décrivait ainsi : «ses lourdes mains dans ses poches, silencieux, immobile, un rusé implacable». On dit aussi qu'il fut le premier à entendre parler de la victoire de Wellington à Waterloo et qu'il alla l'annoncer au gouvernement. Hélas, il ne fut pas cru, le gouvernement de Londres ayant tout juste appris la défaite anglaise à Quatre-Bras. Il repartit donc à la Bourse où tout autre que lui aurait acheté des titres du gouvernement en pensant qu'ils allaient grimper, une fois la bonne nouvelle connue. Pas lui : il était trop malin pour ça.

Au lieu d'investir dans ces titres, il vendit, les faisant baisser. Et il vendit si vite qu'une panique s'empara de la Bourse, chacun pensant que Nathan Mayer devait détenir une information exclusive de ses agents comme quoi Waterloo était perdu.

Le financier continua à vendre, les cours s'effondrèrent, jusqu'au moment où il changea de tactique et acheta. Il acheta des quantités de titres pour rien, ou presque. Peu de temps après, la nouvelle de la victoire de Wellington se répandait, entraînant le cours des titres à la hausse. L'adepte des montagnes russes avait ainsi gagné entre vingt et cent trente-cinq millions de livres.

« On ne peut pas estimer le montant de l'épargne qui s'est volatilisé lors de cette panique orchestrée », selon une histoire peu aimable de la famille Rothschild écrite dans les années 1960. Elle reprend là un propos déjà colporté par Joseph Goebbels en 1940, qui avait ajouté que le fourbe financier avait payé un général français pour qu'il perde la bataille.

La réalité fut un peu différente, comme le montre le magnifique ouvrage de Niall Fergusson, *The House of Rothschild*. Waterloo fut presque un désastre pour les Rothschild, souligne-t-il, car ils avaient amassé de grandes quantités de lingots en croyant que la guerre allait durer longtemps. C'est vrai que leur système de renseignements leur avait permis d'obtenir un scoop concernant Waterloo – mais peu importe le moment où la nouvelle leur était parvenue : pour eux, elle était mauvaise.

Les armées allaient être dispersées, il ne resterait aucun soldat à nourrir. Le prix de l'or allait chuter : ils s'attendaient à des pertes considérables. Alors Nathan Mayer Rothschild eut une autre idée, n'allant aucunement contre les intérêts de sa patrie (il était naturalisé anglais), contrairement à ce que Goebbels a laissé entendre ; une idée particulièrement pertinente. Il considéra que la fin de la guerre était une bonne nouvelle pour le gouvernement anglais puisque ses dettes en seraient réduites, et estima que les titres du gouvernement allaient donc prendre de la valeur.

Il en acheta pendant toute une année, sans écouter ses frères qui lui conseillaient la prudence. Il en acheta jusqu'à ce que leur prix ait augmenté de 40 % et alors seulement il vendit tout et réalisa un extraordinaire profit de six cent millions de livres.

Les Baring regardèrent cela avec émerveillement et respect. « L'argent est le Dieu de notre époque, dit le poète Heinrich Heine, et Rothschild est son prophète. » Quand N. M. Rothschild mourut, en 1836, il avait placé sa famille au centre de la politique européenne. Il eut l'oreille de chaque prince et Premier ministre du continent, et son rôle dans le financement des gouvernements était si crucial que l'on disait qu'aucune guerre ne pouvait commencer sans son accord. Sa fortune personnelle représentait 0,62 % du PNB de l'Angleterre.

Lui et sa famille ne manquaient que d'une chose : la reconnaissance. Et avec les diffamations et les calomnies qui entourèrent le coup de Waterloo, on l'imagine bien. Les banquiers juifs qui réussissaient étaient bien sûr habitués aux rebuffades, aux insultes et à la discrimination. Mais avec l'arrivée de la troisième génération, les Rothschild se montrèrent déterminés à changer cette situation.

Lionel, le fils de Nathan Mayer, passa les dix années suivant la mort de son père à lutter pour le droit des juifs – et notamment le sien – à être admis dans le meilleur club de Londres : la Chambre des communes. Selon une coutume ancienne, ses membres devaient faire œuvre d'allégeance à la chrétienté. Avec l'aide du parti libéral et de la presse, Lionel décida de mettre cette coutume à l'épreuve.

Au cours de l'été 1847, il se présenta aux élections à la City de Londres et appliqua la recette habituelle : de grosses sommes furent versées à son électorat, et il rentra fièrement au Parlement. Comme le dit son frère Nat, « ce fut l'un des plus grands succès de la famille, et l'une des plus grandes avancées pour les juifs pauvres d'Allemagne et du monde ».

Il restait juste un problème : pour occuper son siège, il devait prêter serment « sur la foi des chrétiens ». Lionel se voyait donc obligé de persuader le Parlement de changer le texte du serment. Disraeli s'en occupa, et avec audace.

Ce dernier, à la fois romancier et aventurier politique, avait été baptisé chrétien à l'âge de douze ans, mais il était juif par descendance et sympathie. Il appréciait Lionel Rothschild qui l'avait aidé à spéculer sur les titres des chemins de fer français et lui prêtait de grosses sommes d'argent afin qu'il payât ses dettes contractées sur ses différentes maisons et menât la vie qu'il pensait mériter. Charlotte, la jolie femme aux yeux noirs de Lionel, était devenue amie de Mary Anne, la femme de Disraeli.

Au nom de son bienfaiteur en particulier et des juifs en général, Disraeli se lança dans la bataille, usant de l'argument peu prometteur que les juifs avaient fait le travail de Dieu en tuant Jésus. Ils avaient « accompli la tâche salutaire du Seigneur et sauvé la race humaine », avait-il lancé aux parlementaires abasourdis. La chrétienté était une réalisation du judaïsme, avait poursuivi Disraeli à qui l'occasion était ainsi donnée d'exprimer la complexité de sa propre identité.

Les libéraux aimèrent cette façon de parler, mais nombre de ses amis travaillistes furent choqués. Pas moins de cent trente-huit parlementaires se rebellèrent contre la direction du parti.

En dépit de l'opposition travailliste, la loi passa aux Communes, mais la cause de l'émancipation des juifs reçut un accueil encore plus agité chez les lords. Finalement, Lionel s'embarqua dans une aventure audacieuse (mais prévisible) : il versa des pots de vin à la Chambre des lords. Il semble même qu'il soudoya le prince Albert, l'époux de la reine, connu pour son influence auprès des lords. En juillet 1850, quelques jours seulement avant qu'il n'essaie d'occuper son siège après un serment modifié, il donna cinquante mille livres pour le projet chéri d'Albert, l'Exposition universelle, dont l'un des joyaux fut le palace de cristal de Hyde Park. Quand, aujourd'hui, vous regardez le splendide héritage de l'Exposition de 1851 – les musées, l'Albert Hall – souvenez-vous de Lionel Rothschild, de la lutte pour l'émancipation des juifs et de l'art subtil d'adoucir les membres de la famille royale.

Ce n'est qu'en 1857 que Lionel fut finalement autorisé à occuper son siège au Parlement. Le comte de Lucan suggéra, pour qu'il soit admis, que les Communes changent leurs procédures de façon à ce que les juifs soient autorisés à prêter serment sans prononcer les mots relatifs à la foi chrétienne. C'était un triomphe pour Lionel et sa famille. Non pas qu'il ait jamais eu l'intention d'être présent aux Communes et d'y faire des discours, rien de cela. Il s'agissait simplement pour lui d'une question de principes.

À Londres, les Rothschild avaient rendu de grands services à leur pays d'adoption, financé l'effort de guerre contre Napoléon et donc – dans le langage de l'époque – sauvé le continent de la tyrannie. Ils avaient aussi contribué à faire de Londres le centre du marché mondial des titres, assurant sa position de capitale financière internationale. Ils avaient démontré que l'investissement privé pouvait permettre de réaliser de grands projets d'infrastructures, notamment les chemins de fer, si importants pour la croissance et la compétitivité. Ils avaient aidé l'Angleterre à s'octroyer le canal de Suez, un avantage inestimable pour l'Empire.

Grâce à la ténacité de Lionel, ils avaient même fait bien plus, avec une modification – petite mais bienvenue – de la loi du serment des Communes, allant vers plus d'humanisme et de sens commun, à un moment où les autres villes d'Europe connaissaient un retour en force de l'antisémitisme. En fait, les Rothschild s'étaient fait les champions de l'ouverture d'esprit, de la tolérance et du pluralisme qui allaient rester des facteurs majeurs de l'attractivité de la ville au cours des cent cinquante années qui suivirent – contrastant avec l'Allemagne, pays de naissance de Nathan Mayer Rothschild, qui était en train de devenir le principal rival économique de l'Angleterre.

Les Rothschild du XXe siècle n'ont pas répété les prouesses de leurs ancêtres. Au cours de son histoire, la famille n'a pas réussi à faire une percée en Amérique et sans doute est-elle allée trop loin dans sa lutte pour être socialement acceptée. Les Rothschild ont non seulement imité les Baring en achetant des titres de noblesse, mais ils ont succombé au vice de tout commerçant qui réussit dans ce pays : ils ont acheté des terres, tentant de devenir ainsi membres à part entière de l'aristocratie anglaise.

Dans toute l'Angleterre et sur le continent, la famille a construit de gigantesques châteaux et de belles demeures – une quarantaine, selon les derniers chiffres. Et ces entreprises prennent du temps. Il faut faire travailler les chevaux, s'occuper des parcs, gérer les serviteurs. Tout cela distrait les énergies de la finance. Nathan Mayer n'aurait pas approuvé.

Aujourd'hui, un jeune Rothschild peut encore faire les grands titres des journaux avec une fête sur son yacht au large des côtes de l'ancienne Yougoslavie. Mais personne ne lui demande la permission de faire la guerre. Et pourtant, ceux qui affectionnent l'histoire seront contents de savoir que la banque N. M. Rothschild occupe encore les lieux que Disraeli connaissait, et donne encore de bons conseils sur le financement des transports (Transport for

London a eu recours à ses services pour la rénovation du métro).

L'année de l'Exposition universelle que Lionel aida à financer, des centaines de milliers, voire des millions de Londoniens vivaient dans des taudis entourés d'égouts où, selon Charles Dickens, la puanteur aurait fait vaciller un bœuf.

Ces pauvres pouvaient difficilement payer l'entrée à l'exposition et s'agglutinaient le long des vitres afin de voir à l'intérieur. Pour eux, savoir qu'ils vivaient dans la première ville du monde n'était sûrement pas une grande consolation. À nos yeux, aujourd'hui, cette exposition symbolise un méli-mélo d'attitudes inacceptables – le racisme, le sexisme, le colonialisme, l'impérialisme, le triomphalisme culturel et le turbo-capitalisme.

Il est dès lors important de rappeler que le capitalisme victorien a ouvert la voie à une amélioration des conditions de vie qui ont entraîné la plus grande révolution sociale depuis la découverte de l'imprimerie : l'émancipation des femmes. À la fin du siècle, on verra des suffragettes descendre dans les rues et demander le droit de vote. Mais bien avant cela, on vit arriver deux femmes à Londres qui se se mesurèrent aux hommes et refusèrent de subir leur loi.

« L'argent est le dieu de notre temps
et Rothschild est son prophète. »

Heinrich Heine, *Sämtliche Schriften,* vol. V.

LE PING-PONG

De toutes les contributions des victoriens au monde, la plus importante fut certainement le sport. Je me souviens combien Sepp Blatter, le président de la FIFA, avait choqué la planète entière en affirmant que le football avait été inventé en Chine – alors qu'il savait parfaitement que ce jeu devenu universel avait été codifié à Londres en 1863. Quels que soient les mérites du cuju, un sport du IIIᵉ siècle avant Jésus-Christ qui consistait à taper dans un objet de cuir pour le lancer dans le trou d'un tissu de soie, ce n'était pas le vrai football. Les Jeux olympiques dans leur forme actuelle trouvent leur origine à Much Wenloch, dans le Shropshire où, en 1850, un médecin du nom de William Penny Brookes, organisa des olympiades incluant toutes sortes de disciplines, dont une course de brouettes et un concours de chant. Ce fut un tel succès que Brooks écrivit au roi de Grèce, à son Premier ministre et à son ambassadeur à Londres pour les supplier de ressusciter les Jeux olympiques à Athènes. L'anglophile baron Pierre de Coubertin reprit l'idée et recréa les jeux à la façon des Grecs.

Tout au long du XIXᵉ siècle, divers sports furent organisés et pratiqués en Angleterre, notamment à Londres. L'Athletics Club fut fondé à West Brompton en 1866 et permit d'établir les règles de l'athlétisme moderne. Si les hommes se sont tapés dessus depuis la nuit des temps et si l'*Iliade* fait référence à la boxe, c'est à Londres en 1867 que le marquis de Queensberry en fixa le mode de fonctionnement. En 1871, un groupe de trente-deux victoriens costauds se réunit au restaurant Pall Mall de Cockspur Street et lança la Rugby Football Union. En 1882, l'Amateur Rowing Association était créée par les accros d'aviron qui disputaient des compétitions acharnées sur la Tamise. Et vous pouvez voir sur d'anciens bas-reliefs grecs des gens qui pratiquent le hockey, mais les règles du jeu que nous connaissons aujourd'hui ont été établies en 1886, avec la création de la Hockey Association.

Le tennis sur gazon fut inventé par un excentrique, le commandant Walter Clopton Wingfield, et il fut à l'origine baptisé « Sphairistike » puis surnommé *sticky*. En 1888, la Lawn Tennis Association voyait le jour, de même que les courts de configuration rectangulaire – et non en forme de sablier, comme l'avait imaginé Wingfield. Le jeu de raquettes fut d'abord pratiqué par les détenus des prisons pour dettes de Londres. Le premier cours de squash fut ouvert à Harrow. La pratique du cricket commença à Marylebone. Et la première compétition de natation semble avoir été organisée sur la Serpentine, en 1837.

On voit ainsi que les victoriens pratiquèrent toutes sortes de sports de façon obsessionnelle et en fixèrent les règles, ces dernières étant vitales au nom du *fair play* ainsi que pour pouvoir désigner un vainqueur et ainsi solder les paris.

Et puis ils inventèrent un sport certifié 100 % anglais d'origine, aussi bien pour ses règles que pour son idée. Il fut pratiqué pour la première fois dans les années 1880, après un dîner. Les tables débarrassées, les joyeux convives posèrent des livres en leur centre en guise de filet et se lancèrent les bouchons de champagne à l'aide d'autres livres ou de boîtes à cigares. Le tennis de table était né. Une première version fut déposée en 1890, avec une balle en caoutchouc de trente millimètres recouverte de tissu, des raquettes à cordes et une bordure basse en bois courant tout autour de la table. Un an plus tard, le fabriquant de jouets John Jaques of London lança « Gossima », avec une balle en liège de cinquante millimètres, un filet d'un pied de haut et des raquettes en parchemin, qui sonnaient ping et pong à chaque impact.

Bientôt débarquèrent sur le marché de nombreuses variantes, avec des noms comme Whiff-Whaff, Pom-Pom, Pim-Pam, Netto, tennis de salon ou tennis de table. Cette dernière dénomination survécut, ainsi que Ping-Pong, et comme les deux avaient des règles différentes, un accord intervint en 1903 pour mettre un terme à cette confusion avec la création de l'Association du tennis de table.

La vraie question est, pourquoi ce jeu fut-il inventé dans une salle à manger anglaise? Peut-être pour éviter l'ennui d'avoir à ranimer la conversation à la fin d'un dîner. Ou bien parce que la nourriture n'était pas très bonne, ou la pluie avait interrompu une partie de tennis dans le jardin. Peut-être aussi parce que les victoriens étaient les plus riches au monde et qu'ils avaient suffisamment de loisirs pour se bombarder les uns les autres avec des bouchons de champagne.

Florence Nightingale et Mary Seacole

Les premières infirmières professionnelles

Ce fut certainement une soirée accablante pour Florence Nightingale. Elle n'aimait pas sortir et ne buvait jamais.

Ce 25 août 1856, elle se trouvait dans les Royal Surrey Gardens, à Kennington, et le bruit était assourdissant : autour d'elle, deux mille soldats au visage cramoisi, hurlant et buvant à sa santé avec ardeur. L'écho de leurs chansons se répercutait sur les murs et les balcons de fer forgé du music-hall récemment construit.

Ils étaient ravis d'avoir survécu à la folie et au carnage de la guerre de Crimée. Ils étaient fiers de ce petit ange à la cape en dentelle qui occupait la place d'honneur et lui portaient des toasts toujours plus nombreux jusqu'à être complètement cuits.

Puis le tapage se fit encore plus grand. Une autre femme se trouvait là, presque aussi connue et autant aimée. Sous des applaudissements redoublés, elle fut hissée en l'air, sa chaise portée par quatre hommes massifs. Il est probable que Florence Nightingale ait jugé ce spectacle vulgaire à la vue des jupons de la personne.

Sous la lumière des lampes à gaz, le visage de Mary Seacole resplendissait. Partout où son regard se posait, les gens l'acclamaient. Elle respirait la joie simple d'une infirmière qui a toujours aimé ses «garçons» et n'a jamais eu froid aux yeux. Elle rayonnait aussi de fierté à l'idée que, pour la première fois en Angleterre et même dans le monde occidental, on adulait une femme noire

Sur le podium, occupant le siège d'honneur, Florence Nightingale observait la scène du haut de son nez pointu. Elle regardait Mary portée aux nues, sa collègue infirmière en Crimée.

Plus tard, le buste de Mary Seacole fut sculpté par le comte Gleichen, également auteur de celui du roi Alfred. Elle écrivit une autobiographie de deux cents pages, amusante et pleine de verve, le premier document de ce genre jamais produit par une femme noire dans notre pays. Cette lecture – que je recommande vivement – nous montre un être véritablement remarquable. Aujourd'hui, sa place dans les livres d'histoire est assurée, mais il est curieux qu'elle ait été, pendant près de cent ans, presque totalement oubliée.

Pour apprécier la joie des soldats et la vénération qu'ils portaient à Seacole et Nightingale, il faut se souvenir de ce qu'ils venaient juste de vivre. Tous avaient vu leurs copains casser leur pipe en nombre ahurissant aux mains d'un ennemi plus mortel encore que les fusils de Sébastopol, plus vicieux que les sabres des Cosaques : le choléra.

Personne à Londres n'avait de connaissances scientifiques sur ses causes mais chacun avait vu la vitesse avec laquelle il emportait ses victimes. Tous savaient qu'en l'espace d'une journée, une personne en pleine santé pouvait être transformée en spectre, les yeux enfoncés, la peau flétrie, une dysenterie terminale et humiliante. Le typhus provoquait des émeutes à Clerkenwell, Holborn et St Giles.

Des millions de travailleurs pauvres n'avaient aucune chance de bénéficier d'un traitement médical ni même l'idée de ce qu'étaient des soins. Tant de gens mouraient que les cimetières débordaient et les sols eux-mêmes devenaient source de contagion. Dans la ville la plus riche au monde, au cœur du plus vaste empire jamais connu, l'espérance de vie tomba à trente-cinq ans, plus bas qu'à l'époque d'Hadrien.

Le Londres du milieu du xixe siècle était victime de son propre succès. La population augmenta de 20 % durant chaque décennie de la vie de Florence Nightingale. Tout en haut de la pyramide, se trouvaient des gens à la fortune prodigieuse. Comme toujours dans l'histoire de la ville, des banquiers, comme les Baring ou les Rothschild, parvenaient à égaler la fortune de l'aristo-cratie des propriétaires terriens. Parmi les quarante hommes les plus riches qui moururent entre 1809 et 1914, quatorze étaient des banquiers.

Pour chacun de ces magnats, on comptait des milliers de gens appartenant à une classe, disons moins que moyenne, au-dessous de laquelle vivaient encore des légions de pauvres, leur nombre et leur misère s'accroissant chaque mois à cause de l'arrivée de paysans dans la ville.

Dans son livre *Ragged London* (Londres en lambeaux), John Hollinghsead avance qu'un tiers de la population londonienne vivait dans des rues et des cours crasseuses sous des abris de bric et de broc. L'écrivain français Hippolyte Taine raconte son émoi quand il découvrit, dans les ruelles derrière Oxford Street, la puanteur de l'air, les groupes d'enfants blafards agglutinés sur les esca-liers recouverts de boue. Le journaliste Henry Mayhew a vu des personnes âgées mangeant des miettes sales qu'elles avaient ramassées sur la route puis lavées et lais-sées macérer dans de l'eau.

Le plus grand connaisseur de la situation sordide de certains citadins était Charles Dickens dont les pages de *La Maison d'âpre-vent* (*Bleak House*) et d'*Oliver Twist* figurent parmi les morceaux de littérature les plus poignants jamais écrits. Et pourtant, il n'a pas toujours réussi à restituer l'ampleur de la brutalité du capitalisme du xixe siècle.

Henry Mayhew interrogea un jour une femme de soixante ans qui avait reçu une bonne éducation mais se retrouvait veuve et sans argent. Elle était allongée, épuisée et fiévreuse, à la fin de sa journée de travail, essayant de reprendre des forces sur le sol d'une cave. Elle était devenue l'une des deux cent cinquante femmes qui parcouraient les rues de Londres pour ramasser les crottes de chien qu'elles allaient vendre aux tanneurs de Bermondsey. Elle n'avait aucune idée des risques qu'elle faisait courir à sa santé – et Mayhew non plus, d'ailleurs.

En 1815, il fut décidé que les maisons londoniennes seraient autorisées à utiliser des toilettes dont la popularité croissait. Inventées par Joseph Bramall, elles déversaient les déchets dans les égouts. En 1828, cent quarante de ces égouts débouchaient directement dans la Tamise. En 1834, les gens commencèrent à comprendre l'horreur que représentait la pollution de l'eau.

Mais le lien entre égouts et maladies n'avait pas été découvert. C'était la simple odeur qui rendait les gens souffrants, disait-on. En 1849, se produisit une nouvelle épidémie de choléra au cours de laquelle quatorze mille personnes moururent. En 1854, quand Nightingale et Seacole s'apprêtaient à partir pour la Crimée, le mystère restait encore entier. Elles ignoraient tout des notions d'hygiène de base...

De façons différentes, les deux femmes ressentaient un profond désir de consacrer leur vie à aider les malades. Toutes deux ont permis de définir le concept d'infirmière professionnelle. Pour atteindre cette ambition, chacune a dû affronter des préjugés et des discriminations qui seraient aujourd'hui considérées comme inacceptables.

Le grand-père maternel de Nightingale avait fait fortune dans les mines de plomb. La famille possédait des terres dans le Derbyshire et un château imitation Tudor à Hampshire, appelé Embley Park. La jeune fille prenait ses vacances à Florence (là où elle naquit, en 1820) et à Paris où elle côtoyait des célébrités. Dès qu'elle fut en âge de penser à son avenir, elle sut qu'elle allait décevoir ses parents. Elle aurait pu alors épouser un jeune homme qui soit un beau parti, mais elle n'en avait nullement l'intention. Elle voulait être infirmière. Petite, elle pratiquait son art sur sa sœur, sur ses poupées et mit même une attelle à la main de l'une d'entre elles.

En grandissant, ses certitudes ne firent que s'affirmer. Elle tenta de devenir infirmière à l'hôpital Salisbury, mais ses parents lui mirent des bâtons dans les roues. Selon eux, soigner les autres n'était pas une activité convenable pour une charmante jeune fille comme elle. «C'est comme si j'avais voulu devenir femme de ménage», gémissait-elle.

Elle lutta pendant huit ans pour surmonter ce rejet. Elle se pencha sur d'énormes rapports produits par des commissions médicales, elle dévora des brochures sur l'hygiène, et dans les intervalles que lui laissait la saison mondaine londonienne, elle s'échappait, rejoignant des écoles minables et des hospices et s'imprégnant de l'atmosphère qui régnait chez ces déshérités. Un jour, elle se promenait avec sa mère et sa sœur dans une capitale étrangère, le lendemain elle faisait une incursion dans un taudis.

Elle fut courtisée par un poète et homme politique portant cravate, extraordinairement comme il faut, du nom de Richard Monckton Miles, mais elle le repoussa, au grand dam de sa mère. Non que Florence ait été incapable de penser au plaisir. « J'ai une nature passionnée qui demande à être satisfaite et cet homme me conviendrait bien », songea-t-elle. Mais elle conclut finalement : « J'ai une nature morale et active qui demande à être satisfaite, sa vie ne me conviendrait pas. »

C'est l'une des petites tragédies de l'époque victorienne : il ne semble pas que Florence Nightingale ait jamais « assouvi » son côté passionné. Elle n'eut pas de relations sexuelles avec un homme. Elle n'était ni homosexuelle ni sans attrait, mais pour elle, s'engager dans une relation amoureuse avec un homme représentait une sorte de capitulation, une soumission, une perte de cette autonomie à laquelle elle aspirait tant.

Il était épouvantable, écrivit-elle dans ses longs mémoires, qu'une jeune femme talentueuse et énergique dut faire face à ce choix : s'épanouir dans une carrière professionnelle, ou épouser un crétin à moustache. « Depuis que j'ai six ans, mes pensées tournent autour d'une profession, d'une occupation qui me plairait et me permettrait d'utiliser mes qualités. Ma première idée fut d'être infirmière. Mon Dieu, que vais-je devenir ? »

Dieu lui répondit vite. Lors d'un voyage à Thèbes, en Égypte, le Tout-Puissant l'« appela ». Ceux d'entre nous qui n'ont jamais reçu un appel de Dieu se demandent à quoi cela ressemble. Peut-être à l'interruption du cours normal d'un programme de radio ou de télévision par la diffusion d'un message d'un parti politique, ou peut-être à une petite sonnette dans la tête. Allô ? Ici le standard, Dieu demande à vous parler. Vous prenez l'appel ? Florence, manifestement, répondit positivement ; écouta son message. « Dieu m'a appelée ce matin et demandé de faire le bien », annonça-t-elle. Avec le sérieux propre aux victoriens, elle s'exécuta et partit travailler dans un hôpital en Allemagne. En 1853, sa détermination fut récompensée : elle devint directrice de l'Institute for the Care of Sick Gentlewomen à Upper Harley Street. Sa mère s'en désola. «Nous sommes des canards et avons produit un cygne sauvage», se lamentait-elle. Elle avait tort. Ce n'était pas un cygne qu'elle avait mis au monde, mais un aigle. L'année suivante celui-ci déploya ses ailes et s'envola.

L'Angleterre avait beau posséder le plus grand empire au monde, elle ne se reposait pas sur ses lauriers. Le gouvernement se préoccupait des intentions de la Russie envers l'Inde et quand Moscou et la Turquie commencèrent à se chamailler sur la gestion des lieux saints de Jérusalem, le moment sembla venu, à Londres, de donner une bonne leçon à l'ours russe. Mais où ? Les cartes furent dépliées. Et il fut décidé de se joindre à la bataille de Crimée.

En septembre 1854, une force anglaise se dirigea vers la Turquie. Il ne fallut pas attendre longtemps avant que les troupes ne se retrouvent sacrément malades : huit mille hommes souffrant du choléra ou de la malaria. Le *Times* publia un article critiquant les équipements sanitaires. L'œil de l'aigle avait trouvé sa cible.

Elle écrivit à Sidney Herbert, secrétaire à la Guerre, lui offrant ses services. Celui-ci, un ami de la famille, avait déjà envoyé une lettre à Florence l'invitant à faire la même chose. Leurs lettres se croisèrent.

Elle partit avec un détachement de trente-huit infirmières, dont sa tante Mai, et elles se retrouvèrent vite à traverser le Bosphore en débattant du type de gel qu'il faudrait utiliser pour que les soldats acceptent de prendre un bain.

Grâce au miracle des journaux, ces événements furent portés à la connaissance d'une dodue cinquantenaire

assise sous la véranda de son hôtel de Panama. En dépit
de son âge (quinze ans de plus que Nightingale), de sa
corpulence, de la couleur de sa peau, de son manque de
qualification, et de sa méconnaissance de la Russie, elle
savait qu'elle devait y aller. Elle décida de se rendre en
Angleterre pour devenir infirmière volontaire.

Mary Jane Seacole était née en 1805 à Kingston, en
Jamaïque. Elle était la fille d'une guérisseuse et d'un officier de l'armée d'Écosse appelé Grant. Mulâtre, elle allait
s'identifier toute sa vie aux Noirs et aux gens de couleur
et sympathiser avec eux. Son métissage, pensait-elle, lui
donnait l'énergie naturelle qui la poussait à parcourir le
monde, à une époque où les femmes respectables étaient
supposées être accompagnées partout où elles se rendaient.
«Certains m'appellent un Ulysse en jupons», claironnait-
elle.

Jeune, elle voyagea en Angleterre, aux Bahamas, à
Cuba, à Haïti, et épousa un mystérieux Anglais du nom
d'Edwin Horatio Hamilton Seacole, supposé être un
enfant illégitime de l'amiral Nelson. Quoi qu'il en soit, il
n'avait pas la constitution robuste de sa femme et il mourut en 1844. Leurs neuf années de mariage n'occupent
que quelques lignes dans son autobiographie.

Mary vécut d'expédients. Cuisinière accomplie, elle
faisait des curries et des confitures. Comme sa mère, elle
était guérisseuse et avait appris en Jamaïque à soigner
toutes sortes de terribles maladies tropicales. Elle géra
aussi quelques hôtels-maisons de convalescence dont le
premier fut à Kingston.

Il existe un portrait de Mary datant de 1850 et bien
qu'elle soit replète, c'est une jolie femme, avec un visage
reflétant sa douceur et son honnêteté. Quand son premier hôtel brûla, elle en construisit un autre, puis partit
au Panama pour y ouvrir un établissement à la réputation

plus que douteuse. Elle chercha aussi de l'or. Elle mangea des iguanes qu'elle rôtissait.

Tout au long de ces années, elle s'occupa de victimes du choléra, leur appliquant des décoctions qui semblaient efficaces. Elle tirait une certaine fierté de l'apparent succès de ses soins mais son esprit en éveil était toujours avide d'apprendre. Une terrible épidémie de choléra frappa Panama en 1849 et quand un bébé d'un an dont elle s'occupait mourut, Mary voulut en savoir plus, partit avec le corps de l'enfant au bord d'une rivière, prit un scalpel et procéda à une autopsie. Elle eut un début de choléra elle-même, survécut, et choisit de rentrer en Jamaïque en 1852.

Désireuse de soigner et d'aider les soldats anglais, elle décida de mettre toute son énergie au service de l'armée en Crimée. Elle fut amèrement déçue par les réponses qui lui furent faites. En dépit du besoin d'infirmières et du flot des dons publics pour financer les soins médicaux en Crimée, Mary Seacole connut une série de rebuffades. Entre le War Office et le Crimean Fund, personne n'était intéressé par ses références et son expérience en matière de choléra.

Alors elle résolut – faisant ainsi preuve d'un grand courage – d'agir seule. Si elle ne pouvait pas partir en tant qu'infirmière, elle irait en Crimée comme cantinière et approvisionnerait les troupes en victuailles. Elle prit le bateau pour Constantinople, via Malte, et rencontra un médecin qui lui donna une lettre d'introduction pour Nightingale.

Quand le bateau accosta, Mary vit des casernes tristes. C'est là que Florence travaillait depuis des mois. Quand cette dernière était arrivée dans la ville de Scutari, sur la rive anatolienne du Bosphore, elle avait découvert un spectacle d'enfer. Sur six kilomètres de long, des lits serrés les uns contre les autres portaient des hommes mutilés par les canons russes. L'endroit était infesté de rats et de vermine, les planchers vermoulus, et les soldats manquaient des choses les plus élémentaires comme des bassins, des serviettes ou du savon. Pire encore, dans la cave de l'hôpital, les évacuations d'eaux usées s'accumulaient dans de vastes citernes, diffusant une odeur immonde sur un lieu censé avoir été conçu pour soigner les gens.

Ses connaissances en statistiques et mathématiques permirent à Nightingale de calculer que si les soldats continuaient à mourir au même rythme, il ne resterait bientôt plus aucune armée. Balayant d'un revers de main les remarques sexistes des médecins militaires qui la surnommaient «l'oiseau» et considéraient ses décisions comme des «farces», Florence prétendit fournir à ces hommes journaux, nourriture saine et brosses à dents. Elle combattit les mauvaises odeurs en ouvrant les fenêtres, répara la plomberie, accéléra l'arrivée des denrées, et organisa une blanchisserie. Elle améliora ainsi grandement les conditions de vie dans l'hôpital, sauvant certainement de nombreuses vies. Mais elle ne comprenait toujours pas la relation entre hygiène et maladies.

John Snow avait trouvé la bonne réponse en 1854, expliquant que le choléra naissait dans l'eau mais cette avancée de la connaissance scientifique ne fut pas comprise. L'horrible vérité, c'est que le nombre de morts ne faisait que croître, six mois après l'arrivée de Florence, faisant de Scutari le pire abattoir de la région : quatre mille soixante-dix-sept personnes y décédèrent dès le premier hiver. C'est devant la porte de cette maison de la mort que Seacole arriva, bien déterminée à laisser sa marque.

La porte s'ouvrit, une infirmière la laissa entrer en chuchotant. Les blessés avaient peut-être des journaux et des brosses à dents, et ils avaient arrêté de jurer en présence de Nightingale, mais ils étaient tout de même en mauvais état. Mary Seacole passa entre les lits et se mit à pleurer devant le spectacle qui s'offrait à elle. Quelques-uns, vétérans des Antilles, reconnurent celle qu'ils avaient rencontrée dans son hôtel de Kingston. Et Mary commença à remplacer un pansement, à en desserrer un autre... Où était Nightingale ? Une demi-heure plus tard, elle fut finalement conduite vers elle.

Mary décrit l'infirmière anglaise comme une femme menue, la tête posée dans sa paume, le visage exprimant une interrogation, le pied droit tapotant le sol, seul signe d'impatience. «Que voulez-vous Mme Seacole ? Je vous aiderai avec plaisir si c'est en mon pouvoir.»

Visiblement, Mary n'était pas la bienvenue à l'hôpital. Elle passa la nuit dans la blanchisserie où les puces firent un festin de ses rondeurs, puis quitta l'empire Nightingale le lendemain et se retrouva à des centaines de kilomètres de là, sur les docks de Balaclava, en Crimée, où les mutilés étaient chargés dans des bateaux. Mamie Seacole fut reçue avec joie par ces hommes estropiés (du moins le prétend-elle) qui juraient, en bons patriotes, vouloir repartir au combat. Avec un acharnement digne des Monty Python, l'un d'eux lui promit qu'il y ferait «le meilleur usage de la jambe que [lui avaient] laissée les Russes».

Quelques semaines plus tard, elle avait trouvé un endroit à Spring Hill, près de Balaclava, où construire son British Hotel en dépit des inondations, des vols et de l'incompétence des charpentiers turcs. Fait de ferraille, de vieilles caisses et de bois, il était surmonté d'un drapeau anglais qui flottait sur le toit.

À l'intérieur régnait confort et chaleur. À Noël 1855, la maison de Mamie Seacole était l'endroit le plus populaire de Crimée. On y mangeait du pudding aux prunes arrosé de cidre ou de vin, du pudding au riz et des tartes chaudes. Quand elle ne cuisinait pas, Mamie Seacole montrait une bravoure hors normes pour son sexe.

Bien sûr, Florence Nightingale était également courageuse. Elle montait au front, visitait les malades, restait des heures dans la neige, traversait les champs pour rentrer la nuit tombée, fatiguée à en délirer. Mais en matière de témérité, Seacole la battait à plate couture. Sa soif d'action et son indifférence au danger étaient telles que Mary se retrouvait souvent à portée des armes russes – d'énormes canons fixés sur le sol de bateaux et dirigés vers les positions anglaises. Des tirs arrivaient près d'elle et les soldats criaient « À terre, à terre ! »

Elle assista à la bataille de Tchernaya et aida les blessés français, sardes et même russes. Un de ces derniers avait reçu une balle dans la mâchoire, Seacole y mit vite le doigt pour retirer cette balle, mais l'homme mourant referma sa mâchoire et le doigt resta prisonnier. Toute sa vie, elle en garda une cicatrice.

Premier civil à pénétrer dans Sébastopol après le siège, Seacole était astucieuse et très douée en médecine, comme le montrent de nombreux témoignages de soldats et d'officiers qui disent avoir été soignés par elle.

À la fin de la guerre, sa réputation était grande, presque égale à celle de Nightingale. Elle n'était pas seulement connue pour son aimable excentricité, mais pour ses secours aux blessés.

La profession d'infirmière anglaise naquit ainsi au milieu des horreurs de la guerre de Crimée, et Seacole et Nightingale en furent les pionnières.

Le triomphe du capitalisme victorien avait entraîné une augmentation de la population, donc une explosion des maladies. Les soins infirmiers firent partie de la riposte. En 1855, Florence et Mary tentaient de combattre les infections dans l'armée, et, la même année, les Londoniens tentaient de combattre les plus épouvantables causes de contamination dans leur ville.

Smithfield Market était depuis longtemps un ramassis de fumier et de sang sous les beuglements d'animaux mourants. Au nom de l'hygiène, tout ceci fut transporté à Islington. Le Parlement essaya – toujours en 1855 – de mettre un terme aux chamailleries égoïstes de plusieurs gestionnaires d'égouts en lançant le Metropolitan Board of Works, la première tentative visant à créer un corps municipal central à Londres pour y superviser les travaux publics.

En 1858, l'odeur de la rivière était si horrible que les parlementaires ne pouvaient plus la supporter. Ils demandèrent à Joseph Bazalgette de mettre au point un immense système d'égouts sur lequel la ville pourrait compter. Il fonctionne encore à ce jour.

Les responsables de la ville avaient enfin réalisé que si les pauvres vivaient dans des conditions sordides, leurs maladies se transmettraient aux riches. On commença alors à vider les taudis. En 1867, le docteur Barnardo lança sa magnifique campagne d'aide aux enfants de l'East End. En 1870, Royal Doulton Ware fabriqua des toilettes en porcelaine sur lesquelles la saleté pouvait se voir.

Les concepts d'hygiène et de ventilation amenèrent à définir des normes de taille des fenêtres par rapport à celle des murs des maisons mitoyennes. Elles sont encore aujourd'hui appréciées par la classe moyenne londonienne. En 1875, un décret de santé publique ordonna que les parcs soient organisés de telle façon qu'ils permettent d'améliorer l'état physique de la population.

Des milliers d'innovations virent le jour au nom de la santé mais aucune ne fut aussi importante que l'idée lancée par Nightingale et Seacole : les chances de survie des malades augmentent quand ils sont soignés par des infirmières professionnelles. Quarante ans seulement après la mort de Florence Nightingale, l'Angleterre créa le NHS, le Service national de santé, dont le principe central est que chacun est en droit de recevoir des soins médicaux en fonction de ses besoins et non de sa capacité à les payer.

Il n'est peut-être pas surprenant que vers cette époque – le milieu du xxᵉ siècle – Mary Seacole ait été oubliée. Après la guerre de Crimée, elle avait été considérée comme une vieille grande dame, mais, avec le temps, sa légende s'éteignit et à l'âge de soixante-seize ans elle mourut d'apoplexie à Paddington.

L'image de Florence Nightingale resta dans les esprits plus longtemps, lui permettant de poursuivre son chemin vers la sainteté. Elle se retira à Mayfair où elle vécut jusqu'à un âge très avancé, terrorisant les hommes qui lui faisaient la cour. Elle produisit des encyclopédies médicales, introduisit des infirmières dans les hospices, et réalisa des plans sanitaires pour les hôpitaux.

Mary Seacole n'avait pas ces ambitions. Elle n'était pas riche, n'avait pas de réseau social influent, d'où le relatif déclin de sa renommée. Sa Fondation Seacole reçut le soutien du prince de Galles et de son frère, le duc d'Édimbourg, mais, pourtant, elle ne fut jamais invitée à rencontrer la reine. Et c'est étonnant. Selon l'historienne Helen Rappaport, quelqu'un a dû parler en sa défaveur à Victoria, et ce quelqu'un pourrait s'appeler Florence Nightingale.

Cette dernière fut invitée par la reine à Balmoral dès son retour de Crimée et les deux femmes parlèrent de la guerre au cours de plusieurs dîners. Sans aucun doute, la reine a posé des questions sur Mary Seacole, et Florence

Nightingale a peut-être répondu en termes négatifs. Dans une lettre à son beau-frère, le parlementaire libéral sir Harry Verney, Florence dit que Seacole «était très aimable avec les hommes» et «fit du bien». Mais son problème, c'était l'alcool : Mary en avait rendu «de nombreux ivres». Même si elle n'a pas été jusqu'à affirmer que son «British Hotel» était une «mauvaise maison», elle suggéra qu'elle n'en était pas très éloignée. Et d'ajouter la phrase fatale : «Celui qui emploiera Mme Seacole bénéficiera de sa grande bonté – mais l'ivrognerie et les comportements incorrects iront de pair avec sa présence.»

Et quand bien même Mary aurait-elle grisé les hommes avec un verre de vin! Quand bien même aurait-elle eu une charmante fille illégitime qui l'aida au British Hotel! Quand bien même des officiers français un peu pompettes auraient osé quelques gestes coquins! Mary Seacole était dynamique et entreprenante et fit beaucoup de bien à de nombreux hommes malades.

Quant à Florence Nightingale, dans l'hypothèse où elle fut coupable d'avoir dénigré sa consœur, je crois qu'il convient tout de même de lui pardonner. Elle voulait changer le monde, changer l'appréciation des gens à l'égard des soins et des femmes, afin que la profession d'infirmière soit prise au sérieux. Et elle craignait que Mary Seacole, son vin et ses divertissements de caserne, ne l'empêchent d'y parvenir.

De toute évidence, elle admirait son exubérante collègue : Nightingale contribua généreusement à la fondation créée par Seacole – même si elle le fit de façon anonyme. À cette époque-là, les apparences comptaient.

Aujourd'hui, les admirateurs de Seacole proposent d'ériger une statue en son honneur à l'hôpital St Thomas, là où Nightingale ouvrit son école d'infirmières.

Le goût de Seacole pour l'alcool fut partagé par un grand nombre de Londoniens. La capitale n'avait pas autant de pubs par tête d'habitant que les villes sérieusement éméchées comme Birmingham ou Manchester, mais tout de même, il suffisait de marcher le long de Whitechapel pour trouver cinquante-cinq auberges, une à chaque coin de rue. Les pubs n'étaient pas que des lieux de consommation d'alcool : on s'y rendait pour avoir un conseil médical, un crédit, du travail, pour faire des affaires, mener une activité syndicale, parler politique – ou y rencontrer des prostitués, trouver de la chaleur, boire un verre ou entendre les derniers potins. On y allait également pour les journaux, massivement lus dans toute la ville.

Les gens les lisaient aussi dans les bus et dans ces drôles de nouveaux trains souterrains, ou bien en prenant leur petit déjeuner dans les cafés et restaurants qui se multipliaient dans la ville. La presse londonienne avait joué un grand rôle au cours du tumultueux XVIIIe siècle, avec des dessins si scatologiques et irrespectueux que la plupart des journaux d'aujourd'hui refuseraient de les publier.

Toutefois, entre le milieu et la fin du XIXe siècle, la presse londonienne était devenue un peu pompeuse. W. H. Russel et le *Times* avaient joué un rôle important en évoquant le scandale qu'était l'hôpital de Scutari et en braquant les projecteurs sur Florence Nightingale. Mais globalement, les journaux avaient adopté les valeurs victoriennes.

Un homme fit plus que tous les autres pour raviver le journalisme. Il fut le premier à déterrer les scandales et à écrire avec ce goût du sensationnel qui existe encore aujourd'hui dans la presse londonienne, en dépit des menaces des hommes politiques. Il fut l'inventeur des grands frissons en une des tabloïds, avec des titres accrocheurs, des citations douteuses et des journalistes qui se font passer pour d'autres, tout ça, bien entendu, au nom de l'«éthique» journalistique.

« Oh, dans cette maison de misère,
Je vois une femme avec une lampe
Elle traverse les ombres glorieuses
Et virevolte de chambre en chambre. »

Santa Filomena, Henry Wadsworth Longfellow

LES ÉGOUTS
DE JOSEPH BAZALGETTE

Pire qu'un égout : la Tamise, au XIXᵉ siècle, était biologiquement morte. Pas un triton, pas un poisson, aucun caneton n'aurait pu survivre aux infâmes décharges d'une ville en plein essor. La rivière qui avait donné vie à Londres s'était transformée en poison mortel pour les humains.

À l'automne 1848, plus de quatorze mille Londoniens moururent du choléra lors de l'épidémie la plus grave de tous les temps. Si beaucoup, comme Florence Nightingale, pensaient que le mal se propageait dans l'air, un médecin londonien du nom de John Snow avait une autre théorie. Il remarqua que les victimes du secteur de Soho vivaient près de la pompe à eau de Broad Street ou l'utilisaient. Il en conclut que celle-ci était à la source de l'épidémie. C'était l'eau contaminée consommée qui posait problème, suggéra-t-il, et il n'était pas surprenant que le choléra se soit répandu juste après la décision de déverser les fosses d'aisance dans la Tamise. Cette décision avait été prise par le Comité métropolitain des égouts, au sein duquel travaillait un certain Joseph William Bazalgette (1819-1891, fils d'un immigrant français protestant et ingénieur prometteur).

Devenu, huit ans plus tard, ingénieur en chef, Bazalgette aboutit aux mêmes conclusions que Snow. Alors que les égouts envoyaient tout et même le pire dans la Tamise, il proposa une solution audacieuse : construire un nouveau système autonettoyant, avec cent trente kilomètres de larges tuyaux alimentés par quelque mille six cents kilomètres d'égouts passant sous les rues. À cinq reprises, le gouvernement refusa ce projet de grande envergure.

Mais en 1858, les parlementaires furent victimes d'une horrible attaque olfactive venant de la rivière – restée dans l'histoire sous le nom de Grande Puanteur – et ils capitulèrent. Les plans de l'ingénieur à l'extravagante moustache furent acceptés et c'est là que ce dernier montra du génie : prenant en compte la densité de la population de la ville, il calcula la largeur des tuyaux nécessaire au transport des eaux usées et décida de la doubler. S'il n'avait pas procédé de la sorte, ces égouts auraient atteint, selon de récentes études, leur capacité maximale dans les années 1960. Cette brillante idée fut reprise par la suite autour du globe, de New York à la Nouvelle-Zélande.

Ainsi, des égouts prévus pour deux millions et demi d'habitants peuvent-ils aujourd'hui faire face aux besoins de sept millions sept cent mille personnes. Et les poissons sont revenus dans la Tamise.

W. T. Stead

L'inventeur du tabloïd

Le samedi 4 juillet 1885, les lecteurs de la *Pall Mall Gazette* eurent un avant-goût de ce que le journal du lendemain allait leur apprendre. Il ne s'agissait pas d'esbroufe, mais d'une mise en garde à vous glacer le sang.

« Tous les gens impressionnables et prudes, ceux qui préfèrent vivre dans le monde innocent des idiots, qui ferment les yeux sur le terrible quotidien des personnes plongées dans l'enfer londonien, feraient bien de ne pas lire la *Pall Mall Gazette* de lundi et des jours suivants. »

Les articles annoncés se montrèrent à la hauteur des attentes et de l'excitation de chacun. Le lundi 6 juillet, devant les yeux de la nation palpitante, la *Pall Mall Gazette* envoya un gros pavé dans la mare de la société victorienne.

Sur six pages, le journal disait toute la vérité sur la prostitution de l'époque. Ou du moins la vérité de son rédacteur en chef, un homme à la barbe broussailleuse, un évangéliste d'occasion venu du Nord qui s'appelait William Thomas Stead.

Au cours des semaines précédentes, Stead avait dépensé une énergie considérable pour se documenter sur le sujet. Son article avait pour titre « Le tribut des jeunes filles à la Babylone moderne», à savoir Londres. Ce tribut était payé par cinquante mille jeunes Londoniennes qui, selon Stead, se voyaient sacrifiées au désir des hommes, de la même façon que les jeunes Athéniennes étaient sacrifiées au Minotaure.

À travers les rues du Londres victorien, Stead et sa suite se promenèrent, calepin en main, interrogeant les acteurs de ce commerce infâme. «Pendant des jours et des nuits, j'ai dû boire jusqu'à la lie ce que les pustules de ces corps damnés rejettent», lança-t-il. Il parla à des souteneurs, à des proxénètes, et aux misérables parents alcooliques obligés de vendre leurs filles comme esclaves sexuelles. Il interrogea un vieux bouc de parlementaire qui lui raconta sans honte qu'il se payait régulièrement de jeunes vierges.

Il aborda un policier expérimenté de Scotland Yard pour lui demander comment se procurer une mineure.

«Est-ce vrai que si je suis introduit dans certaines maisons, le gérant me fournira une demoiselle contre de l'argent – je veux dire une vraie vierge, pas une prostituée faussement vierge mais une fille qui n'a jamais été séduite?

— Bien sûr, répondit sans hésiter l'officier de police.

— Combien ça me coûtera?

— Vingt livres», pensait l'officier.

C'est là que Stead en arriva à la question centrale, au scandale qu'il voulait révéler.

«Ces jeunes femmes, demanda-t-il, sont-elles consentantes ou sont-elles... violées?

— Ben, dit le policier, elles sont généralement peu disposées à la bagatelle, autant que je sache.

— Vous voulez dire, lança Stead, le titre de son article déjà en tête, que ce sont des viols dans le sens légal du terme, et qu'ils sont pratiqués constamment à Londres sur des vierges non consentantes, fournies aux hommes riches au tarif de tant de livres chacune, par les gérants des bordels ?

— Absolument», répondit le policier serviable. Et hop, Stead avait son article. Le fait que le viol soit un crime, hier comme aujourd'hui, lui donnait l'excuse d'offrir des histoires de prostitution à ses lecteurs et de s'aventurer avec plaisir dans le monde de la pègre.

Il s'agit de viols en masse, raconta-t-il à son lectorat, et cela doit cesser. Il s'agit de gens ordinaires abusés par les privilégiés. Ce sont les viols systématiques de filles pauvres qui nous mèneront à des troubles sociaux, et même à la révolution. «Ces troubles pourraient secouer le trône», ajouta-t-il. Il ne lui restait – pour sauver la nation et la reine elle-même – qu'à fournir des preuves.

Dire que le style de Stead était salace est faible. Cela ne rend pas justice à l'intensité lyrique avec laquelle il retenait l'attention du lecteur sur la question de la virginité féminine – son prix, la façon dont elle est vérifiée, et les circonstances horribles dans lesquelles elle est perdue.

Dans cet étonnant numéro de la *Pall Mall Gazette*, on assiste à la naissance de cette technique chère aux plus grands et plus puissants tabloïds d'aujourd'hui : mettre la morale de son côté en dénonçant avec force quelque défaut ou habitude sexuelle. Mais en s'assurant aussi de l'intérêt (et de l'abonnement) du lecteur en le titillant avec des détails précis du vice que vous prétendez dénoncer. Pour le dire crûment, Steal avait compris que le sexe vendait et que la meilleure façon d'en parler était de l'emballer dans un petit paquet bien moral. Il avait trouvé le moyen d'aborder par ce biais des sujets qui, traités d'autre manière, auraient été interdits.

Il rendit visite aux femmes qui délivraient des certificats de virginité et l'une d'elles lui dit : «On sait vite, quand on est dans la profession, si une fille est fraîche ou non.» Il raconta l'histoire d'un vieux pervers dont l'appétit fatigué ne pouvait être réveillé que par des jeunes filles de quatorze ans – et elles devaient être attachées au lit. Sur les lieux de ces crimes – pièces insonorisées et en sous-sol –, il regarde et hoche la tête. Parfois, ces maisons peu recommandables avaient fière allure de l'extérieur et les voisins n'avaient aucune raison d'intervenir.

Mais Steal sentait bien qu'il devait en donner plus à ses lecteurs. Il devait démontrer que des filles de treize ans étaient achetées et violées. Il devait en donner un témoignage oculaire, livrer des détails, fournir des preuves tangibles. Ce qu'il fit... et il se tira une balle dans le pied.

Son récit de la prostitution londonienne parvint à son apogée avec l'histoire de la petite Lily, une fille du peuple de treize ans. Elle faisait partie de ces jeunes filles défavorisées socialement qui finissaient généralement comme servante employée par la classe moyenne pauvre, nous dit Stead. Sachant lire et écrire, Lily composait de courts poèmes où elle exprimait ses rêves. Aucun de ses dons, hélas, ne devait être amené à se développer.

Sa mère, alcoolique, la vendit à un proxénète pour deux sous, ce qui laissa indifférent son père, également alcoolique. Emmenée chez une sage-femme pour qu'elle vérifie sa virginité, l'enfant fut ensuite conduite dans une maison peu recommandable de Regent Street où tout n'était qu'ordre et beauté, avant que l'affreux dénouement ne se produise.

«Quelques instants plus tard, le client entra dans la chambre et ferma la porte. Un bref silence s'ensuivit. Puis un cri pitoyable se fit entendre, le cri d'un agneau effrayé. Et l'enfant terrifiée hurla : "Il y a un homme dans ma chambre, je veux rentrer chez moi, je veux rentrer chez moi." Puis à nouveau le silence.»

On ne sera pas surpris d'apprendre que les Londoniens se ruèrent pour acheter le quotidien et firent la queue devant la *Pall Mall Gazette* pour attendre les numéros supplémentaires sortant de l'imprimerie. Treize mille exemplaires furent vendus. À trente-six ans, Stead connaissait le plus grand succès de sa fulgurante carrière.

Le père du tabloïd à sensation était né le 5 juillet 1849 à Embleton, dans le Northumberland. Fils d'un pasteur congrégationaliste, il lisait le latin à l'âge de cinq ans. Un essai sur Cromwell lui valut de recevoir en prix les œuvres poétiques de l'Américain James Russell Lowell, une lecture qui vint conforter ses croyances religieuses bien ancrées et le convainquit qu'il était sur terre pour corriger les injustices.

À seulement vingt-deux ans, il devint rédacteur en chef du *Northern Echo* et lança sa première campagne polémique contre le consentement tacite de l'Angleterre devant les atrocités bulgares (le massacre de 1876 au cours duquel douze mille chrétiens bulgares furent tués par les Turcs).

En 1880, son énergie sans limites et ses talents le conduisirent à Londres où il trouva les quotidiens nuls. Mauvaise mise en page, caractères trop petits, manquant grandement de punch, il les traita de «poids légers» et de «torchons radoteurs».

En 1883, il lança une attaque contre l'habitat insalubre qui provoquera le vote d'une nouvelle loi. L'année suivante, il mena une campagne («La vérité sur la marine») qui embarrassa le gouvernement au point de le pousser à dépenser trois millions cinq cent mille livres pour rénover ses bateaux de guerre.

Tout le monde n'appréciait pas ce «nouveau journalisme», comme on l'appelait. Certains traitaient le titre de «Gazette de merde», son patron de «poids plume». Et Stead attirait la jalousie des journaux rivaux, dont *The Times* qui enquêta sur Lily et découvrit une réalité un peu différente.

Reste qu'à la sortie de cette histoire, le Parlement fit l'objet de pressions pour faire passer l'âge légal du consentement de treize à seize ans – ce que Stead recherchait. Le 7 août, la loi était votée. Et si le pouvoir de la presse est grand de nos jours, aucune comparaison n'est possible avec Stead et sa capacité à faire plier le gouvernement.

Mais sa gloire fut de courte durée, le portrait de la pauvre Lily et de son viol étant mis à rude épreuve après les dénégations de ses parents devant la presse. Il s'avéra que l'homme satanique qui «acheta» Lily n'était autre que Stead lui-même; lui qui ne consommait jamais d'alcool, il s'était apparemment donné du courage en buvant la totalité d'une bouteille de champagne avant d'entrer dans la fameuse chambre.

L'hilarité se mêla au scandale et à l'indignation. Stead s'était non seulement rendu coupable d'un coup monté, mais il avait violé la loi qu'il avait permis de faire voter. Bien qu'il n'ait pas touché la jeune fille (il voulait juste montrer ce qui *aurait pu* arriver), ils furent accusés, lui, la sage-femme et le proxénète, d'enlèvement de mineure – ce qui lui valut trois mois de prison. Et même s'il continua à publier sa *Gazette* depuis sa cellule, sa carrière journalistique ne s'en remit jamais. Il quitta ensuite son journal (qui connut un lent déclin avant d'être repris par l'*Evening Standard* en 1921) pour lancer un autre quotidien qui n'eut pas les faveurs du public.

Si on laisse de côté son attitude absurde dans l'affaire Lily, Stead, avec son attrait pour les interviews, la couleur, les citations et le sensationnel, fit progresser la profession. Qui d'autre peut se targuer d'avoir lancé deux journaux, d'avoir forcé le gouvernement à légiférer à trois reprises, et d'avoir recruté Oscar Wilde et George Bernard Shaw comme critiques littéraires ?

Si ses méthodes étaient discutables, il n'en reste pas moins qu'il permit au journalisme d'investigation de faire ses premiers pas. Et même si l'histoire de Lily était du bluff, Stead avait rendu service à la société en mettant en lumière sa cruauté et ses abus.

Sa vie prit fin le 15 avril 1912 dans l'un des plus grands faits divers du xxᵉ siècle. Aucune mise en scène nécessaire, aucun rôle à jouer : il partait à New York sur le *Titanic* et la dernière fois qu'on l'aperçut, comme le survivant Philip Mock le raconte, c'est les mains accrochées à un canot de sauvetage avant que ses pieds ne gèlent et qu'il ne lâche prise.

Tous ceux qui ont vu l'excellent film de James Cameron, *Titanic,* savent qu'une stricte ségrégation de classe régnait sur le navire, à l'image d'un monde qui n'avait plus que deux ans à vivre. En 1914, les Londoniens se voyaient projetés dans la première des deux guerres mondiales qui furent désastreuses pour l'Angleterre et pour la domination commerciale et politique qu'elle avait établie sur la planète. Cent vingt-quatre mille jeunes Londoniens furent envoyés à l'abattoir, principalement sur le front occidental, une idiotie stratégique. Un Londonien sur dix, entre vingt et trente ans, y fut tué. Dans la ville, presque aucune famille ne fut épargnée par cette catastrophe.

Ce fut ce choc qui accéléra l'émancipation des femmes, et qui ébranla pour toujours deux composantes de notre culture, la déférence et le respect. Le système de classes d'avant-guerre ne survécut pas à ce carnage. Comme Winston Churchill allait le découvrir durant la Seconde Guerre mondiale, les troupes britanniques ne considéraient plus que leurs généraux étaient des sages et qu'ils avaient raison quand ils les invitaient à mourir pour leur pays.

Sous d'autres angles, la Première Guerre mondiale fut une bonne chose pour Londres. Le plein emploi était quasiment atteint, les femmes travaillant dans les usines de munitions. Quant à l'entre-deux-guerres, ce fut presque l'âge d'or, une époque où les jeunes filles pouvaient marcher sans crainte dans les bois.

Et Londres s'agrandissait vite, propulsée par de nouveaux métros électriques, des trolleybus et de gros omnibus rouges parcourant des rues plantées d'arbres. Les banlieusards vivaient dans d'énormes lotissements tranquilles, des cités-jardins faites de maisons mitoyennes en crépi de style faussement Tudor, et ils se déplaçaient facilement matin et soir entre leurs maisons et les grands centres d'une économie à la fois robuste et diversifiée.

Alors qu'une grande partie de l'Angleterre souffrit pendant la dépression des années 1930, Londres resta remarquablement active, fabricant *potato chips*, fusils, voitures... En 1939, la ville occupait six fois plus d'espace qu'en 1880, avec une population supérieure à huit millions sept cent mille habitants − un million de plus qu'aujourd'hui.

Puis le XXe siècle fut ébranlé par le deuxième choc de l'histoire. Londres avait encaissé le premier plutôt bien, mais cette fois, elle le prit en pleine figure.

LE MÉTRO

Nous sommes en août 1900, à Hampstead Heath, d'où un Américain corpulent, la moustache argentée taillée façon morse, regarde au loin la fumée monter des cheminées de Londres. Les habitants recherchent des quartiers plus aérés, mais les moyens de transport leur manquent. Là où il se trouve, au nord de Londres, l'endroit est plaisant et peu peuplé. Il sait comment faire correspondre l'offre et la demande.

Ce financier de soixante-trois ans venant de Philadelphie et qui se dit lui-même escroc, c'est Charles Tyson Yerkes. Il veut transformer le métro londonien, alors vieux de quarante ans et qui montre des signes de fatigue.

L'histoire de ce métro commence par une fulgurance, celle qui touche le notaire Charles Pearson pris dans un embouteillage de calèches (de fait, quelques idées géniales ont germé dans les cerveaux de gens coincés dans les embouteillages de Londres. En 1933, un physicien hongrois, Léo Szilard, était dans une voiture immobilisée sur Southampton Row, à Bloosbury, quand il formula le principe de la réaction en chaîne de la fission nucléaire). Ce jour-là, il y avait tant de calèches et de chevaux que Pearson se mit à rêver qu'il était dans un train, et soudain, il pensa *trains in drains* : des trains dans des tuyaux ! « Oh mon Dieu ! », cria-t-il.

En 1845, ce rêve prend corps sous forme d'un plan du métro reliant les trois principales gares de Londres, Paddington, Euston et King's cross. Il ne pouvait arriver à un meilleur moment. Tout le monde alors est fasciné par la progression héroïque du tunnel sous la Tamise – le premier construit sous le fleuve d'une capitale – devant relier Rotherhithe et Wapping. Cet ouvrage est conçu par Marc Brunel, ingénieur célèbre – père d'Isambart Kingdom Brunel, ingénieur encore plus célèbre – qui inaugure ainsi le premier tunnel de protection, l'idée étant qu'après, il sera facile de creuser un réseau de trains souterrains.

Le chantier du tunnel sous la Tamise dure plus longtemps que prévu, si bien que le Parlement, quand il vote la loi du train souterrain, en 1852, rejette la technique du tunnelier et lui préfère celle, plus simple, de la tranchée couverte – on creuse une galerie que l'on recouvre ensuite. La Metropolitan Line, terminée huit ans plus tard, transportera vingt-six mille passagers par jour. Les trains sont construits par la Great Western Railways Company. Il s'agit de locomotives à vapeur tirant des wagons découverts. D'autres lignes vont suivre et, au tournant du XXe siècle, elles sont au nombre de huit, gérées par six opérateurs différents.

En théorie, le métro est un succès : le marché a répondu à la demande et Londres se voit dotée d'un nouveau moyen de transport. En réalité, opérateurs et passagers ne trouvent le système ni rentable (les coûts de fonctionnement s'avèrent exorbitants), ni pratique (les usagers doivent changer de billets en passant d'un opérateur à un autre).

La solution à ces problèmes passe par l'expansion et la modernisation agressives du réseau. En prolongeant leurs lignes jusque dans les banlieues, les compagnies pourraient disputer aux réseaux ferrés traditionnels la clientèle des banlieusards. Elles pourraient provoquer la construction d'un nouveau Londres qui s'étendrait en suivant les volutes, les boucles et les alignements de maisons sur le territoire desservi par le métro. Elles pourraient utiliser les merveilleux nouveaux trains électriques. Leur seul problème est qu'elles manquent de capital pour le faire.

Alors que la cité entre dans le XXe siècle, la course est ouverte entre les opérateurs pour emporter le marché du transport de ce nouveau Londres. Et c'est Yerkes qui la gagne. Requin de l'industrie et visionnaire, Charles Yerkes personnifiait l'Amérique d'une époque entre cow-boys et gratte-ciel. À l'âge de quarante-quatre ans, il avait déjà gagné et perdu des fortunes, fait chanter des politiciens, été emprisonné pour vol et gracié par le Président des États-Unis. Il refit fortune dans les transports à Chicago, un succès qui lui fait voir d'un bon œil l'idée de l'extension du métro londonien. En 1900, donc, il s'assure les droits de construction de ce qui est aujourd'hui la Northern Line, et prend un an plus tard le contrôle de la District et de la Metropolitan Lines. S'ensuit en 1902 l'actuelle Piccadilly Line. Dans la foulée, il acquiert des sociétés de tramway et de bus, constituant ainsi le premier réseau intégré de transport à Londres. Évoquant ses succès vers la fin de sa vie, il déclare que son secret consiste « à acheter des vieux trucs au rencart, les bricoler un peu et décharger tout ça au pied des chalands ».

Il décède en 1905, mais son réseau continue à fonctionner jusque dans les années 1930 avant d'être récupéré par la société publique nouvellement créée, London Transport.

Winston Churchill

Le fondateur méconnu de l'État-providence – et l'homme qui sauva le monde de la tyrannie

Si vous ne l'avez pas encore fait, je vous suggère de vous y rendre sans attendre. Allez visiter le bunker dont l'entrée se trouve entre le Foreign Office et le Trésor. Ni piège à touristes, ni lieu saint dédié au culte de Winston Churchill, ni gadget, ni décor de cinéma : vous êtes dans le réel, transporté soixante-dix ans en arrière, au moment où Londres et l'Angleterre ont dû faire face à une épreuve majeure. Alors que vos yeux s'adaptent à la faible lumière de l'ancien centre de commandement, vous commencez à réaliser ce que signifiait d'être londonien pendant la Seconde Guerre mondiale.

Les pièces ont été tellement bien conservées qu'on se croit revenu aux années 1940. On peut entendre la sonnerie des gros téléphones en bakélite – rouges, blancs et verts – qui reliaient ce minuscule labyrinthe de bureaux aux forces britanniques autour du globe. On imagine le murmure des hommes de service en uniforme, leurs moustaches cirées coulant dans la chaleur pendant qu'ils enfoncent les épingles de couleur dans les cartes : ici un autre navire qui vient d'être coulé, là une nouvelle avancée humiliante des Japonais.

On peut se représenter les sténos tapant à toute allure pour suivre le rythme de leur patron qui marche au whisky, on peut entendre les lents efforts de ces engins des années 1940 qui tentent de produire du froid – des ventilateurs accrochés au mur, ou des appareils à air conditionné en acajou signés Frigidaire et donnés par les Américains.

Si vous avez de la chance, Gerry McCartney, directeur des opérations, vous laissera entrer dans la War Cabinet Room (la salle du cabinet de guerre) et là vous pourrez presque respirer les effluves du tabac consommé par ses fameux occupants – Eden, Beaverbrook, Atlee, Churchill – chacun muni d'un cendrier carré en métal devant lui.

Jamais je ne suis allé dans un endroit aussi évocateur d'un personnage historique et de sa personnalité. Je peux quasiment le sentir aller et venir dans les couloirs, appelant une secrétaire ou demandant une demi-bouteille de champagne, ou encore se servant un grand verre de whisky mélangé d'eau avant de parler à la nation devant le micro toujours posé sur son bureau.

Sa présence est comme palpable dans sa chambre où se trouve un petit lit style fonction publique recouvert d'un dessus de lit matelassé, un pot de chambre en céramique blanche, et un cigare Roméo et Juliette défraîchi posé dans une boîte en métal sur la table de nuit. En ouvrant les rideaux devant les cartes murales accrochées à côté de son lit, on dévoile la vue qu'avait Churchill au sortir de ses siestes : une représentation détaillée des forces et des vulnérabilités de l'Angleterre, les lieux où il serait facile de résister face à l'arrivée des chars allemands, ceux où ce serait plus difficile.

Et tout à coup on perçoit le sentiment qui domine dans ce lieu : ni l'agitation, l'excitation, ou la tension, mais le désespoir.

Quand, à l'été 1938, on commença à fortifier cet espace meublé de façon spartiate, Londres se trouvait au cœur de ce qui était encore l'empire le plus puissant que le monde ait jamais porté. En quelques mois, ce pouvoir et cette force avaient reçu pas mal de coups de boutoir et s'étaient retrouvés coincés dans cette série de petites pièces miteuses garnies de fauteuils marron vieillots et de rideaux fanés.

Le désespoir se dégage aussi de cette technologie de l'information désuète : dossiers et étiquettes jaunis, appareils de brouillage de la taille d'un réfrigérateur, et un pitoyable pot de colle sur le bureau de Churchill, colle qu'il utilisait pour assembler ses notes dans l'ordre qui lui convenait. Désespoir encore dans ce petit panneau de bois qui indiquait à ces combattants en sous-sol quel temps il faisait dehors. Mais on devine surtout leur vie faite de peur et d'urgences en voyant la dalle de ciment épaisse de un à trois mètres placée au-dessus du plafond.

La cause de ce désespoir était simple : Londres était attaquée, bombardée avec un sadisme aveugle jamais connu auparavant. Parmi tous les bruits de ce lieu clos – grognements de Churchill, téléphones, ventilateurs – on imagine l'écho des explosions dans Londres, et on se demande comment travailler était possible avec, en tête, l'idée que ce bunker ne résisterait pas à la première frappe.

Avec du recul, il est évident que la Seconde Guerre mondiale fut un désastre pour l'Angleterre et pour sa place dans le monde. En ce qui concerne les gens de ma génération, celle de l'après-guerre, élevés dans la seule crainte d'éventuelles attaques de l'IRA ou d'Al-Qaïda, le Blitz semble une horreur inimaginable. Plus terrifiant et beaucoup plus mortel que le Grand Incendie de Londres, il dura longtemps – nuit après nuit, mois après mois, de l'automne 1940 au printemps 1941, pour reprendre en 1944 avec des épisodes assourdissants, comme la parodie macabre d'une symphonie de Beethoven.

Tout le monde savait que cela se produirait et que Londres était presque sans défense. Quand Neville Chamberlain revint de Munich en 1938, il tenta de se justifier d'avoir prôné l'apaisement avec Hitler en racontant au gouvernement la peur qu'il avait ressentie après avoir survolé des milliers de toits vulnérables le long de la Tamise, lors de son retour à Londres. C'était la menace aérienne qui inquiétait Churchill en 1934, quand Hitler était arrivé au pouvoir et avait relancé l'aviation allemande.

Il avait lancé des mises en garde sévères sur ce qui se passerait si on ne l'écoutait pas. Entre trente et quarante mille personnes seraient tuées en une semaine ou dix jours de bombardements intensifs, et trois ou quatre millions de Londoniens paniqués seraient jetés sur les routes vers la campagne. En 1939, les gens avaient vu ce qui s'était produit quand les Japonais avaient attaqué Shanghai. Ils savaient ce que la légion Condor avait fait à Guernica en 1937.

La terreur fut d'autant plus grande que les hostilités débutèrent lentement. Des dizaines de milliers d'enfants furent évacués en 1939 pour revenir finalement dans la ville alors que les bombardements n'avaient pas encore commencé. Des théâtres et des cinémas qui avaient fermé furent rouverts. Et le soir du samedi 7 septembre 1940, les bombardements démarrèrent vraiment. Le commandement des avions de chasse et les chefs de l'état-major britannique faisaient la sieste quand trois cent vingt bombardiers et plus de six cents avions de chasse allemands arrivèrent sans rencontrer aucune résistance vers leurs cibles industrielles et commerciales. Ils bombardèrent l'arsenal de Woolwich, l'usine à gaz de Beckton, la centrale électrique de West Ham, et ils labourèrent les docks et les taudis de l'East End.

Très vite, l'incendie prit de telles proportions qu'une aube orangée s'installa dans le ciel de la ville, une clarté bienvenue pour la vague suivante de deux cent cinquante bombardiers allemands envoyés pour poursuivre le travail. Le lendemain matin, des milliers d'incendies étaient déclarés, trois gares avaient fermé, on comptait quatre cent trente Londoniens tués et mille six cents blessés. Dans le quartier des docks, les marchandises dont l'importation et l'exportation avaient fait de Londres un grand centre commercial étaient dévorées par les flammes.

Des feux de poivre dégageaient des fumées qui faisaient penser aux pompiers qu'ils respiraient le feu lui-même. Des barils de rhum explosaient comme des bombes. La peinture se consumait en vagues de flammes blanches, du caoutchouc se dégageaient des nuages noirs asphyxiants, une odeur douceâtre et écœurante se répandait là où le thé flambait. Il en fut ainsi durant tout l'automne et ce fut encore pire au printemps. Le 16 avril 1941, les bombardiers Junker 88 arrivèrent en hurlant dans la nuit. Ils taillèrent une telle crevasse dans l'Admiralty Arch que Churchill, désinvolte, déclara qu'ainsi il pouvait mieux admirer la colonne Nelson. Les séquences dignes d'un mauvais film d'horreur étaient légion : un curé bien-aimé tué sur les marches de son église alors qu'il aidait les gens à se mettre à l'abri, le débordement des égouts et des odeurs épouvantables dont les Londoniens n'avaient plus été victimes depuis deux cents ans, un cadavre vieux d'un siècle sorti de son cercueil de plomb et dont la tête rebondit sur le sol devant des gens.

Au petit matin du 10 mai 1941, les bombardements étaient si intenses qu'ils avaient touché la Cour de justice, la Tour de Londres et l'hôtel des Monnaies. Ponts endommagés, gares fermées, deux cent cinquante mille livres brûlés au British Museum, Westminster Hall en feu et la Chambre des communes éventrée... Une bombe avait même traversé Big Ben. L'horreur absolue.

En 1944, une technologie nouvelle permit à Hitler de lancer les missiles V1 et V2 qui provoquèrent une ruée de la population hors de Londres. À la fin de la guerre, la ville avait subi des dommages catastrophiques et souvent irréparables. Dix-huit églises étaient en ruine (dont quatorze signées de l'architecte Christopher Wren) et les destructions touchaient tous les quartiers. On comptait près de trente mille Londoniens morts, cinquante mille sévèrement blessés, cent seize mille maisons détruites, deux cent quatre-vingt-huit mille autres nécessitant des travaux. Environ un million de bâtiments – soit la moitié de la ville – devaient être réparés.

Le Blitz eut aussi des conséquences psychologiques. Il est clair que dans l'adversité, tous les Londoniens ne se comportèrent pas honorablement. Des pillards se ruèrent sur des night-clubs bombardés, arrachant les sacs à main et les boucles d'oreilles des morts et des inconscients. Durant les raids, des gangs envoyaient des émissaires qui arrivaient sur les lieux touchés avant les secours. Bien que dévaliser des endroits bombardés soit puni de la peine de mort, les juges furent, au début, plutôt compatissants. En 1941, la peur des pillards avait pris de telles proportions que des peines de cinq ans de travaux forcés étaient devenues monnaie courante. De jeunes coupables furent fouettés. Scotland Yard forma une brigade antipillards et la police, en 1941, n'eut aucun scrupule à l'égard des châtiments corporels pour les voleurs.

En dépit de ces punitions, le nombre de vols s'accrut encore lors du «petit Blitz», quand les bombardiers revinrent, en 1944. À West Hampstead, un magasin de radios fut dévalisé en vingt minutes après avoir été touché par une bombe.

Sous l'effet du stress, des Londoniens se laissèrent même aller à l'antisémitisme, ce mal qui sévissait sans limites dans l'Allemagne nazie. À l'époque, les juifs étaient accusés d'accaparer l'espace dans les abris anti-aériens. Inquiet de ce phénomène, le département de l'Intérieur fit réaliser un rapport hebdomadaire des actes antisémites.

L'un des épisodes les plus tragiques se produisit le 3 mars 1943, alors que les gens entraient dans le métro à la station Bethnal Green. Une salve de rockets fut tirée depuis le tout proche Victoria Park, une femme tomba du haut des marches et en quelques secondes une foule paniquée avait ôté la vie à cent soixante-dix-huit personnes écrasées ou étouffées. Si certains dirent que la faute en revenait aux agents allemands de la Cinquième Colonne, un grand nombre blâmèrent les juifs. Selon un sondage de l'époque, la proportion de gens hostiles aux juifs atteignait 27 %.

C'était étrange et désagréable. Et comme nous en sommes à l'aspect moralement discutable de la conduite de certains Anglais pendant la guerre, on peut ajouter une autre terrible vérité : les forces armées anglaises ont parfois été accusées de manquer d'estomac au combat. Le principal accusateur, en privé sinon en public, était Winston Churchill lui-même.

Le 16 juin 1940, il écrivit une note féroce au commandant général de la Royal Navy, l'amiral Dudley Pound : « Notre armée au front est dérisoire, notre force aérienne est désespérément inférieure à celle des Allemands. » Ses mots semblent être confirmés par les faits. De toutes les manœuvres que les militaires eurent à exécuter, c'est battre en retraite qu'ils effectuèrent le mieux : l'abject abandon, la fuite effrénée.

En mai 1940, ils évacuèrent Namsos, en Norvège, une humiliation qui amena Churchill au pouvoir en tant que Premier ministre. On ne peut pas dire qu'avec lui à la barre, les performances des militaires se soient notoirement améliorées. Ils déguerpirent de France et c'est un miracle que l'on parle de Dunkerque comme d'un triomphe, alors que ce repli chaotique ne fut possible que grâce à la monumentale erreur tactique des Allemands qui immobilisèrent leurs blindés, ce qui permit aux Anglais de s'échapper. En mai 1941, les Anglais furent définitivement dominés en Crète, contraints de quitter l'île, malmenés par l'audace et l'habileté des parachutistes allemands. Mais la Norvège, Dunkerque et la Crète ne furent rien comparés au désastre de Singapour.

Le 10 février, Churchill envoya un câble au Field Marshal Wavell, poète enthousiaste et commandant en chef en Inde, pour lui exposer les enjeux du moment. On compte plus de forces britanniques à Singapour, expliquait-il, que les Japonais n'en ont dans toute la péninsule de Malaisie. «La bataille doit être menée jusqu'au bout, quel qu'en soit le prix. La 18e division peut se faire un nom dans l'Histoire. Le commandement doit mourir avec ses troupes. L'honneur de l'Empire britannique et de l'armée britannique est en jeu. Je compte sur vous pour ne pas faiblir. Les Russes se battant comme ils le font, et les Américains résistant aussi à Luçon, aux Philippines, il en va de la réputation de notre pays et de notre race...»

Hélas, les généraux décidèrent de ne pas entendre les exhortations de Churchill. Devant le choix entre la mort et le déshonneur, ils choisirent le déshonneur. Le 15 février 1942, Singapour se rendit, ce qui semblait confirmer une angoisse qui ne faisait que croître dans la tête de Churchill : les troupes anglaises n'avaient pas autant d'ardeur au combat que les Allemands ou même les Japonais. «J'ai peur, écrivit-il, que nos soldats ne soient pas d'aussi bons combattants que nos pères. En 1915, nos hommes se battaient même lorsqu'il ne leur restait plus qu'un seul obus ou qu'ils faisaient face à des tirs nourris. Aujourd'hui, ils ne résistent pas aux bombardiers. Nous avons des hommes en si grand nombre à Singapour, en si grand nombre... Ils auraient dû faire beaucoup mieux.»

Il est peut-être mal venu que des hommes politiques occupés à boire du brandy et des généraux absents du champ de bataille critiquent nos troupes, mais même les Japonais reconnaissent qu'ils ont eu de la chance à Singapour : en 1992, le victorieux général Yamashita notait dans ses mémoires que son assaut avait été du bluff.

Si Churchill était embarrassé par la déconfiture de Singapour, il était mortifié par ce qui s'était passé à Tobrouk. En fait, il se trouvait assis dans le Bureau ovale en compagnie de Roosevelt quand la nouvelle lui arriva qu'une garnison de trois cent cinquante mille hommes avait abandonné la ville libyenne à une petite force allemande. «La défaite est une chose, une autre est le déshonneur», écrivit-il plus tard dans ses mémoires. Mais si Churchill avait des doutes quant au cran et au courage du soldat britannique, d'autres commençaient à avoir des doutes sur Churchill et ses capacités à diriger.

Le gouvernement perdit des élections partielles et le 25 juin une motion de «défiance dans la gestion de la guerre» était inscrite à l'ordre du jour des Communes. En juillet, quand le débat eut lieu, les parlementaires s'en prirent tous à Churchill.

Finalement, les troupes britanniques se rachetèrent de façon convaincante à El Alamein où Montgomery arrêta l'avancée des Allemands vers Le Caire. Un événement que Churchill acclama. Ce fut longtemps considéré comme un tournant décisif.

De nos jours, j'en suis moins sûr. Les véritables tournants furent l'échec des Allemands à Moscou, ou l'arrivée des Américains, ou encore Stalingrad. Montgomery affronta trois divisions d'Allemands à El Alamein, les Russes en ont battu treize à Stalingrad : ces deux événements n'ont pas du tout la même envergure. La guerre se poursuivit et il devint évident que l'importance relative de Churchill – et de l'Angleterre – diminuait.

Tandis que les Alliés préparaient l'opération «Overlord» et la libération de l'Europe, Churchill semblait ailleurs, suggérant sans cesse des feintes et des ruses périphériques, comme s'il craignait une attaque frontale. Staline le taquinait sur les prouesses de la marine britannique, et le déclin relatif de l'influence de Londres fut démontré quand les Russes maltraitèrent deux marins anglais – leur imposant de longues périodes d'emprisonnement en Sibérie après une bagarre à Mourmansk – et que Churchill ne put rien y faire.

Staline et Roosevelt disaient en blaguant vouloir fusiller des milliers d'officiers allemands, tandis que Churchill semblait faire tapisserie, bougonnant tout seul dans son coin. Ce sont les Russes et les Américains qui se sont serré la main au-dessus de l'Elbe, et la défaite allemande est à mettre principalement à leur crédit. La puissance de Churchill correspondait à celle de son pays, et l'Angleterre se retrouvait tout simplement épuisée, Londres à genoux.

Avec une capacité réduite à 40 %, les industries de la ville étaient considérablement endommagées, et dans ce secteur, Londres n'a jamais retrouvé les niveaux d'avant-guerre : même les surfaces de bureaux ne récupérèrent leur taille qu'en 1954. L'enseignement avait été grandement perturbé et l'alphabétisation recula. De nombreux quartiers avaient perdu une part importante de leur population. Impitoyables, les Américains annulèrent le programme prêt-bail dès la fin de la guerre et l'Angleterre eut beaucoup de mal à payer les intérêts de sa dette. Le 10 novembre 1942, Churchill avait dit au lord-maire : «Je ne suis pas devenu le Premier ministre du roi pour présider à la liquidation de l'Empire britannique.» Et c'est pourtant ce qui se produisit – principalement sur ordre des Américains – dans l'immédiat après-guerre. Churchill avait passé une bonne partie des années 1930 à faire campagne contre Gandhi et l'indépendance de l'Inde. Dans un de ses discours de 1931, il disait de Gandhi qu'il était «grave et inacceptable de voir ce fakir gravir à moitié nu les marches du palais du vice-roi pour s'entretenir d'égal à égal avec les représentants de la Couronne». Il assurait que l'Inde connaîtrait un chômage de masse si elle était indépendante. Quand l'Inde subit une terrible famine pendant la guerre, Churchill reçut une demande d'aide alimentaire à laquelle il répondit brutalement. Les choses ne doivent pas aller si mal que cela, lança-t-il, puisque Gandhi est encore vivant.

Si, au cours de sa carrière, Churchill fit de nombreuses bonnes blagues, cette dernière n'en fait pas partie. Et en 1948, c'est de lui qu'on se moquait. L'Inde était devenue indépendante et il ne pouvait rien y faire – car en 1945, il fut démis de ses fonctions de façon cinglante.

Le 16 juillet 1945, le magazine *Time* publia l'article d'un reporter qui avait suivi le Premier ministre en visite électorale au stade de Walthamstow. Arrivé sous les acclamations, il fit vite l'objet de huées. «Nous voulons Atlee», criait la foule qui, selon le *Time*, «l'éjecta».

Il fut hué quand il parla de logement, de production alimentaire, et le lèse-majesté général se poursuivit le jour suivant quand un jeune de dix-sept ans lui lança un pétard allumé en plein visage. Churchill s'était peut-être persuadé que ses opposants n'étaient qu'une minorité, mais quand on ouvrit les urnes il fut clair qu'ils étaient à l'unisson avec le pays. Le grand chef de guerre avait bel et bien perdu.

Une approche révisionniste de son leadership donne ceci : sa propagande continue au cours des années 1930 n'était pas destinée à venir en aide au pays, mais à placer Churchill à la tête des affaires de la nation. Après avoir entraîné l'Angleterre dans une guerre avec l'Allemagne qu'il aurait pu éviter, il présida une débâcle militaire après l'autre, tandis que les Londoniens, surtout les pauvres, étaient bombardés sans merci. Après six années de combats, l'Angleterre se retrouva si affaiblie et appauvrie qu'elle n'eut pas d'autre choix que de renoncer à l'Empire et d'accepter un rôle mondial limité. Après toutes ces vicissitudes, il ne fut pas surprenant que le grand peuple anglais décide de mettre Churchill dehors au cours d'un des plus énormes raz-de-marée électoral du XXe siècle.

Je suis sûr que d'autres charges pèsent sur lui : qu'il était raciste, sexiste, défenseur de l'eugénisme, qu'il eut le cynisme de laisser Coventry sous les bombes pour ne pas révéler que la Grande-Bretagne avait percé le secret des codes allemands (un mensonge) ou qu'il n'a rien fait pour mettre un terme à l'holocauste (un autre mensonge)... Ces accusations sont portées par des révisionnistes – Charley, Ponting, Irving, Buchanan – mais il est intéressant de constater leur faible impact. De toute façon, nous l'aimons – je l'aime. Les tentatives de révisionnisme n'ont pas entaché sa réputation en béton.

Comme tous les peuples, les Anglais ont un sens inné de la hiérarchie. Ils classent les choses et les gens et adorent en débattre. Mais dans deux cas ils sont tous d'accord : Shakespeare est notre auteur numéro un, et c'est la même chose pour Churchill dans la rubrique des hommes politiques. En Angleterre, on compte environ quatre cent trente routes, avenues, rues et impasses qui portent son nom et le musée de cire de Mme Tussaud expose dix effigies de lui.

On a peut-être oublié combien ses discours demandaient de travail à Churchill – jusqu'à quatorze heures pour les écrire et une répétition devant un miroir pour respecter les pauses et s'accompagner de gestes. On se souvient de bon nombre de ses propos, ne serait-ce que parce qu'il avait compris que pour parler au cœur des gens, mieux valait utiliser des mots courts. «Je n'ai rien d'autre à offrir que du sang, du travail, des larmes et de la sueur.» Ou encore : «Nous nous battrons sur les plages, nous nous battrons sur les pistes d'atterrissage, dans les champs, dans les rues, dans les montagnes, nous ne nous rendrons jamais.»

Churchill était doué pour le vocabulaire concis, mais aussi fleuri, incisif ou grandiloquent. Ce qui fit dire à John F. Kennedy qu'il mobilisait la langue anglaise pour l'envoyer au combat. En 1953, il reçut le prix Nobel – non pas de la paix mais de la littérature «pour sa maîtrise des descriptions historiques et biographiques, comme pour les brillantes capacités oratoires qu'il démontre dans sa défense des grandes valeurs». Quoi que l'on pense du goût des juges, c'est un succès qu'aucun autre responsable politique anglais n'est près d'égaler.

Sa personnalité a encore une telle aura dans la politique anglaise que n'importe quels travers ou comportements peuvent être justifiés si on peut les qualifier de «churchilliens». Si l'on vous dit que vous êtes un peu vieux pour prétendre à un rôle en politique, vous pouvez toujours dire que Churchill avait soixante-cinq ans quand il est devenu Premier ministre. Si vous êtes pompette avant le déjeuner, vous pouvez parler des quantités de champagne, de whisky et de cognac que Churchill absorbait. Si vous fumez, répondez à vos détracteurs que Churchill avait toujours le cigare au bec. Si vous faites une formidable gaffe, citez le fiasco de Gallipoli dont Churchill ressortit la tête haute. Si vous êtes nul en classe et ne comprenez rien aux maths, sans parler du latin, Churchill est votre modèle. C'est le président perpétuel de l'université de la vie.

Il a gardé une popularité peu commune parmi les électeurs, non seulement parce qu'il a mené une coalition en temps de guerre, mais parce que ses positions politiques variaient. C'est une leçon pour tous. Prenez l'éternel débat sur l'«Europe». Un Anglais euro-sceptique peut s'inspirer de son discours de 1930 dans lequel il insiste sur le fait que l'Angleterre se maintiendra toujours à l'écart du reste de l'Europe. Par ailleurs, un euro-enthousiaste peut tomber sur un plaidoyer lancé après guerre en faveur de la nécessité de créer des États-Unis d'Europe.

Ses jugements ressemblent à des montagnes russes. Il entama les années 1930 en traitant Mussolini de «génie romain [...], le plus grand des législateurs». Ce qui n'était pas exactement ce qu'il fallait dire aux soldats au cours des années 1940. Il haïssait le communisme autant que le fascisme, et dit un jour qu'il avait tenté d'étrangler l'Union soviétique à sa naissance. Mais lors d'un sommet à Moscou il porta un toast à Staline en ces termes : «J'affronte ce monde avec plus de courage et d'espoir quand je sais qu'une relation d'amitié et d'intimité me lie à ce grand homme dont la notoriété ne s'est pas seulement étendue partout en Russie, mais aussi sur la planète.» Incorrigible, il fait le grand écart entre des politiques diamétralement opposées sans aucune gêne.

Si vous allez dans le hall de la Chambre des communes, vous verrez une des plus belles statues de Churchill réalisée par Oscar Nemon. Il marche à grandes enjambées et vous remarquerez son orteil gauche. Si la statue est d'un brun sombre, l'orteil, qui a été poli et repoli, est de couleur dorée. Parce que cet orteil de Winston Churchill est un objet sacré que les politiciens de tous bords ont pris l'habitude de caresser avant d'entrer à la Chambre – comme s'ils espéraient qu'un génie astral passe de cet orteil à leur bras, les encourageant à prendre la parole sur le sujet qui les occupe.

Le responsable de la sécurité a demandé aux parlementaires d'abandonner cette habitude, la couche de bronze devenant de plus en plus fine. Mais ils continuent, quelle que soit leur appartenance politique. Les libéraux se revendiquent de lui car il quitta le Parti conservateur en 1904 en disant «détester le Parti tory, leurs hommes, leurs mots et leurs méthodes». De leur côté, les conservateurs le considèrent comme un des leurs parce qu'il fit machine arrière et fut même un chancelier de l'Échiquier un peu trop orthodoxe dans les années 1920. Il dirigea la nation en tant que tory et mourut en tory. Margaret Thatcher tenait tellement à montrer le lien qu'elle avait avec Churchill, qu'elle parla de lui une fois en n'employant qu'un familier «Winston», bien qu'ils ne se soient vraisemblablement jamais rencontrés. Le Parti travailliste dit qu'il accéda au pouvoir en 1940 grâce à ses voix et qu'il détient donc la paternité de son arrivée au poste de Premier ministre pendant la guerre.

Mais revenons à la veille de son humiliation électorale, en juillet 1945. Churchill est hué sur les sujets du logement et de la production agricole, et il tente de s'en sortir en visant, dans son discours, les travaillistes et le socialisme, accusés d'irréalisme et de bureaucratie. De la part de

Churchill, c'était plutôt drôle. Il venait de passer cinq ans à gouverner avec un dirigisme que le pays n'avait jamais connu. En 1945, les Londoniens s'étaient habitués à un monde dans lequel on leur disait ce qu'ils devaient porter, la nourriture qu'ils devaient manger, la façon de la cuisiner, et quels sujets de conversation ils devaient aborder en public. En 1944, quand la première fusée V2 toucha Chiswick, le gouvernement tenta de faire croire qu'il s'agissait d'une explosion de gaz.

Il faut rendre justice aux instincts et aux résultats de Churchill. Selon Attlee, il avait «de la sympathie, une incroyable et grande sympathie pour les gens ordinaires partout dans le monde». Et selon Andrew Roberts, le plus éminent des spécialistes actuels de Churchill, «toute sa vie il fut un libéral de gauche acharné».

En 1908, il fit partie des hommes politiques anglais qui réclamaient un salaire minimum. En 1910, il refusa d'envoyer les troupes contre les manifestants de Tonypandy. En 1911, il demanda un référendum (d'électeurs masculins bien sûr) sur la question du vote des femmes. Il est injuste de penser que Churchill se soit désintéressé de la genèse de l'État-providence, ou n'y ait pas pris part.

Dans un message diffusé le 21 mars 1943 et intitulé «Après la guerre», il dresse les lignes d'un plan de reconstruction étalé sur quatre ans. Il inclut «cinq ou six mesures pratiques importantes», dont «une assurance nationale obligatoire pour tous et couvrant chaque étape de la vie du berceau à la tombe», l'abolition du chômage grâce à des politiques gouvernementales adéquates, «un secteur public plus large», de nouveaux logements, une réforme importante de l'éducation, des services sociaux et de santé améliorés.

Et voilà Churchill, en plein milieu de la guerre, définissant les contours d'une Jérusalem céleste – qu'Attlee

and Co essaieront de mettre sur pied – incluant des natio-
nalisations. Rien d'étonnant, donc, à ce que les gens aient
été surpris, lors de la campagne électorale, par ses pro-
phéties de « Gestapo[1] » socialiste associée à de lourdes
bureaucraties. Ce discours semblait totalement incohérent
par rapport à son aptitude personnelle à rassembler le
peuple dans un grand mouvement national. Apparemment, Churchill exagérait désespérément la menace du
contrôle étatique pour bien marquer sa différence avec les
travaillistes.

Il donnait l'impression d'être un vieux politicard alors
que les gens avaient l'habitude de l'entendre parler
comme le *Pater patriae* et le sauveur du pays. Ce que, par
ailleurs, il était.

L'empreinte durable de Churchill dans l'esprit du
peuple et des politiciens peut être attribuée à deux
grandes réussites liées l'une à l'autre. La première est qu'il
conduisit l'Angleterre à travers les transformations imposées par la Seconde Guerre mondiale, une époque
d'épreuves insoutenables pendant laquelle les barrières de
classes et de sexes (et même de races) furent abolies
de façon plus efficace qu'à aucune autre époque, et
pendant laquelle aussi les gens apprécièrent le rôle de
pourvoyeur d'emplois joué par le gouvernement. Il est
donc l'un de ceux qui a le plus marqué l'époque, et les
acquis de l'après-guerre – l'État-providence, le service
national de santé, le système éducatif – peuvent assuré-
ment être mis à son actif.

---

1. Le 4 juin, Churchill exposa le programme politique du parti
conservateur dans une émission radiodiffusée, discours resté célèbre
sous le nom de « discours Gestapo » où il dénonçait le totalitarisme
et le culte de l'État prôné par le socialisme.

Churchill fit en sorte que l'Angleterre gagne la guerre. S'il n'avait pas été aux commandes en 1940, l'issue du conflit aurait pu été différente. Il est facile d'oublier à quel point la situation était grave. L'Angleterre se trouvait isolée. Les Russes s'étaient comportés avec un cynisme nauséabond, se joignant aux Allemands pour découper la Pologne et conspirant pour alimenter la machine de guerre hitlérienne. La France était tombée à une vitesse vertigineuse, de même que le Danemark, la Norvège, les Pays-Bas, la Belgique. En fait, tout le continent européen était d'une façon ou d'une autre sous la botte nazie, et certains en léchaient littéralement le cuir.

L'ambassadeur américain à Londres, Joseph P. Kennedy, avait fait la prédiction réjouissante que la démocratie en Angleterre appartenait au passé. Plus Churchill en apprenait sur les positions militaires de cet été-là, plus la situation semblait désespérée. Selon ses chefs d'état-major, tout dépendait de la Royal Air Force. Si elle perdait le contrôle du ciel au profit de la Luftwaffe, il n'était pas sûr que l'Angleterre puisse tenir.

Aujourd'hui, avec du recul, on peut penser que tout ce que l'Angleterre avait à faire était de survivre, d'attendre que les Américains prennent la bonne décision (après avoir épuisé les autres alternatives) et arrivent pour tirer les marrons du feu. L'été 1940, personne ne pouvait savoir que les Japonais feraient l'erreur de bombarder Pearl Harbour, ou que les Allemands déclareraient la guerre à l'Amérique, ou encore qu'Hitler serait suffisamment dérangé pour attaquer la Russie. Certains, à Londres, se souvenant des terribles pertes enregistrées durant la Première Guerre mondiale, parlaient de trouver un accord avec Hitler – en utilisant éventuellement Mussolini comme intermédiaire. L'idée circulait d'échanger les possessions britanniques en Méditerranée et en Afrique contre la paix.

Churchill ne voyait pas les choses de cette façon. Depuis des années, c'est lui qui avait la vision la plus claire de la menace que représentait une Europe abandonnée aux nazis barbares. Et il eut raison d'opter pour le réarmement dans les années 1930, quand les travaillistes se montraient désespérément pacifistes. Il eut raison de s'opposer à la conciliation que la majorité du Parti conservateur soutenait. Le courage de Churchill était contagieux, et chacun savait que sa vie avait été jalonnée de marques d'audace. Il essuya pour la première fois le feu de l'ennemi en 1896 à Cuba où il acquit l'habitude des cigares et des siestes. En 1897, il suivit les événements sur la frontière nord-ouest de l'Inde monté sur un poney gris et manqua d'être tué. En 1898, il prit part à la dernière charge de cavalerie lancée par l'armée anglaise à Omdurman, au Soudan, après quoi il écrivit à sa mère : « J'ai tué cinq hommes, peut-être sept. Je n'ai pas été touché. J'ai abattu tous ceux qui m'agressaient. »

En 1899, il travailla comme correspondant pendant la guerre des Boers – un journaliste désireux d'être partie prenante à l'Histoire. Son train dérailla lors d'une embuscade, il organisa une contre-attaque de façon héroïque, fut capturé, s'échappa de prison, sauta d'un train de marchandises, se cacha dans un bois, fut acclamé par une foule en délire à Durban. Pendant la période précédant la Première Guerre mondiale, il ne défendit pas seulement l'avion – un engin qui venait tout juste d'être inventé et devait sembler follement dangereux – mais décolla cent quarante fois lui-même ; il renonça cependant à passer son brevet de pilote, accédant aux supplications de sa femme, Clémentine.

Après avoir engendré le désastre des Dardanelles, il se racheta en rejoignant le front de l'Ouest pour commander le 6ᵉ régiment de Royal Scots – et faire plus d'une centaine d'expéditions dans le no man's land, se déplaçant la nuit entre fils de fer barbelés et cadavres. Pendant toute la Seconde Guerre mondiale, l'énergie physique de cet homme de près de soixante-dix ans et son imprudence étaient incroyables. Il parcourut près de cent quatre-vingt mille kilomètres pour des missions diplomatiques désespérées entre Staline, Roosevelt et d'autres, dans des conditions physiques et climatiques comparables à celles du transport de bestiaux. En 1943, il passa cent soixante-treize jours hors du pays. Les avions qu'il venait d'utiliser étaient bombardés, les bateaux sur lesquels il venait de voyager étaient envoyés par le fond dès qu'il débarquait.

Vétéran du front occidental, une attaque bille en tête de l'Europe aux mains des nazis le rendait peut-être nerveux, mais quand le D-Day arriva, George VI lui-même dut lui écrire pour le supplier d'abandonner son projet d'y assister en personne. Un psychologue pourrait chercher les origines de cet appétit pour le risque et la promotion personnelle. Voulait-il compenser son manque d'assurance ? Était-il parti à Cuba et vers d'autres aventures viriles pour tenter d'effacer l'accusation mensongère d'avoir sodomisé un jeune officier subalterne ? Était-ce un désir inconscient de plaire et d'impressionner l'ombre de son père ?

Plus vraisemblablement, il était simplement né comme ça. Il était d'une trempe et d'une envergure d'une autre dimension que celles que nous rencontrons aujourd'hui. N'oubliez pas qu'il devint parlementaire alors que Victoria était encore sur le trône. Il importa dans le XXᵉ siècle la confiance victorienne, ce désir aristocratique de la plus grande gloire possible.

Les Londoniens répondirent à l'assurance qui émanait de lui, et une sorte de continuum psychique lia le dirigeant aux dirigés. Ce fut une époque incroyable dans l'histoire de la ville, les gens se sentaient plus vivants, plus exceptionnels, manifestant sans cesse de la gentillesse envers leurs voisins. Quand une bombe explosait, la plupart des habitants ne paniquaient pas, ils ne pillaient pas non plus.

Un réseau de cliniques psychiatriques avait été préparé pour recevoir ceux qui souffriraient de névroses provoquées par les bombardements. Elles durent fermer leurs portes, faute de patients. Même dans un contexte de provocation, les Londoniens restaient stoïques. Quand un homme donna des coups de pied à un pilote allemand capturé, la foule ne trouva rien à redire. Mais quand cet homme voulut prendre le revolver de l'aviateur et le tuer, la foule se saisit des deux personnes en attendant la police.

C'était la présence constante de la mort et du danger qui donnait de la grandeur aux événements et aux personnages qui leur étaient liés. Churchill en profita, mais aussi incarna cet état d'esprit. «Je n'étais pas le lion, dira-t-il plus tard, mais j'avais le privilège de rugir.» À la fin de sa carrière, ses propres traits de caractère semblaient se fondre dans ceux de tout le pays. Comme l'a déclaré plus tard l'homme politique Enoch Powell : «En 1955, Winston Churchill était devenu l'incarnation de la nation, le passé de cette dernière étant rassemblé en son unique personne. [...] Vu la longueur exceptionnelle de sa vie publique, il devint finalement l'incarnation du peuple anglais.»

C'était comme un animal de compagnie adoré et son maître. Vous ne pouviez pas dire qui imitait qui.

Voyez ses traits : le gros nez, les joues bien en chair, le menton qui dépasse légèrement, les lèvres protubérantes. On dirait une caricature d'Anglais. Son cerveau avait une puissance de cent chevaux (à l'époque où cent chevaux était synonyme de grande rapidité), mais il n'était pas un intellectuel pour autant. Il formait un couple heureux avec Clémentine : leur mariage dura longtemps, ils eurent quatre enfants, et ses rapports avec les belles sténodactylos ne dérapèrent jamais vers quelque ébauche de scandale – ce qui convient parfaitement à l'approche pas-de-sexe-s'il-vous-plaît des Britaniques.

Il était devenu le symbole du pays, mais aussi de la ville qu'il défendait – magnifique, excentrique, traditionnel mais obsédé par le progrès technologique et, surtout, résistant – à tel point que, lorsque la reine lui offrit le duché de Londres à sa retraite en 1955, cela parut tout à fait normal et adéquat.

L'histoire veut, et c'est dommage, que le secrétaire particulier de Sa Majesté s'était auparavant assuré que Churchill refuserait un tel cadeau. C'était la bonne décision, bien entendu, et pas seulement parce que le titre eut été transmis à Randolph Churchill, puis à ses héritiers et successeurs. Car aussi ardente que soit l'admiration des Londoniens pour Churchill, je ne suis pas sûr de la réaction qu'ils auraient eu à l'idée qu'il devienne leur duc; beaucoup eussent été enthousiastes, mais certainement pas tous. Londres et les Londoniens avaient changé suite au Blitz, et Churchill le savait parfaitement.

Je me tenais dans le Cabinet War Room, et j'essayais d'imaginer ce que ce devait être de se trouver là, sous une ville dont tant de trésors étaient pris pour cible, où tant de vies étaient perdues, lors de bombardements dont la responsabilité incombait, selon certains, à Churchill lui-même. Je me demandais quelle impression cela faisait de s'asseoir là, le matin, devant la liste des victimes et des catastrophes et d'attendre que Washington se réveille pour mettre l'appareil de brouillage en marche et voir si les Américains avaient finalement décidé de nous venir en aide.

Et je sus alors ce que je devais faire. «Généralement, c'est interdit... La famille Churchill est réticente...», me dit le responsable des lieux. Trop tard : j'étais assis dans le fauteuil d'où il géra la guerre, mes coudes lustrant le bois que ses manches avaient lustré aussi soixante-dix ans plus tôt. J'aurais aimé que ce siège m'insuffle un peu du dynamisme churchillien, mais je me suis seulement senti incongru et me levai rapidement. Tout ce que je peux dire, c'est que ce fauteuil et ce bureau sont ordinaires et de petite taille pour un homme qui aida à sauver la planète de la tyrannie – signe avant-coureur de l'égalitarisme qui marqua le monde d'après-guerre qu'il aida à construire.

Le 30 janvier 1965, sir Winston Churchill mit en scène sa dernière grande manœuvre. Il l'avait préparée méticuleusement, jusqu'aux hymnes qu'il voulait voir chanter. Elle prit pour nom «Opération sans espoir». Pendant trois jours, son cercueil fut exposé en grande pompe à Westminster Hall où 321 360 personnes vinrent rendre un dernier hommage au plus grand Anglais du XXe siècle.

Puis on le fixa sur un affût de canon qui roula à travers une immense foule avant d'arriver à la cathédrale St Paul pour les obsèques. Le cercueil fut ensuite déposé sur une vedette, le *Havengore*, à la Tour de Londres, et conduit en amont, en direction de la gare de Waterloo où un train à vapeur le prit en charge pour transporter le corps de Churchill vers sa dernière demeure, à Bladon, dans l'Oxfordshire.

Dans la foule silencieuse, certains pleuraient. Une escadrille de seize avions de chasse traversa le ciel de Londres tandis qu'une chaloupe remontait la Tamise.

Mais le geste le plus touchant fut peut-être de voir les grues le saluer en se penchant sur son passage, entre la Tour de Londres et le London Bridge.

Dix ans plus tard, ces grues avaient toutes disparu, les docks également. Depuis sa création par Aulus Plautius et après dix-neuf siècles d'existence, le port ne pouvait plus rivaliser avec ses concurrents.

Au cours des années 1960 et 1970, il devint évident que Londres était entrée dans une période de stagnation ou de déclin. Les anciennes industries disparurent, la population diminua. Humiliée par les Américains à Suez, rejetée par de Gaulle lors de sa tentative de rejoindre le Marché commun en 1963, l'Angleterre commençait à ne plus croire à sa chance.

Et pourtant, Londres avait encore des merveilles à offrir au monde. Quand on regarde les photos des gens qui assistent aux obsèques de Churchill, il est évident qu'il s'agit d'une autre époque : les hommes portent hauts-de-forme et chapeaux melon.

Mais quand on regarde de près comment les femmes sont habillées – des bottes et des manteaux à mi-mollets – on s'aperçoit que les années 1960 battent leur plein. Quand Winston Churchill est mort, les Beatles avaient déjà conquis l'Amérique, et quatre mois seulement après ses funérailles, les Rolling Stones sortaient une chanson que Keith Richards avait écrite en pleine nuit et qui fit le tour du globe. Elle s'appelait «(I Can't Get No) Satisfaction».

« L'investissement le plus rentable
qu'une société peut faire,
c'est de donner du lait à ses bébés. »

Winston Churchill, allocution radiodiffusée, 1943

L'AUTOBUS À IMPÉRIALE

Quand l'administration des transports de Londres annonça, en 2005, que l'autobus à impériale allait disparaître, toute la ville s'est révoltée. C'était comme si on expulsait les corbeaux de la Tour de Londres. Articles dans la presse, pétitions, la mobilisation fut grande en faveur de ce véhicule pourtant ancien.

Le dernier autobus à impériale, nommé Routemaster était sorti de l'usine de Chiswick en 1968, et ceux qui parcouraient encore les rues de Londres quelques décennies plus tard souffraient dans le trafic, tels des éléphants de combat blessés dans la bataille. Ils étaient sans air conditionné et Bruxelles les jugeait nocifs et contraires aux normes établies en matière de santé et de sécurité.

Mais tout le monde les aimait. Ils représentaient Londres et le xxe siècle. Quand on en apercevait un au cinéma, on savait tout de suite où un film avait été tourné. Ils coloraient de rouge la ville par ailleurs grise depuis la fin de la guerre. Ils sont longtemps restés en fonction pour une raison simple : ils étaient construits par des Londoniens, pour des Londoniens, et répondaient aux besoins des Londoniens.

L'histoire des Routemaster commence en 1947, année durant laquelle la Grande-Bretagne réfléchit à des révolutions populaires, comme celle du système de santé. Pendant la guerre, la production d'autobus, à Chiswick, avait été assurée par l'usine de bombardiers Handley Page Halifax, et des notes commencèrent à circuler pour savoir s'il était possible de tirer parti de cette expérience. La réponse apportée fut positive. En fait, il fut décidé, dans un rare sursaut de confiance, que London Transport allait utiliser tous les enseignements issus de la guerre en matière d'autobus et de passagers pour mettre au point un véhicule à deux étages. Après des années de recherche – en fait, il fallut moins de temps aux Soviétiques pour lancer leur Spoutnik dans l'espace – cet autobus fut prêt. Nous étions en 1956. Son fuselage en aluminium riveté avait été copié sur celui des avions de guerre et il pouvait être assemblé et démantelé comme des Lego.

Équipé d'une cabine pour le conducteur, d'une plate-forme pour monter et descendre, d'un système de chauffage – une grande avancée pour l'époque –, il renfermait une boîte automatique permettant des voyages en douceur et ses roues bénéficiaient de leur suspension propre. Mais surtout, il constituait un chef-d'œuvre de design urbain.

Avant qu'il ne meure, en 1941, le directeur général de London Transport, Frank Pick, avait décrété que les autobus devaient être beaux. Ils devaient être des « meubles de rue », disait-il. Au même titre que les casques de policiers ou les cabines téléphoniques de Giles Gilbert Scott, ils étaient supposés retenir l'attention. C'est Douglas Scott – qui inventa aussi les chaudières Potterton et les postes de rediffusion télévisée – qui donna au Routemaster son toit courbé et ses adorables fenêtres à angles arrondis. Il précisa que « les panneaux de revêtement intérieurs seraient de couleur bordeaux, le tour des fenêtres vert chinois et les plafonds jaunes. » Et il créa le tissu écossais rouge sombre et jaune pour les sièges. En matière de design, London Transport dépensa matière grise et énergie sans compter pour une raison simple : il fallait que les sièges soient occupés.

Mais la concurrence avec la voiture ne fit que croître (entre 1945 et 1960, le nombre d'automobiles doubla dans Londres), et le trolleybus – propre, peu polluant et populaire – fut malheureusement retiré de la voie publique pour faire place à la voiture. Le Routemaster était supposé le remplacer.

Ce fut une grande réussite. Deux mille huit cent soixante-quinze unités furent construites entre 1954 et 1968, et **la** demande de chauffeurs était si grande que London Transport les recrutait à la Barbade, en Jamaïque, à Trinidad. Oui, ce bus a joué un rôle dans l'immigration caraïbe qui allait transformer et diversifier Londres. Le Routemaster a continué à rouler jusque dans les années 1970 et 1980, et même s'il n'en restait plus que six cents au cours de la décennie 1990, ils constituaient toujours des signes distinctifs de la ville, chacun d'eux étant, comme le dit Travis Elborough, un robuste Beefeater rouge marchant au diesel et représentant Londres.

S'il y a une chose qui les a entraînés vers leur extinction finale en 2005, c'est la décision fatale prise par le gouvernement d'investir dans les bus British Leyland – dans l'espoir de maintenir en vie ce business pourtant condamné – au lieu d'investir dans la production d'autobus propres à Londres.

Résultat, les engins qui parcourent aujourd'hui les rues sont équipés de moteurs et de boîtes de vitesse de camions, et seraient franchement plus appropriés pour transporter trente-deux tonnes de gravier qu'un chargement de voyageurs. Il est donc simplement de bon sens que le « New Bus For London » ait été conçu pour la ville, avec une technologie propre et verte, et qu'il soit de nouveau équipé d'une plate-forme permettant de monter et descendre, un atout majeur en termes d'attrait.

KEITH RICHARDS

*Il offrit au monde (avec sir Mick)
le rock'n'roll*

Les anciens savaient ce qu'était la frénésie bachique. Euripide nous raconte comment de gentilles femmes se transformèrent en groupies hantées par le sexe qui mirent la main sur un type du nom de Penthée et le taillèrent en pièces. Elles enlevèrent leur corset et détachèrent leurs cheveux. Affranchies de toute retenue et de toute gêne, elles se conduisirent très mal. Je suis sûr que ceux et celles qui liront ces lignes ont déjà fait la même chose une fois dans leur vie. Bien sûr, il faut avoir bu pas mal d'alcool pour en arriver là. Suffisamment en tout cas pour garder le sens primitif du rythme. Et écouter une musique adéquate.

C'était vers la fin de mon adolescence, dans une maison d'étudiants dont je ne mentionnerai pas le nom – car, encore maintenant, j'ai un peu peur des représailles –, que quelqu'un m'a fait écouter «Start Me Up», des Rolling Stones.

Je vous entends déjà ricaner.

Je sais parfaitement ce que les gens sophistiqués pensent de ces trois premiers accords au son de sirènes retentissantes. Mon vieil ami James Delingpole a écrit un article féroce sur cette chanson, pour dire combien il la trouvait ringarde. Mais je peux vous dire que ces notes, quand elles sont sorties de mon vieux lecteur de cassettes, ont semblé résonner jusque dans ma cage thoracique. Un truc, quelque part dans mon système endocrinien a fait un petit couac, ma glande surrénale, mon hypothalamus, je ne sais pas, et paf ! une métamorphose s'est produite. Tout de suite après, j'ai entendu la seconde mesure, ces mêmes trois notes comme un tocsin électrique, et là, en une seconde, c'était exactement comme docteur Jekyll devenant mister Hyde, Clark Kent/Superman dans sa cabine téléphonique... Je ne vais pas vous dire que j'ai bondi sur mes pieds, que je me suis martelé les pectoraux des poings et que j'ai pris par la main la fille avec qui depuis une heure je peinais à avoir un semblant de conversation. Mais je suis soudain passé du stade bino-clard timide, boutonneux et bûcheur à celui d'excité qui se trémoussait. Franchement, je n'ai aucun souvenir des détails, mais je me rappelle que nous nous sommes tous retrouvés en train de danser sur les commodes et de démolir des chaises.

C'est cette musique qui avait provoqué en moi cette poussée d'adrénaline.

Encore maintenant, quand j'entends cet air de Keith Richards, je ressens la même chose. Et je ne suis pas le seul dans ce cas. Nous sommes des milliards. Cette musique pop-rock donne de l'intensité à nos vies, elle a été la bande-son de nos existences.

On pourrait en discuter – mais, en fait, il n'y a rien à discuter. Je peux affirmer sans peur d'être contredit que cette musique constitue la forme d'art populaire la plus importante du xxe siècle et occupe toujours la même place aujourd'hui. Elle n'a pas de concurrent sérieux dans les arts visuels, plastiques, poétiques ou littéraires et elle a plus d'influence que le cinéma. Elle a pris son essor dans le Londres des années 1960, y a fait pousser ses plus belles fleurs psychédéliques. Elle est l'un des plus grands triomphes de la culture britannique.

Ce triomphe a surpris. Londres a produit quelques-uns des plus grands poètes, romanciers, peintres, architectes, scientifiques, libertins, orateurs et lexicographes du monde, mais malgré ses deux mille ans d'histoire, la ville n'a pas souvent tenu la première place en musique. Si de nombreux musiciens sont venus jouer à Londres – car c'est là que se trouvaient l'argent et les mécènes –, ils avaient souvent des noms à consonance étrangère, comme Haydn ou Haendel. Puis, soudain, dans la seconde moitié du xxᵉ siècle, la scène musicale ressembla à l'accélérateur de particules des talents théâtraux qui, au xviᵉ siècle, produisit un William Shakespeare. Deux éclairs, deux supernovas eurent lieu presque coup sur coup, qui furent visibles tout autour du globe. D'abord les Beatles, le groupe dont l'influence musicale fut la plus marquante ces deux cents dernières années (bon, d'accord, ils étaient de Liverpool, mais leurs disques étaient produits à Londres et c'est là qu'ils se firent un nom). Puis leurs rivaux un tantinet plus énergiques, les Rolling Stones, les plus grandes bêtes de scène que l'on ait jamais connues. D'autres constellations brillèrent au firmament de la banlieue de Londres et furent mondialement saluées, mais les Beatles et les Stones furent les plus éclatantes.

Il s'agit, bien sûr, d'une affaire de goût. On peut contester mon opinion, de même que discuter sans fin des mérites comparés des Beatles et des Rolling Stones ou de leurs musiciens, pris individuellement. Les baby-boomers d'âge mûr fans des Stones adulent Mick Jagger (par exemple Tony Blair) ou bien pensent que Keith – ceux qui l'aiment le surnomment Keef – est le plus cool. Depuis mon plus jeune âge, je pense qu'il est le meilleur.

Quelqu'un, qui prétendait tout savoir, m'a affirmé à un moment critique de mon adolescence, que Mick était la vitrine, mais dans l'arrière-boutique, c'était Keith le musicien. C'est lui qui est en grande partie responsable de ces trucs bien lents, douloureux, plaintifs, comme « Angie » ou « Fool to Cry », mais il est aussi grand maître des fluides et sublimes vocalises des choristes de « You Can't Always Get What You Want ». C'est l'homme de la situation pour les intros volcaniques ou les solos qui vous dilatent les yeux, verdissent les lèvres, et vous font chercher une chaise pour la casser.

Prenez l'artillerie lourde déployée au début de « Satisfaction », de « Brown Sugar » ou de « Jumping Jack Flash ». C'est tout Keith. Le genre de mec qui commence son morceau par un tremblement de terre pour le finir en orgasme cosmique.

C'est à Keith que j'ai voulu ressembler – entreprise pathétique de ma part – en achetant, alors que j'avais environ seize ans, un pantalon serré en velours violet (quelques gouttes de sueur perlent à mon front alors que j'écris ces lignes) et que j'essayais, avec mes gros doigts gourds, de plaquer les accords de « Satisfaction » sur la guitare qu'un copain m'avait prêtée. Cet échec abyssal de ma vocation de rock star n'a fait qu'approfondir mon admiration pour Keith.

Ce que j'ai compris du duo Mick-Keith, c'est que Keith était le petit génie des deux charmants jumeaux, celui qui a réussi à rester pendant des années numéro un au top du hit-parade des « rock stars les plus susceptibles de mourir » que publiait le *New Musical Express*, et qui a couché avec les filles les plus intéressantes du monde occidental, les Uschi Obermaier, Anita Pallenberg, Patti Hansen, et j'en passe.

Pendant des décennies, Keith s'est injecté, a ingurgité ou reniflé de telles quantités de produits chimiques qu'ils ont apparemment embaumé ses tissus, pareils à ceux d'une momie inca. Et tout cela en produisant une musique qui a changé le monde du rock, autant que ces substances ont changé sa physionomie.

Il est devenu très riche. Entre 1989 et 2003, par exemple, il permit aux Rolling Stones de gagner un milliard vingt-trois millions de livres. Et il fait preuve encore d'une énergie incroyable à la veille de ses soixante-dix ans : au moment où je rédige ce livre, il projette une nouvelle tournée. S'il n'avait pas le visage aussi marqué, il pourrait presque faire de la réclame pour les vertus tonifiantes de l'héroïne et de la cocaïne pures.

Pendant l'écriture de ce chapitre, j'ai parcouru le Londres de Keith. J'ai un jour inauguré un parc à Twickenham et j'ai regardé les maisonnettes et les *houseboats* d'Eel Pie Island et tenté d'imaginer à quoi ressemblait ce coin avant l'incendie mystérieux du célèbre Eel Pie Island Hotel. J'ai rêvé à ces soirées magiques des sixties, quand flottaient dans l'air les sons de la guitare de Keef, les effluves de drogues et de patchouli, tandis que des filles en robes aux tissus soyeux gambadaient dans les parages. Je suis allé au « 100 Club », sur Oxford Street, et j'ai même essayé d'empêcher sa fermeture. J'ai fureté dans Ealing Broadway, là où Alexis Korner, il y a exactement cinquante ans, ouvrait son fameux club. C'est là que Mick et Keith commencèrent à jouer avec Brian Jones et que les Rolling Stones se formèrent. Plusieurs fois, j'ai parcouru Edith Grove, à Chelsea, sur ma bicyclette, et cherché le numéro 102. J'ai regardé la fenêtre de la cuisine de l'appartement que Keith, à ses débuts, partageait avec Brian Jones. Un endroit tellement sordide qu'ils décidèrent de l'abandonner, laissèrent toute la vaisselle sale dans l'évier et fermèrent la porte avec du ruban adhésif.

J'ai longtemps marché sur ses traces sans réussir à le croiser, jusqu'à un jour récent où cette incroyable chance m'a été donnée. Alors que je devais faire un petit discours lors d'une cérémonie à Covent Garden, je me suis trouvé, en arrivant au Royal Opera House, devant un embouteillage de limousines et de Bentley noires. Il était pourtant plus de dix heures du soir, mais une foule énorme hurlait et demandait des autographes. Le culte national du vedettariat célébrait son rite. C'était du premier choix, un triomphe de l'art des relations publiques qui consiste à dire à la bande à Bono que Sting sera là et à la bande de Sting que Bono ne manquerait la soirée pour rien au monde et, bingo, vous avez les deux d'un coup qui se congratulent mutuellement tandis que Salman Rushdie raconte sa dernière histoire à Kylie Minogue, que Madonna est assise sur les genoux de Bill Clinton dans l'oreille duquel la mère Térésa raconte une blague salace. Bref, vous voyez le genre de soirée. Le commun des mortels comme vous et moi s'y sentent ravis de partager le même espace que ces stars absolues, de boire du vin blanc sorti du même calice qu'ont touché les lèvres de ces demi-dieux.

Une fois dans l'atrium, une sorte de serre géante, j'ai salué quelques personnalités en smoking, cherché mon siège, et lancé à l'hôtesse – incroyablement grande, très mince et néanmoins bien roulée : «Désolé, je suis en retard.

— Aucun problème, me répondit-elle, le discours de Stephen Fry a été si long que nous avons pris un peu de retard.

— Oh, très bien. Je passe quand?

— Vous allez parler peu de temps après le lauréat du prix de l'écrivain de l'année, qui va sans doute être Keith Richards. Il est là, au premier rang. »

Et elle me montra du doigt une tignasse de cheveux gris genre nid d'oiseaux, impossible à louper. Pendant quelques minutes j'ai fixé ma proie mais quand elle a tourné la tête... ce n'était pas Keith. Où était-il ? L'hôtesse avait disparu et tout en balayant l'assistance du regard, à la recherche de Keith, je réfléchissais à mes options. Je savais d'expérience que les interviews impromptues avec des célébrités sont très difficiles à réaliser. Je me souviens avoir passé trois jours à suivre Jacques Chirac à travers la France, un membre de son cabinet m'ayant dit qu'il me verrait « en marge » de sa campagne électorale. Après plusieurs tentatives infructueuses, j'avais réussi à me mettre sur son passage alors qu'il regagnait sa grosse Citroën.

« Président Chirac, lui avais-je lancé en tendant la main. Boris Johnson, de Londres ! » Il m'avait regardé une nanoseconde, avait souri, m'avait serré la main avant de me répondre : « Jacques Chirac, de Paris ! » puis ses gardes du corps m'avaient repoussé et il avait disparu. Malgré tous mes efforts, je n'avais pas pu transformer ça en une bonne interview...

Donc, je savais qu'il me fallait préparer une question, une seule. Et tandis que la cérémonie se poursuivait, je réfléchissais à ce que je savais de lui et à ce que je voulais vraiment savoir.

J'ai adoré *Life*[1], l'autobiographie qui a valu à Keith son prix littéraire. En la relisant une nouvelle fois, je pense que j'ai une petite idée sur la façon dont tout ça s'est pro-

---

1. Publié sous le même titre en France en 2010 par les éditions Robert Laffont.

duit. Les Rolling Stones sont des monuments de notre culture – résistants à l'épreuve du temps et vénérables – qui occupent une place aussi centrale dans l'histoire du Londres moderne que les lions de Trafalgar Square.

Toujours de vrais rockers à l'âge de soixante-huit ans, à l'heure où j'écris ces lignes. Ils ont généré des milliards de revenus. Plus important encore, ils ont créé une anthologie impérissable de superbes chansons de pop-rock, une performance qui requiert une sacrée dose de créativité. Cette fertilité est à mettre au compte de Mick Jagger et de Keith Richards, et de leur fameuse relation d'amour-haine. Pour comprendre cette amitié, il faut remonter plus de cinquante ans en arrière, avant leur rencontre historique de décembre 1961 à la gare de Sidcup où Keith croisa Mick qui partait étudier à la London School of Economics, un paquet de disques de Chuck Berry et de Muddy Waters sous le bras.

Il faut évoquer leur école primaire des faubourgs de Londres – à Dartford – et regarder ce qui leur est arrivé à l'âge de onze ans. Le fait majeur, c'est que Mick fut reçu à son examen d'entrée en sixième et partit au collège de Dartford – un premier pas vers l'université – et Keith le rata et intégra une école technique grâce à ses aptitudes en dessin et en musique. Même là, à son grand dam, il dut redoubler. Mais écoutez ses interviews, lisez *Life*, et vous verrez, Keith est un homme intelligent et réfléchi, non seulement l'un des dix plus grands guitaristes au monde (dixit *Rolling Stone Magazine*), mais aussi un passionné d'histoire militaire qui possède une bibliothèque impressionnante. Et pourtant, à l'âge tendre de onze ans, il s'est entendu dire par les responsables de l'éducation de l'époque qu'il n'était pas du même bois que son petit copain et voisin Michael Philip Jagger. Il était jugé moins capable d'abstraction, moins apte à une profession bourgeoise. Keith produisit une musique propre à faire hurler des hordes de *teenagers*, mais officiellement, c'est Jagger la grosse tête.

C'est ce problème non résolu – primauté de l'intelligence ou de la créativité ? – qui fut le moteur des Rolling Stones. Au centre du groupe, on trouve deux immenses talents qui se concurrencent et se complètent. Cette compétition prit des formes multiples et dans un certain sens, cinquante ans plus tard, sir Michael l'a gagnée.

Dans la bataille pour les femmes – lutte vitale primordiale –, Keith s'est montré assez bon. Il raconte en détails comment il a enlevé Anita Pallenberg des bras de Brian Jones (ça s'est passé, si vous voulez tout savoir, sur la banquette arrière de la Bentley de Keith, «Blue Lena», durant l'été 1967, alors que le chauffeur leur faisait traverser l'Espagne pour les conduire au Maroc), et bien que Keith ait accusé Mick d'avoir batifolé avec Anita quelques temps après la scène de la baignoire dans le film *Performance* (une accusation qu'elle récuse toujours, je crois), Keith a renvoyé la balle à Mick en couchant avec Marianne Faithfull alors qu'elle était censée être encore fidèle à Jagger. Il nous raconte comment il dut sauter par la fenêtre de la chambre de celle-ci alors que Mick était rentré plus tôt que prévu, et comment dans sa précipitation, il avait oublié ses chaussettes (sujet, je suppose, de quelques blagues complices entre elle et lui).

Mick et Keith ont aussi partagé le lit de la bombe bavaroise Uschi Obermaier qui a eu la grâce d'annoncer au monde que Mick était un «parfait gentleman» mais que Keith était un meilleur amant. Bien sûr, il y avait aussi Bill Wyman qui avait la réputation de succès répétés – d'une régularité de métronome – avec les groupies, et tout en reconnaissant les mérites de Bill, Keith remarque tout de même que toutes ces jeunes femmes n'avaient pas plus d'importance pour lui qu'une tasse de thé au lait.

Aimant la compétition, Keith veut que l'on sache qu'il a eu plus que sa part de jolies femmes, et pourtant les observateurs avertis pensent que Mick est sorti gagnant de ce marathon d'exhibitionnisme hétérosexuel. C'est lui dont le nom est lié à la liste le plus longue et la plus glamour de femmes. Mais dans *Life*, Keith est formel : il ne cherchait pas à gagner ce concours. En fait, il était plutôt timide avec les filles, et, à la différence de l'ancien satyre Jagger, il vient de partager les dernières décennies avec sa femme Patti dans une relation heureuse et monogame.

Il n'a pas cherché non plus à concurrencer Mick dans l'escalade de l'échelle sociale. Tous deux étaient issus de la classe moyenne : Jagger, fils et petit-fils d'enseignants, Keith, petit-fils d'un maire. Dans les années 1960, Londres la cool se voulait un mélange de la nouvelle aristocratie et de l'ancienne. On y trouvait des talents issus des quartiers populaires de la ville – des vedettes de films, des designers, des photographes, des rock stars et des mannequins venus de banlieue, et tout un tas de diplômés plus ou moins bien nés, dealers de drogue ou d'œuvres d'art.

C'est Mick, qui envisagea pendant un temps une carrière politique, qui semble avoir le plus aimé la compagnie des rupins. Et en 2003, vint le moment de l'ultime trahison, quand il téléphona à Keith pour lui annoncer qu'il venait d'accepter le titre de chevalier offert par Tony Blair. Il n'avait pas su comment dire non. «Mec, tu peux dire non à tout ce que tu veux», rétorqua Keith brutalement. «Cette récompense est ridicule», ajouta-t-il plus tard. Il ne voulait pas monter sur scène avec quelqu'un «qui porterait une couronne et une hermine». Jagger rétorqua que Richards était un «homme malheureux».

Le journaliste qui l'interviewait demanda : « Que voulez-vous dire par "il est malheureux" » ?
— Je veux dire qu'il est malheureux. Si vous ne comprenez pas ça, vous ne comprenez rien. »

On peut deviner pourquoi Keith n'apprécia pas cet hommage aux Stones. Mick ne pouvait pas être considéré comme un exemple pour la jeunesse à côté d'un Keith dépravé pour cause d'usage de stupéfiants. Ils s'étaient tous les deux fait pincer à cause de la drogue. Tous deux avaient été (brièvement) emprisonnés. Quant à sa contribution à la société, soyons clairs : Mick reçut sa décoration parce que Blair le vénérait.

Quoi qu'il en dise, Keith a dû l'avoir mauvaise de ne pas avoir reçu de consécration lui aussi. Dans *Life,* il loue les talents de musicien de Mick et sa capacité à écrire des paroles vite et bien. Mick peut être grivois, décadent, satirique, sentimental, mélancolique, moqueur, ou encore cruel. Il écrit avec énergie et économie, avec un sens de l'absurde aussi parfois. Prenez « Brown Sugar », par exemple. On y trouve « un vieil esclave traumatisé » qui aime fouetter les femmes « autour de minuit » sur un air de « ah, sucre brun, comment peux-tu avoir si bon goût... ».

Soyons francs, la majorité d'entre nous ne comprend rien à ces mots absurdes et sexistes, voire racistes. C'est la musique qui fait chanter et danser, et l'essentiel de cette musique, c'est Keith qui l'a composée. Si Mick a écrit les paroles de « Satisfaction », Keith a trouvé la musique en se réveillant un matin. Il a branché son lecteur de cassettes et retrouvé ce que sa muse lui avait soufflé pendant son sommeil, ce qu'il avait rêvé et qu'il avait enregistré au milieu de la nuit. Parfois, il passe un temps fou en studio d'enregistrement, pour perfectionner encore et encore une chanson jusqu'à ce qu'il la tienne : n'importe qui à sa place s'écroulerait de fatigue.

En 2005, lors d'une interview, Keith suggéra que Mick était celui qui bûchait et que lui n'avait pas beaucoup d'ambition. À mes yeux, c'est de la modestie, toute britannique, et un simulacre d'amateurisme. Il est sûr et certain que Keith n'est pas le genre de mec relax, le junkie imbécile heureux. C'est un créatif stakhanoviste. Dans *Life*, les chapitres techniques du début exposent longuement comment le blues a évolué en rock, et la place des Stones dans cette histoire. Le message est clair : Keith est au moins aussi intello que Mick.

Frottez deux pierres et vous aurez du feu. Le besoin constant d'impressionner l'autre a engendré les étincelles du génie. C'est cette dynamo qui a produit les Stones, plus la pression externe des rivaux. Car l'humanité tout entière peut se diviser en deux : ceux qui aiment les Beatles et ceux qui préfèrent les Stones.

Strictement masculins, les deux groupes ont bénéficié de cette tension créatrice entre deux leaders, ils ont voulu conquérir l'Amérique et ce fut triomphal : même s'ils collaborèrent et même coordonnèrent les sorties de leurs albums parfois pour ne pas gêner leurs promotions respectives, ils furent en réalité des ennemis déclarés.

L'étrange Andrew Loog Oldham, un ancien agent des Beatles, se retrouva on ne sait trop comment manager des Stones et il vit très vite que si Mick et Keith voulaient vraiment réussir, il leur fallait faire autre chose que pomper les disques de Chuck Berry. Ils devaient suivre les traces de John et Paul. Loog Oldman les enferma donc dans une chambre avec pour mission de ne pas en sortir avant d'avoir écrit leurs propres chansons. Et c'est ainsi que durant une glorieuse décennie, les Beatles et les Stones furent en permanence en compétition semi-officieuse.

Oldman avait compris qu'il était vital que les Beatles et les Stones soient bien distincts, et c'est ainsi que les premiers furent des garçons propres sur eux ; les Stones, des troglodytes rusés et plus sexués. Les Beatles sortaient avec des filles gentilles, comme Cynthia Lennon ou Jane Asher. Celles des Rolling Stones étaient arrêtées pour drogue, nues sous leurs manteaux de fourrure, des barres de Mars à moitié mangées à portée de la main. Si les Beatles firent des trips psychédéliques, les Stones ajoutèrent aux leurs une bonne pincée de satanisme. Les Beatles ont chanté « St. Pepper's Lonely Hearts Club Band ». Les Stones leur ont répondu avec « Their Satanic Majesties Request ».

Si le succès artistique se mesure à l'approbation du public, les Beatles devancent les Stones. Bien que le groupe se soit séparé avant 1970, il a produit plus de chansons numéro un au hit-parade et plus d'albums figurant parmi les plus vendus que tout autre groupe au monde, Rolling Stones compris.

À la fin des années 1960, la banlieue de Londres bruissait de talents de toutes sortes. Une nouvelle génération avait vu le jour qui bénéficiait de soins médicaux et dentaires gratuits, de meilleurs revenus et, par-dessus tout, d'un enseignement public décent. Dans les chambres et les garages de la ville, de jeunes boutonneux se préparaient pour des sorties remarquées, bandanas sur la tête, vestes de cuir ou manteaux de peaux de mouton sales sur le dos. Parmi eux, les autres Rolling Stones : Bill Wyman venait de Lewisham, Ronnie Wood d'une vieille famille de bateliers de Hillington, Charlie Watts d'Islington et Brian Jones, ne l'oublions jamais, commença sa vie active en étant vendeur dans le grand magasin Whiteleys, à Queensway.

Jimmy Page, des Led Zeppelin, était originaire de Wallington, près de Croydon. Les Who avaient prati quement tous étudié à la Acton County Grammar School. Ray Davies et les Kinks venaient de Hornsey. Les Dave Clark Five étaient des enfants de Tottenham. The Small Faces des petits gars d'East Ham.

Tous ces jeunes musiciens jouaient dans des clubs de banlieue, notamment dans le sud-ouest de Londres. Il y avait le Crawdaddy Club à Richmond, de même que le Station Hotel et le Richmond Athletics Club. Et bien sûr, n'oublions pas l'Eel Pie Land, Ealing et d'autres faubourgs.

Londres, avec ses mille six cents kilomètres carrés, est de loin la ville la plus étendue d'Europe, un vaste réseau de villages et de centres urbains reliés entre eux, et c'est le nombre et la diversité des talents qu'elle renfermait qui ont permis l'explosion du pop-rock. Si les Américains furent les pionniers en matière de rock and roll – Chuck Berry, Muddy Waters, Elvis – la contribution de Londres à cette musique a été unique. Les révolutions musicales des États-Unis se produisirent dans de nombreuses villes – New Orleans, Nashville, Memphis, Detroit, Los Angeles, San Francisco, New York – mais aucune d'elles n'a vu émerger autant de talents qu'à Londres car peu de villes américaines étaient aussi grandes.

Un autre facteur explique le rôle pivot de Londres : de jeunes Blancs y jouaient de la musique noire d'une façon que les Américains blancs auraient trouvée embarrassante. Pendant des décennies, des musiciens noirs américains de jazz et de blues avaient accusé les musiciens blancs de leur piquer leurs idées et de les utiliser pour faire de l'argent, et comme cette accusation était fondée, les musiciens blancs hésitaient à jouer un morceau de blues dans le style d'un Noir.

Les Londoniens blancs de la classe moyenne, comme Richards et Jagger, n'avaient pas ces soucis. Pour eux, mettre en chanson la façon dont ils s'étaient réveillés le matin ou comment leurs femmes les avaient quittés n'avait rien de ridicule ou d'irrespectueux. Ils rendaient simplement hommage à la musique qu'ils aimaient.

Ce qui s'est passé avec le rock and roll à Londres était donc l'exemple suprême du processus d'import-export qui avait donné sa grandeur à la ville. Des gens comme Mick Jagger et Keith Richards se procuraient les disques de Muddy Waters et de Chuck Berry. Ils s'asseyaient dans leurs chambres pour les écouter. Ils les imitaient avec une dévotion religieuse, cherchaient à chanter à la façon des Noirs.

Après un certain temps – vers 1964 – ils évoluèrent vers la pop puis, avec «Jumping Jack Flash», vers le rock pur. Mais quand ils allaient aux États-Unis jouer leurs morceaux venant du blues, les Rolling Stones offraient au public américain une musique qui venait d'Amérique.

C'est ça la réussite de Londres, et je me suis dit que je devais le dire à Keith Richards à la fin de cette soirée de remise de prix. On approchait de onze heures du soir et Keith sauta sur l'estrade, manches de veste relevées exposant de fins poignets, un turban dans les cheveux qui le faisait ressembler à McEnroe. Toute la salle se leva spontanément.

Son discours fut court, drôle, modeste, et dès qu'il tourna le dos pour rejoindre son siège, je compris que le moment était venu. Après avoir persuadé son agent de m'accorder quelques minutes, je me retrouvai assis à côté de ce demi-dieu aux yeux soulignés de khôl, à la peau parcheminée et aux dents blanches très américaines. On commença par aborder des sujets d'ordre général, ses grands-parents, son enfance, combien j'avais aimé son livre... Comme je tentais d'en dire plus, des hordes de fans s'agglutinèrent autour de lui, le suppliant de signer un mouchoir, un billet de vingt livres, un sein gauche... Pendant un bref instant, ils furent repoussés et je pus m'aventurer à lui dire que les Stones avaient joué un rôle majeur dans l'histoire du rock car ils avaient *rendu* le blues à l'Amérique.

«Je pense qu'on peut le dire comme ça, monsieur le maire», me répondit Keith avec une grande affabilité.

Peut-être n'était-ce pas l'interview la plus probante de l'histoire du journalisme, mais c'était bien mieux que ma conversation avec Chirac. Je n'ai pas plus abusé de son temps, il avait confirmé mon sentiment. Sans les Stones, un grand groupe américain comme The Eagles n'aurait jamais chanté des airs de Muddy Waters. Sans Keith Richards, Joe Walsh n'aurait jamais joué des solos de guitare aussi épiques que celui de la fin d'«Hotel California».

Au XIXᵉ siècle, Londres mélangea sucre et oranges et vendit ça au monde sous forme de marmelade. Au XXᵉ siècle, Londres importa le blues américain et le réexporta sous forme de pop-rock. Ce fut un fantastique échange.

Il était temps pour Keith de se frayer un chemin vers la sortie de l'Opera House et je l'ai suivi de loin, derrière une foule d'admirateurs. Quand il est monté avec sa suite dans une grande limousine, je me suis dit que Londres avait bien changé depuis sa première apparition sur scène.

Pendant les jeunes années de Keith, le rock était considéré comme subversif. Cette époque-là a vu fleurir des lois odieuses contre l'homosexualité, renaître la censure contre des pièces de théâtre, imposer l'interdiction de *L'Amant de Lady Chatterley*, et l'on a même assisté à un raid à la boutique de cartes postales du musée Victoria and Albert où une brigade des mœurs a saisi des illustrations de l'artiste controversé Aubrey Beardsley.

Ce climat a favorisé l'éclosion d'une contre-culture dans laquelle le plaisir était la rébellion même. Entre ses drogues et les vêtements de ses copines, Keith faisait partie intégrante de ce mouvement. Il en était même un pilier.

Mais cette contre-culture ne pouvait survivre que grâce à la répression. Rien ne va plus quand l'establishment applaudit les rebelles. La partie a été perdue le 1ᵉʳ juillet 1967, quand le *Times* a publié un édito jugeant trop sévère une condamnation après une saisie de drogue chez les Rolling Stones. Avec le *Times* soutenant ces vauriens sniffeurs de coke, la contre-culture prenait un sacré coup dans l'aile. Des lois libérales ont été votées par la suite en faveur des homosexuels, de la liberté d'expression, de l'égalité des sexes... Et la contre-culture a rendu son dernier souffle.

Aujourd'hui, ses valeurs sont devenues les nôtres et celles de l'establishment : on les célèbre même lors de cérémonies de remises de prix. Il existe bien quelques jeunes gens (surtout des garçons) qui rejettent avec rage les revendications des rebelles des années 1960 (tolérance sexuelle, liberté individuelle, par exemple). Certains disent qu'ils représentent une nouvelle contre-culture : celle d'un islamisme intolérant. Mais la version ancienne de la contre-culture a été adoptée, s'est développée et diffusée dans la société au bénéfice de Londres et de son économie.

Alors que Mary Quant taillait jadis du tissu dans sa chambrette, Londres peut aujourd'hui se targuer d'avoir une industrie de la mode qui pèse vingt et un milliards de livres et emploie quatre-vingt mille personnes. À la place des débauchés William Burroughs ou Francis Bacon, nous avons « les jeunes artistes anglais » qui vendent pour des sommes astronomiques des têtes de mort incrustées de diamants et qui, comme Tracey Emin, n'ont pas peur d'annoncer au monde qu'ils votent conservateur.

Les endroits à la mode sont légion, fréquentés pas toutes sortes de talents : publicité, média, relations publiques, TV, production, films... Les raisons qui font de Londres l'une des villes les plus importantes au monde dans ce secteur d'industries « créatives, de la culture et des médias » sont nombreuses. On peut citer la langue anglaise, la proximité d'un secteur financier dynamique et de services juridiques et fiscaux associés. Ou évoquer aussi la relation que la capitale anglaise entretient à la fois avec l'Union européenne et avec les États-Unis. Mais il y existe surtout une forme d'art qui sert plus qu'une autre à décupler nos émotions, qui crée une atmosphère, aide à rendre une ville sympa, attirante, c'est la musique. Grâce à elle, on est sûr que la ville va swinguer.

Londres compte plus d'endroits où écouter de la musique *live* (environ quatre cents) que toute autre ville au monde. Dans les années 1960, elle devint la capitale mondiale du pop-rock, et Keith Richards y participa activement. Qu'il soit fait chevalier ? Il le mériterait amplement.

LE GRAND HÔTEL
MIDLAND

Ma convive est en retard, j'ai donc tout le temps
d'étudier le restaurant et son personnel. Quel endroit
génial! Trois jeunes femmes blondes me débarrassent de
mon casque de cycliste et de mon sac à dos et me
conduisent vers une table tranquille. Je m'effondre sur le
siège et regarde autour de moi.

Les murs sont d'un beau jaune moutarde qui rehausse
l'or des feuilles du chapiteau des colonnes de marbre. Le
plafond est un chef-d'œuvre de moulures et de rosaces,
comme un gâteau de mariage à l'envers, et toute la pièce
forme la courbe d'une vague, comme si vous étiez déjà
ivre.

Mon invitée n'est toujours pas là, mais mon humeur
reste excellente car un groupe de consultants en technologie qui célèbre un contrat me fait servir un verre de vin.
Quand enfin ma convive arrive, je me sens si heureux que
je pourrais manger tout ce que la cuisine serait susceptible de nous proposer. Je ne suis pas un critique gastro-
nomique, mais nous allons vite comprendre qu'ici, c'est
une cantine très chic.

Sans aucune raison, quelqu'un nous sert un petit bol en
céramique rempli d'un élément jaune. Est-ce une soupe?

Une mousse ? Nous n'arrivons pas à déterminer s'il y a de la tomate ou de la glace à la vanille, ou peut-être une fusion des deux. Un peu plus d'une heure après, c'est dans un état de légère exaltation que nous nous dirigeons vers la sortie. Nous sommes interceptés par un homme qui se nomme Tamir et qui veut nous faire visiter les lieux. Il n'arrête pas de dire que c'est un endroit extraordinaire pour travailler, et nous comprenons pourquoi.

Nous montons un escalier à double hélice, un peu en forme d'ADN, passons devant des peintures symboliques victoriennes montrant des femmes vêtues de toges antiques avec des légendes comme «Industrie» ou «Tempérance». Les murs sont d'un rouge profond, ornés de fleurs de lys dorées. Le chêne des balustrades est brillant et chaud, la moquette épaisse et tenue en place par des attaches de bronze. Tamir veut nous montrer la plus belle chambre et appelle la réception pour voir si elle est libre, et tandis que nous fantasmons déjà sur le luxe que nous allons y découvrir – une pièce pour humidifier les cigares ? Un jacuzzi ? – nous apprenons que celui qui a réservé la chambre est en train d'y séjourner : qui pourrait l'en blâmer ?

Nous déambulons donc lentement en passant par le fumoir pour dames, apparemment une conquête des suffragettes en l'an 1902. Avec ses arches intérieures, il évoque la grande mosquée de Cordoue, et nous voilà sur le balcon, à respirer le parfum d'Euston Road. J'observe le trafic et constate avec satisfaction qu'il avance de façon fluide. Nous rentrons et montons jusqu'aux hallucinants créneaux de l'hôtel : une armée de lucarnes sont alignées sur la pente raide du toit comme les canons sur le flanc d'un navire et des chapeaux pointus de sorcières coiffent les tourelles. On s'attend à voir la fée Clochette ou Dumbledore en sortir et se mettre à voler. C'est un peu comme si l'on avait invité le roi Ludwig de Bavière pour qu'il nous dessine l'architecture d'une gare de chemins de fer et qu'il avait mélangé des éléments du palais des Doges de Venise et de la Grand-Place de Bruxelles. D'un rose prosciutto, cet hôtel de briques est une fantaisie gothique de l'époque victorienne dont l'histoire, au cours des cent quarante dernières années, se confond avec celle de Londres.

Nous ne sommes pas venus pour simplement dîner, Nous sommes ici pour témoigner de la glorieuse renaissance d'un immeuble qui nous en dit long sur les hauts, et les bas, et encore les hauts de l'optimisme urbain. Quand le Grand Hôtel Midland ouvrit de nouveau ses portes en 2011, sous le nom de Millenium Hotel, sa restauration fut présentée comme un chef-d'œuvre qui rendait enfin justice à son créateur, George Gilbert Scott. Mais le miracle, c'est que l'immeuble soit encore là. Je l'ai toujours connu fermé, abandonné et, en 1966, on disait même qu'il allait être démoli.

Quand le Midland Grand Hotel fut inauguré, en 1873, c'était le *nec plus ultra*, l'établissement le plus opulent et le plus cher de Londres. On y trouvait des pianos à queue dans les chambres les plus belles, des garçons d'ascenseurs, une cave à vins, une laverie qui pouvait nettoyer, sécher et repasser trois mille pièces par jour et qui recevait, grâce à un système de tubes, le linge sale envoyé des quatre coins de l'immeuble. Le *Builder Magazine*, qui annonça l'ouverture de l'hôtel, en parla comme du bâtiment « le plus sophistiqué et luxueusement décoré, apparemment sans la moindre considération de son coût ».

Fils d'un pasteur du Buckinghamshire, George Gilbert Scott (1811-1878), architecte de renom, était le Richard Rogers ou le Norman Foster de son temps, et il chérissait le style gothique, qu'il considérait comme un langage.

L'édifice qu'il conçut n'était pas simplement un hôtel. Chaque élément décoratif exubérant était une déclaration qui proclamait : voici le Londres de notre époque victorienne, voici comment nous construisons nos hôtels, et imaginez ce que nous pouvons faire pour nos parlements et nos palais !

Pendant plusieurs décennies, la formule fonctionna. Le Grand Hôtel Midland, situé à côté de la gare St Pancras, devint l'escale préférée des couteliers de Sheffield, des marchands de laine du Yorkshire et des constructeurs de navires de Clydeside, une clientèle qui appréciait les améliorations constantes de l'établissement. La lumière électrique y fut installée dans les années 1880. Quand des résidents se plaignirent du bruit des chevaux et des calèches, l'hôtel finança le recouvrement de l'avenue par des pavés de bois enveloppés de caoutchouc. On installa au Midland la première porte à tambour de la ville en 1899, et bien qu'il n'eût pas assez de salles de bains particulières (lesquelles apparurent d'abord au Savoy), l'hôtel prospéra jusqu'à la Première Guerre mondiale.

Le 17 février 1918, une bombe lâchée par un avion allemand l'atteignit, tuant vingt personnes et en blessant beaucoup d'autres. Mais la vraie catastrophe eut lieu en 1921, quand la gestion des chemins de fer, reprise en mains par le gouvernement, entraîna une rationalisation et la gare de St Pancras (qui desservait les villes de Glasgow, Manchester, Sheffield, Leeds et Nottingham) fut délaissée au profit de celle d'Euston. Le Grand Hôtel Midland perdit ses clients et, imperceptiblement, un peu de sa grandeur. En 1930, l'endroit avait tellement déchu qu'un membre de l'équipe australienne de cricket s'y fit voler son sac. Le peintre Paul Nash raconte une soirée sinistre et silencieuse, au début des années 1930, avec une radio cassée et le plus mauvais café qu'il ait jamais goûté.

En 1934, le président de la London Midland and Scotland Railway, sir Josiah Stamp, évoqua à voix haute l'idée de démolir ce chef-d'œuvre. Le bâtiment était devenu un mastodonte, un rappel un peu gênant des prétentions victoriennes dont le marché ne pouvait plus s'accommoder. « Serait-ce vraiment du vandalisme que le détruire ? » demanda-t-il lors d'un dîner. En 1935, l'hôtel dut fermer et, en théorie, il devint le siège de la compagnie de chemins de fer. Le coût de l'entretien du bâtiment était tel que de nombreux espaces furent tout simplement abandonnés.

Des enfants, parfois, réussissaient à franchir les enceintes et jouaient sur les moquettes sales au pied des grandes dames victoriennes, Industrie et Tempérance, qui continuaient à regarder de haut cette ville de Londres qui n'avait pas répondu à leurs attentes. Marc Girouard, historien de l'architecture, se souvient d'être entré dans l'immeuble vers l'année 1950, visitant des chambres vides et sales et escaladant une échelle pour monter sur le toit de la tour ouest, d'où il découvrit une vue spectaculaire sur Londres. Au cours des années 1960, l'électrification de la principale ligne de chemin de fer longeant la côte ouest de l'Angleterre conduisit la plupart des trains à la gare d'Euston. St Pancras perdit son utilité et British Rail écrivit au gouvernement une lettre lui demandant d'approuver « les changements nécessaires » – en d'autres termes, la permission de détruire l'œuvre de George Gilbert Scott.

Décrépi et humilié, l'ancien hôtel devint, avec le temps, la métaphore d'une culture et d'une société tombées bien bas depuis l'époque victorienne. Il symbolisait désormais une ville qui avait vu décliner sa confiance, sa richesse et son statut international. À la fin des années 1960, avec la dégradation de la situation économique liée à la volonté des planificateurs d'installer les industries hors de Londres et d'envoyer les Londoniens vivre dans des «villes nouvelles» ou autres «cités-jardins», un exode forcé vers les périphéries commença. Pour la première fois en deux cents ans, Londres enregistra une baisse sensible et inattendue de sa population. Depuis les années 1940, les planificateurs avaient toujours prétendu que le poids de Londres était devenu écrasant dans l'économie britannique, et que son pouvoir de création de richesses devrait être, d'une manière ou d'une autre, réparti sur d'autres régions. Maintenant, ils avaient enfin ce qu'ils voulaient – mais pas de la façon qu'ils avaient prévue.

Cette étrange campagne commença avec la commission Barlow, pendant la guerre, qui jugea que Londres jouait un rôle trop prédominant dans l'industrie et le commerce. En 1941, sir Patrick Abercrombie fut chargé, par le London County Council, d'élaborer un plan. Et en 1944, il rendit son fameux rapport. Celui-ci comportait quelques points positifs : il reconnaissait l'importance des anciens centres et villages de Londres, et les progrès accomplis en matière de transports, mais le cœur de son projet était de déplacer quelque six cent mille personnes de Londres pour les installer dans des «villes nouvelles». Et bien que les intentions d'Abercrombie aient été, sans aucun doute, sincères, cet exode s'accompagna de la rupture de liens anciens, amicaux ou familiaux, et de la construction de grands ensembles immobiliers sans attrait dans les faubourgs de la ville.

On peut encore trouver des traces de ce dogme de Barlow et Abercrombie jusqu'en 1967, quand le conseil de planification du sud-est publia son premier rapport, répétant les mêmes demandes – ce qui semble aujourd'hui une attaque imbécile à l'encontre d'une ville qui avait été le cœur de la puissance impériale et la manufacture du monde. Il fallait «maintenir des efforts importants et continus pour déplacer les industries [...], continuer à développer la construction d'immeubles de bureaux hors de Londres», il s'agissait «d'un intérêt national». Ces mots nous semblent incroyables aujourd'hui, étant donné la situation de l'emploi à Londres. Les planificateurs voulaient étaler les richesses de la capitale sur une plus vaste surface, comme s'il s'agissait d'une marmelade sur une tartine, et pourtant ces esprits visionnaires n'ont jamais vu venir l'effondrement des docks et le déclin de l'industrie traditionnelle.

L'année de ma naissance, 1964, les docks du port étaient très actifs. Les West India Docks concentraient le commerce du sucre, des fruits et du bois, et sur quarante-cinq kilomètres en aval du London Bridge se trouvaient des raffineries, des centrales électriques, des dépôts frigorifiques et de grandes usines comme celle de Ford à Dagenham. Les docks recevaient chaque jour onze mille camions et camionnettes et des biens de toutes sortes étaient chargés sur six mille trois cents péniches. Pourtant, tout n'allait pas pour le mieux dans le port de Londres.

Les docks ont toujours été sous la coupe des syndicats. Je n'oublierai jamais l'amertume de feu Bill Deedes, quand il me raconta que les dockers avaient refusé de charger sa barge de marchandises pour le jour J du débarquement en Normandie parce qu'ils n'avaient pas eu le «tarif» pour ce travail. Et comment les employés de Deedes avaient été obligés, avec des conséquences fatales, de faire le job à leur place. En 1947, les accords conclus avec le gouvernement travailliste introduisirent des rigidités que les ports de nos concurrents ne connurent pas. Or la flexibilité était essentielle, la finalité d'un dock n'étant pas de réduire les échanges, mais de les multiplier.

L'aube des conteneurs se leva au cours des années 1960, et les marchandises commencèrent à arriver à Londres dans ces structures métalliques de 2,4 mètres de hauteur, 2,4 mètres de largeur et 12 mètres de profondeur. Les porte-conteneurs, en abordant un port, ont juste besoin d'une aire de dix hectares, pas d'une armée de dockers, de porteurs et autres métiers avec des règles compliquées sur qui peut faire quoi et à quelle heure. Ils veulent juste des gens capables de conduire les mastodontes qui chargent et déchargent les conteneurs. Les vieux docks de Londres furent immédiatement dépassés et vendus à des promoteurs immobiliers. Comme l'a dit le professeur Jeremy Black dans le sommaire de son histoire de l'après-guerre de Londres, «le déclin de la position relative de la ville au cours des dernières années a été presque à la mesure du déclin de ses docks».

Pour avoir été soumis aux aléas de l'économie et à la volonté des planificateurs, les gens ont quitté Londres pour s'installer dans l'Essex, à St Albans et dans d'autres villes de la périphérie. Depuis la moitié des années 1960, la population de Londres a ainsi fortement baissé. De 8,7 millions en 1939, elle passa à 7,99 millions en 1961, pour atteindre 7,45 millions en 1971 et 6,8 millions en 1981.

Avec une hausse de la criminalité, des transports sclérosés, l'hostilité des responsables municipaux à l'encontre de la création de bureaux et le déclin des docks, il n'était guère étonnant que le monde des affaires et l'industrie aillent voir ailleurs.

Je me souviens avoir été enfant à Londres dans les années 1970, et vous aussi, peut-être. On achetait une glace ou un sorbet pour deux pennies, nous jouions sans fin dans le parc et vers le canal (et si nous nous battions, nous utilisions nos poings, pas des couteaux). Nous posions des planches sur une caisse de laitier pour sauter en l'air avec nos bicyclettes et éviter les crottes de chiens blanchies par les intempéries. Je me souviens aussi avoir senti la crise économique, ces lumières qui vacillaient souvent et la guerre sans fin entre le gouvernement et les syndicats. Un sombre après-midi, passant devant King's Cross, j'ai regardé par la vitre arrière de notre Renault 4L St Pancras et la masse sinistre et transylvanienne de l'ancien Midland Grand Hotel, me demandant ce que c'était.

«Oh, c'était victorien», me répondit quelqu'un avec dédain. À l'époque, ce qui était victorien était ampoulé, risible, démodé. Serais-je entré à l'intérieur que j'aurais trouvé les lieux plus pitoyables encore que la description qu'en avait faite Marc Girouard vingt ans plus tôt. Les tapis avaient disparu, les peintures s'écaillaient, les planchers s'étaient soulevés et les portes étaient dégondées. Dans les quelques pièces occupées par British Rail, les chandeliers avaient été remplacés par des tubes de néon et les murs repeints avec cette couleur vert pâle qu'affectionnent les écoles primaires et les lunatiques.

Personne ne pouvait arracher ce bâtiment à British Rail, et bien que John Betjam et d'autres réussirent à éviter sa destruction – et même à le faire classer – personne ne savait vraiment quoi en faire. Surtout pas un hôtel, car la demande n'était pas au rendez-vous. Pendant des années, l'ancien Midland Grand Hotel est resté dans son coin, comme pour nous rappeler que les métropoles ont des hauts et des bas.

Allez à Detroit, qui a perdu 58 % de sa population entre 1950 et 2008, et vous trouverez tout un tas de salles de bals défoncées parmi les reliques d'anciens grands hôtels. Allez à Bagdad; c'est peut-être difficile à croire aujourd'hui, mais elle fut la ville la plus puissante et la plus peuplée du monde. Comme le dit Ovide, *Seges est ubi Troia fuit.* Il y a un champ de maïs là où se tint Troie.

Le Midland Grand Hotel a été géré pendant quelque temps par une agence gouvernementale puis une autre, et c'est finalement au cours des années 1980 que les choses ont bougé. Le déclin de Londres prend alors fin et la population revient. Les docks désertés deviennent des résidences au bord de l'eau recherchées. Quelqu'un ou quelque chose est responsable de ce retour en grâce, et je sais que toute analyse à ce sujet est condamnée à la controverse.

La façon la plus facile de se faire huer à la Chambre est de mentionner Margaret Thatcher, ou l'esprit d'entreprise des années 1980, ou le boum des services financiers. Ceux qui critiquent la Dame de fer diront certainement que ce qui est arrivé à Londres sous son gouvernement n'avait rien d'exceptionnel. New York a connu aussi pareille renaissance, d'un port en déclin vers une économie financière et de services florissante. Les supporters de Thatcher pourraient rétorquer que Londres a fait mieux que New York, et que le gouvernement britannique a été encore plus audacieux pour créer les conditions qui ont donné l'une des périodes de croissance et de dynamisme les plus longues de l'histoire du pays. Le gouvernement a annulé l'interdiction d'édifier des gratte-ciel de bureaux, interdiction imposée par le travailliste George Brown. Les ministres ont soutenu le «big bang» financier de 1986, permettant la création de grands groupes dans ce secteur. Ils ont lâché sur la ville les jeunes professionnels du moment, les «yuppies», vulgaires, âpres au gain et porteurs de bretelles ridicules. En 1996, Londres était de nouveau sur la carte, en compagnie de

New York et de Tokyo, comme l'une des grandes capitales financières du monde.

La moitié des échanges des actions françaises ou italiennes se fait à Londres, et 90 % de toutes les transactions boursières d'Europe. La moitié des contrats maritimes, la moitié des fusions et acquisitions du monde entier sont scellées à Londres. La croissance de la City, et des services qui lui sont associés, comme les cabinets d'avocats, les agences comptables et les assurances exercent une forte pression sur la demande d'espaces de bureaux, et quand les valeurs montent, les gens commencent à regarder aux alentours à la recherche des bonnes affaires sur les anciens sites industriels. En 1989, l'ancien Midland Grand Hotel fut racheté par un promoteur qui voulait en faire de nouveau un hôtel. Un changement intervint dans les transports qui précipita les choses : Thatcher et Mitterrand décidèrent de relier la Grande-Bretagne et la France en passant sous la Manche, et en 1996 le gouvernement Major choisit de faire arriver cette ligne d'Europe, à grande vitesse, à St Pancras.

Ce fut cette nouvelle ligne – et la rénovation totale de la station – qui transforma l'économie de l'hôtel. La catastrophe de 1921, quand de si nombreux trains furent déroutés vers Euston, était enfin réparée. Aujourd'hui, St Pancras est la gare des romances internationales, qu'illustre une gigantesque statue de bronze d'un couple qui s'embrasse. Elle est la porte vers Paris, et l'Eurostar a permis de faire de Londres la cinquième ou sixième plus grande ville française au monde, avec un nombre si élevé d'électeurs inscrits au consulat que les candidats à l'élection présidentielle jugent prudent de venir les rencontrer.

Avec le recul du temps, on peut dire que les décennies du milieu du xxᵉ siècle furent des années perdues. Non seulement pour le Midland Grand Hotel, mais aussi pour l'investissement dans les transports à Londres. Le métro s'est détérioré et, après la série victorienne de ponts sur la Tamise, le seul nouveau passage qui ait été construit sur le fleuve a été réalisé à Chiswick en 1933, mais rien à l'est du Tower Bridge jusqu'à Dartford. Comme la population de Londres augmente maintenant rapidement (et certainement plus vite que dans le reste du pays), c'est une erreur que nous ne devons pas répéter. Les experts de Transport for London travaillent sur une nouvelle traversée de la Tamise par le rail, qui irait de Hackney à Chelsea, en partie pour soulager la pression sur la gare d'Euston avec le projet d'une ligne à grande vitesse reliant Birmingham.

Il existe également des projets d'extension des lignes Northern et Bakerloo au sud de Londres, d'introduction de nouveaux franchissements de la rivière dans l'est de Londres, et de développement de l'usage des tramways. Et tout cela sans même parler des projets, eux aussi victoriens, de créer une nouvelle liaison ferroviaire est-ouest, de remonter le métro en gamme et de construire un gigantesque superégout sous la rivière, qui viendrait enfin compléter le travail de Joseph Bazalgette. Dans le cadre du métro, ces améliorations n'ont pas seulement une finalité économique, elles sont aussi une nécessité humanitaire. Les nouvelles signalisations vont permettre aux rames de voyager plus vite, ce qui entraînera une énergie cinétique qui se transformera en chaleur, et si nous n'augmentons pas en même temps la capacité des wagons à accueillir plus de voyageurs répondant ainsi à une demande croissante, nous risquons d'imposer aux gens des conditions de voyage qui seraient jugées inadmissibles par Bruxelles dans le transport du bétail.

Et puis nous avons une immense leçon à tirer du brutal déclin des docks. Avec le recul, nous voyons bien que le problème des docks ne fut pas dû à une diminution de la demande. Le commerce mondial a continué son expansion tout au long des années 1970 et Londres aurait pu en profiter pour garder son statut de port et d'entrepôt, comme le fit Rotterdam. Mais le manque d'infrastructures et la taille trop petite de ses docks ont fait que Londres a perdu la course, ce qui a eu des répercussions sur l'industrie, les investissements, l'emploi, et la confiance.

Cela fait un peu plus d'un siècle que Winston Churchill fit très peur à sa femme en embarquant dans un avion. Voler semblait encore une nouvelle façon de se déplacer démentiellement dangereuse. Aujourd'hui, l'aviation est devenue le moyen de transport essentiel non seulement pour les voyages d'affaires, mais aussi pour l'échange de marchandises. Plus d'un tiers du commerce mondial se fait par air – dont 71 % des exportations de produits pharmaceutiques anglais – et cette proportion augmente. Les Chinois ouvrent sans cesse de nouveaux aéroports dans des villes dont la plupart des Britanniques ont à peine entendu parler, mais le commerce anglais est désavantagé dans la compétition pour atteindre ces nouveaux marchés. Chaque semaine, les avions partant de Francfort pour la Chine cumulent 17 500 sièges, ceux qui partent de Paris en totalisent 15 000, ceux qui décollent d'Amsterdam 11 000, et ceux d'Heathrow seulement 9 000. Les PNB de la Chine et de l'Inde devraient bientôt dépasser celui des États-Unis, et pourtant il est plus difficile pour nos hommes d'affaires de se rendre dans les gigantesques villes nouvelles de ces pays émergents que pour leurs homologues partant d'aéroports situés sur le continent. Si vous voulez aller à Chengdu, Nanjing, Hngzhou, Xiamen ou Guandzhou, vous pouvez prendre un vol direct vers ces villes de l'un des aéroports du reste de l'Europe, mais vous ne pouvez pas le faire d'Heathrow.

Nous ne réglerons pas ce problème en agrandissant Heathrow, alors que le bruit des avions affecte deux cent cinquante mille personnes. Un accroissement de l'activité de cet aéroport aurait également un effet désastreux sur le trafic des autoroutes M4 et M25. Même si un gouvernement prenait la mauvaise décision d'y coincer une nouvelle piste, Heathrow resterait plus petit que les aéroports d'Amsterdam (six pistes), Paris (quatre) ou Madrid (quatre).

Les avis de plus en plus d'experts convergent vers l'idée d'une nouvelle plate-forme aéroportuaire, qui fonctionnerait vingt-quatre heures sur vingt-quatre, en respectant l'environnement, avec quatre pistes vers l'estuaire de la Tamise, où l'impact négatif d'un aéroport sur les êtres humains serait minimisé, et où les oiseaux n'auraient pas grand-chose à craindre.

Un tel projet permettrait de régénérer un lieu, entre la Tour de Londres et l'île de Sheppey, qui a terriblement souffert du déclin de la marine britannique. Il aiderait à cimenter les avantages de Londres, capitale commerciale de l'Europe, au profit des générations futures. C'est vrai que les avions génèrent des gaz à effet de serre (de même, soit dit en passant, que les navires). Mais un jour, les avions seront beaucoup moins polluants, et il me semble qu'il est raisonnable de s'y préparer.

Londres connut ses premiers succès au Moyen Âge grâce à son port et son pont, et parce que l'eau offrait moins de résistance que la terre quand il s'agissait de transports lourds. L'air en offre encore moins que l'eau. Le transport aérien va dominer le XXIe siècle. Londres a assez souffert d'être un port maritime trop petit pour ses besoins, et il est donc temps de penser grand – de penser néo-victorien – à propos de son futur aéroport. Ce n'est pas seulement parce qu'il est bon pour l'économie d'importer et d'exporter des paquets de types sortant de classe business, ou des touristes chinois, mais aussi parce que les améliorations des transports de masse bénéficient à la population tout entière. En dehors de leurs nombreux désavantages, les restrictions actuelles ne feront qu'augmenter les coûts pour les gens modestes, et même si Londres est une ville charmante, chacun a droit à des vacances.

Nous ne construisons pas des lignes ferroviaires à grande vitesse vers la France simplement pour remplir un hôtel chic de St Pancras d'hommes d'affaires venus du continent. Nous les construisons pour les bénéfices économiques qu'elles apportent à des centaines de milliers de personnes dans cette région et au-delà.

Si j'insiste sur l'importance de ces nouvelles connexions aériennes, c'est qu'à la fin de ma méditation sur la vie des Londoniens, je suis frappé par l'importance du rôle joué par les infrastructures.

Londres n'aurait pas existé sans la construction du premier pont par Aulus Plautus ; les trains et métros de l'époque victorienne ont fait de Londres la première grande ville fréquentée par des banlieusards ; le vaste réseau d'égouts de Bazalgette a permis aux Londoniens de vivre ensemble sans se transmettre de terribles maladies : tout ceci est une leçon primordiale pour l'avenir, surtout quand l'économie va mal, comme aujourd'hui. Mais nous pouvons tirer d'autres leçons encore.

Pendant des milliers d'années, Londres fut le théâtre d'un antagonisme permanent entre détenteurs du capital et politiciens. Une tension parfois créatrice, parfois destructrice et il est fondamental que Londres ait, presque depuis toujours, réuni les deux villes – la City de Londres et Westminster.

Il n'est pas surprenant de voir comme les Londoniens sont aujourd'hui amers envers les banquiers qu'ils blâment pour la crise que nous traversons : l'histoire de Londres nous montre que ce n'est pas nouveau. Les exemples ne manquent pas de ressentiment devant le succès des riches marchands, notamment quand ces derniers sont des étrangers. Regardez l'hostilité à l'égard des Rothschild, le meurtre des banquiers flamands et italiens de 1381... Londres a réussi grâce à ses hommes politiques, qui ont compris qu'ils devaient gérer ce conflit et faire de leur mieux pour combler l'éternel fossé entre riches et pauvres.

Parfois, les politiciens ont choisi le peuple, tel Alderman Tonge qui ouvrit les portes de la ville aux paysans pour qu'ils s'en emparent. Parfois, ils ont pris le parti des marchands hostiles aux prérogatives du roi, tel John Wilkes. Parfois, les marchands ont agi avec égoïsme et stupidité ; et parfois, enfin, vous rencontrez un banquier doté de tant de sagesse et de clairvoyance que ses actes charitables ont donné à son nom un écho que l'on perçoit encore aujourd'hui, et je pense ici à Dick Whittington. Tous ceux qui s'inquiètent de l'avenir de l'économie occidentale devraient trouver dans l'histoire de ces Londoniens des consolations et des raisons d'espérer.

Cette ville peut se sortir de toutes les situations – massacres, incendies, maladies, bombardements – et il est évident que le génie des Londoniens peut germer partout, comme des papillons sur un champ de ruines. Il n'y avait aucune raison de penser que le fils d'un barbier de Covent Garden révolutionnerait la peinture et inspirerait les impressionnistes. Quant à la gare de Sidcup, il serait difficile de l'identifier comme le lieu de naissance de l'un des plus grands groupes de rock'n'roll au monde.

Si quelque chose a changé la vie de ces gens, a suscité leur talent, c'est bien la proximité d'autres Londoniens.

C'est l'argument du cyclotron que j'ai déjà avancé : ces gens extrêmement talentueux ont été stimulés par le talent des autres – par les échanges, l'inspiration, la compétition que l'on trouve dans les grandes villes. Shakespeare était un génie, mais il a sûrement écrit son *Roi Lear* en sachant que Thomas Kyd avait écrit un *Roi Leir*, de même qu'il écrivit son *Marchand de Venise* en connaissant le *Juif de Malte* de Marlowe.

Il existe aussi quelque chose de spécial dans l'environnement de la ville, dans l'image qu'elle donne, dans la façon dont elle fonctionne. Je repense à cette vision que l'on aurait eue en montant au sommet de St Paul en l'année 1700 – une collection de villages –, et je me remémore les sages paroles du mahatma Gandhi. «L'Inde véritable n'est pas dans ses quelques villes, mais dans ses sept cent mille villages. La croissance de la nation ne dépend pas des villes, mais des villages.» C'est une opinion romantique et pleine de charme, et quiconque s'est rendu récemment en Inde peut en témoigner, elle est totalement fausse. Les gens qui vivent dans les villes indiennes ont accès à de meilleurs soins, une meilleure éducation, un revenu par habitant plus élevé et une empreinte carbone plus légère que ceux qui vivent dans des villages, et c'est bien pour cela que les Indiens s'entassent dans les métropoles. On peut tenir le même argument avec les Londoniens, en termes de productivité, notamment, la leur étant environ de 30 % supérieure à celle des autres habitants du pays. Mais ce que dit Gandhi, néanmoins, nous touche profondément, n'est-ce pas ?

Nous aimons cette idée du village, l'Eden dont nous fûmes chassés, la communauté d'avant le péché, de l'innocence et de la beauté. Quand on se balade dans Londres, on peut voir qu'il existe encore une collection de cent cinquante villages plus ou moins bien reliés entre eux par des transports publics.

Les villes sont des endroits idéaux pour être anonyme, rechercher du plaisir, faire de l'argent, mais parfois on aime retrouver aussi le village dans la ville. C'est pourquoi le gouvernement de Londres fait de gros efforts pour rapprocher les communautés, promouvoir l'apprentissage, et rendre la ville plus accueillante, en plantant des milliers d'arbres dans les rues, par exemple, ou en encourageant les gens à se déplacer à bicyclette, une machine améliorée – mais non inventée, hélas – à Londres.

Quand on regarde le Londres du début du XXIᵉ siècle, on réalise que les générations précédentes ont fait un travail dont nous sommes fiers. Je sais que vous vous attendiez à ce que je vous dise ça – et en vérité c'est mon job de vous le dire – mais je crois que c'est la vérité. Cette ville a un passé illustre et, devant elle, un avenir extraordinaire.

Elle se situe dans un fuseau horaire qui permet de converser avec New York et Shanghai dans la même journée. Et qui plus est, dans notre langue. En dépit des désastres causés par le resserrement du crédit, nous hébergeons encore la plus grande industrie financière au monde – et si les gens se sentent très « 1381 », en ce moment, à l'égard des banquiers étrangers, il est bon de leur rappeler que ces derniers nous apportent toujours des capitaux et des emplois. Les effets spéciaux des films d'Hollywood sont réalisés à Soho, des applications pour iPhone sont inventées à Shoreditch. Nous exportons des bicyclettes de Chiswick aux Pays-Bas, des gâteaux de Waltham Forest en France (qu'ils mangent de la brioche, dis-je, du moment qu'elle est faite à Walthamstow), des chaussons de danse, en nombre de plus en plus grand, de Hackney en Chine.

Pas loin de mon bureau, le Shard a ouvert ses portes et quoi que l'on pense du design conçu par Renzo Piano, c'est le plus grand immeuble de bureaux d'Europe. Sans parler des constructions du parc olympique, à l'est de Londres, dans les docks, et du potentiel que représentent Battersea, Croydon, Earl's Court et d'autres encore...

En fait, la solution semble simple pour que Londres soit toujours le fer de lance du redressement économique britannique et continue à faire l'admiration du reste du monde : il nous faut améliorer l'éducation, investir encore dans les transports, construire des logements plus abordables, résoudre nos problèmes de flux aérien et donner du travail aux gens en isolant thermiquement des dizaines de milliers d'habitations mal protégées des intempéries.

Tout au long de leur histoire, les Londoniens ont façonné cette ville avec ses parcs et ses moyens de transports. Certains avaient du génie, la plupart étaient obscurs. Ils nous ont laissé bien plus qu'un ensemble d'immeubles, de points de vue ou de réseaux en tous genres. Ils ont créé cette chose que les Romains avaient si bien su générer : leur marque de fabrique. Aujourd'hui, la réputation de la ville est telle que les gens veulent y venir en quête d'argent, de nourriture, de notoriété, d'amitiés, de tout ce qui fait courir l'être humain.

Finalement, c'est une procession de Londoniens étalée sur deux mille ans qui permit de construire la marque de fabrique de Londres. Comme le disait Shakespeare : « Qu'est-ce qu'une cité sinon ses habitants ? »

Remerciements

Cet ouvrage n'aurait pas vu le jour sans la générosité de Stephen Inwood, qui a écrit le livre sur Londres le plus plaisant à lire et le plus intéressant. Au cours d'un déjeuner rapide et d'une promenade dans Cheapside, il m'a fait un grand nombre d'excellentes suggestions – comme tout tuteur de qualité – et m'a ouvert la voie. Il a aussi gentiment accepté de relire mon premier jet, bien que je revendique la paternité des erreurs factuelles, de goût ou de jugement. Un grand merci à mon brillant camarade de Brackenbury.

J'ai parcouru de trop nombreux livres pour en faire la liste ou citer leurs auteurs, bien qu'il soit juste de dire aux lecteurs quels sont ceux qui ont présenté le plus grand intérêt ou procuré le plus grand plaisir.

Ceux qui veulent en savoir plus sur Boadicée doivent lire Miranda Aldhouse-Green.

Richard Abels a produit le livre le plus complet et drôle sur Alfred le Grand.

Si vous voulez mieux connaître John Wilkes, mettez-vous en quête de son excellente biographie par Arthur Cash.

Jack Lohman, du Musée de Londres, m'a permis de consulter les livres de sa bibliothèque à des heures bizarres, et je lui suis très reconnaissant, à lui et à son équipe, de leur patience.

David Jeffcock, un esprit universel, m'a, une fois de plus, prodigué toutes sortes de conseils et proposé des corrections. Andrew Roberts a fort gentiment relu le chapitre sur Churchill. Vicky Spratt a fait un excellent travail de recherche sur différents personnages. Daniel Moylan a souligné les relations présumées entre Magnus Martyr et Magna Mater. Gina Miller a partagé ses connaissances en matière de ping-pong.

Jonathan Watt s'est montré héroïque dans son travail, et je lui suis particulièrement redevable pour son savoir dans les secteurs des structures corporatives et des finances médiévales. Une fois de plus, je me réjouis d'avoir Natasha Fairweather comme agent, et je veux tout particulièrement remercier mon éditeur, Susan Watt, dont l'enthousiasme, l'énergie, et la logique ont permis à ce projet d'aboutir.

TABLE

London Bridge 9

BOADICÉE 18
   Elle poussa les Romains à reconstruire Londres .. 18

HADRIEN 28
   Il fit de Londres la capitale de la Britannia 28

MELLITUS 38
   Il réintroduisit le christianisme à Londres et en
   repartit à coups de pied dans le derrière 38

ALFRED LE GRAND 46
   Le sauveur de Londres 46

GUILLAUME LE CONQUÉRANT 56
   Le bâtisseur de la Tour de Londres 56

GEOFFREY CHAUCER 68
   Il est le père de la langue anglaise – officieusement celle de l'humanité aujourd'hui 68

RICHARD WHITTINGTON 83
   Non seulement le premier grand banquier, mais
   aussi l'homme qui fixa les règles de la philanthropie 83

La chasse d'eau 95

WILLIAM SHAKESPEARE.............................. 97
  Comment Londres, avec lui, fut à l'avant-garde
  du théâtre moderne..................................... 97
ROBERT HOOKE....................................... 116
  Le plus grand inventeur dont vous n'avez
  jamais entendu parler.................................. 116
La bible du roi Jacques 142
SAMUEL JOHNSON 145
  L'inventeur du conservatisme compassionnel...... 145
Les sergents de ville.................................. 160
JOHN WILKES 163
  Le père de la liberté 163
Le costume 190
J. M. W. TURNER....................................... 192
  Le précurseur de l'impressionnisme.................. 192
La bicyclette... 214
LIONEL ROTHSCHILD 216
  Le financier de l'Empire 216
Le ping-pong... 234
FLORENCE NIGHTINGALE ET MARY SEACOLE ... 237
  Les premières infirmières professionnelles.......... 237
Les égouts de Joseph Bazalgette 256
W. T. STEAD 258
  L'inventeur du tabloïd 258
Le métro 266
WINSTON CHURCHILL 269
  Le fondateur méconnu de l'État-providence –
  et l'homme qui sauva le monde de la tyrannie 269
L'autobus à impériale................................. 294

Table

KEITH RICHARDS... 297
   Il offrit au monde (avec sir Mick) le rock'n'roll.... 297
Le Grand Hôtel Midland 315
Remerciements 335

Crédits

Cet ouvrage a été imprimé
en février 2013 par

FIRMIN-DIDOT

27650 Mesnil-sur-l'Estrée
N° d'édition : 52945/01
N° d'impression : 115917
Dépôt légal : mars 2013

Imprimé en France

La photocomposition de cet ouvrage
a été réalisée par
GRAPHIC HAINAUT
59163 Condé-sur-l'Escaut